SOLIDARITÉS

Jacques Beausoleil Marie-Chantal Guédon Claude Larivière Robert Mayer

SOLIDARITÉS

Pratiques de recherche-action et de prise en charge par le milieu

Sous la direction de Jacques Alary

BORÉAL

Cet ouvrage a été publié grâce à une subvention de la division des subventions nationales au bien-être du ministère de la Santé nationale et du Bien-être social du Canada.

Données de catalogage avant publication (Canada)

Vedette principale au titre
Solidarités: pratiques de recherche-action et de prise en charge par le milieu
Bibliographie: p. 227-241
ISBN 2-89052-211-3

1. Service social — Québec (Province). 2. Service social — Recherche — Québec (Province). 3. Soins en institutions — Québec (Province). 4. Organisation communautaire. I. Alary, Jacques, 1932-   . II Beausoleil, Jacques.
HV65.P72 1988   361'.9714   C88-096086-8

Remerciements

Bien que cet ouvrage paraisse sous la signature des cinq auteurs qui en ont rédigé les différentes parties, plusieurs personnes ont contribué à sa préparation. De 1981 à 1987, elles ont été associées, à titre de partenaires, à divers projets de recherche-action qui ont conduit à l'élaboration des idées exposées ci-après.

Nos premiers collaborateurs qui ont participé pendant près de quatre ans aux travaux du Groupe de recherche-action sur les réseaux de soutien et les pratiques institutionnelles (GRARSPI) comprenaient Danielle Bergeron, Nicole Boucher, Gilles Brousseau, Lucie Cantin, Guy Drudi, Bernard Gemme, Robert Laurin, Chantal Lavigne, Madeleine Leduc, Danièle Maltais, André Sénécal, Louis-Paul Thauvette et Martine Thériault.

Par la suite, d'autres personnes ont été associées à nos travaux dans le cadre de projets qui ont permis d'approfondir la pensée qui avait pris forme dans le GRARSPI et d'expliciter la méthode de recherche-action-formation comme instrument de prise en charge par le milieu. Il s'agit des intervenants dans le cadre d'organismes de retour au marché du travail de Montréal (projet RMT), des responsables des ressources alternatives en santé mentale de la Montérégie (projet RASM), ainsi que des responsables d'organismes de base en santé mentale des régions de l'Estrie et de la Mauricie-Bois-Francs (projet OBSM).

Nous avons essayé dans le texte qui suit de rester fidèles à la pensée des groupes avec lesquels nous avons travaillé et nous espérons que tous ceux qui y ont contribué s'y reconnaîtront. C'est là le résultat de beaucoup de questionnements et nous remercions chaleureusement tous ceux et celles qui nous ont permis de faire ce cheminement.

La transcription des nombreux textes qui ont abouti à la production de ce livre a été assurée avec beaucoup de compétence et de dévouement par Lise Melançon et Ghyslaine Éthier à qui nous voulons aussi témoigner notre reconnaissance.

INTRODUCTION

Un des paradoxes de notre temps c'est, sans aucun doute, l'apparition simultanée de nouveaux individualismes et de nouvelles solidarités. Ce qu'on dénonce comme individualisme mérite, cependant, d'être examiné de plus près car derrière les conduites ainsi qualifiées se cache une quête d'authenticité, d'identité. Et, dans la mesure où chacun devient plus conscient de ses aspirations, de ses valeurs, de ses capacités, de ses limites, en un mot de ses différences, ne devient-il pas plus sensible à celles des autres? N'est-ce pas dans la reconnaissance de nos différences individuelles et de nos désirs communs que s'enracine la solidarité?

La contradiction entre la recherche de l'individualité et la renaissance de la solidarité semble donc plus apparente que réelle. Il y a en effet autour de nous tout un foisonnement d'activités d'entraide et d'actions de type communautaire à travers lesquelles chacun cherche à se réaliser comme personne tout en travaillant à améliorer les conditions de vie communes de la collectivité. Lorsqu'on s'arrête à réfléchir à ce phénomène, on s'aperçoit qu'il s'agit au fond d'une seule et même démarche à travers laquelle les hommes essaient d'échapper aux systèmes qu'ils se sont inventés et dans lesquels ils se sont enfermés.

Dans tous ces projets où s'élaborent de nouvelles solidarités et où s'affrontent l'instinctuel et l'institutionnel, le pulsionnel et le contractuel, les hommes cherchent en quelque sorte à se donner, d'une part, une identité personnelle pour sortir de l'anonymat du système social et, d'autre part, un pouvoir collectif pour contrer les forces aveugles de ce même système. C'est l'idée que nous avons voulu développer dans cet ouvrage qui traite des pratiques de prise en charge par le milieu et des pratiques de recherche-action. Dans les projets qui sont à l'origine de ce livre, on observe en effet une constante: les pratiques qui visent le développement des solidarités s'enracinent dans une recherche d'individualité c'est-à-dire dans une démarche de croissance ou de formation personnelle.

Dans le premier chapitre, Claude Larivière montre comment, à travers les discours qui analysent les diverses manifestations du phénomène de la prise en charge par le milieu, on peut dégager un seul et même langage qui est celui de la solidarité, qui a ses sources dans le désir de se prendre en charge soi-même. Qu'il s'agisse de bénévolat, de société conviviale, d'action écologiste, de groupes d'entraide ou de groupes de croissance, de pratiques de réseaux ou de pratiques d'autogestion, il s'agit d'abord et avant tout de la recherche d'une forme alternative de pratique sociale où la reconnaissance des différences individuelles se conjugue à l'élaboration d'un pouvoir collectif.

Dans le deuxième chapitre, Claude Larivière tente précisément d'articuler les principales composantes de cette pratique alternative et de montrer en quoi la logique de la prise en charge par le milieu (PCM) se distingue de la logique de la prise en charge par l'institution (PCI). En examinant les différentes formes à travers lesquelles s'exprime la prise en charge par le milieu, on se rend compte qu'elles peuvent se situer sur un continuum entre deux pôles où l'on trouve, d'une part, des actions naturelles et spontanées nées de l'initiative des simples citoyens et, d'autre part, des interventions professionnelles et organisées issues de l'initiative de l'État. Tout au long de ce continuum se manifeste, par ailleurs, le jeu du processus d'institutionnalisation progressive des actions qui vient brouiller la ligne de démarcation entre PCM et PCI. Si les différences entre les deux approches sont plus nettes en ce qui a trait aux valeurs et aux objectifs, elles deviennent moins prononcées au plan des principes méthodologiques qui servent à structurer l'action proprement dite. On y retrouve, en effet, certains des principes fondamentaux de l'action qui ont été énoncés par les théoriciens du service social professionnel. C'est pourquoi, dans les dernières sections de cette deuxième partie, Marie-Chantal Guédon se penche sur la question des rapports entre les pratiques professionnelles et les pratiques de PCM. Elle examine ainsi les conflits qui opposent ceux qui considèrent que ces pratiques ne peuvent être que mutuellement exclusives à ceux qui les tiennent pour complémentaires. Dans ce débat à propos des rôles respectifs des intervenants professionnels et des aidants naturels, on est amené à nuancer la critique qu'on peut faire de la solution institutionnelle si on prend en compte le phénomène des effets pervers associés aux structures organisationnelles qui servent d'encadrement à l'action. Les organisations issues du milieu et les établissements reliés au dispositif mis en place par l'État sont jusqu'à un certain point exposés aux mêmes effets pervers associés aux structures organisationnelles.

Dans le troisième chapitre, Jacques Beausoleil aborde la question du rôle de l'organisation qui agit comme structure d'encadrement pour les projets axés sur la prise en charge par le milieu. C'est par le biais d'une analyse des rapports vécus entre des intervenants universitaires et leurs partenaires du milieu dans quatre projets de recherche-action-formation qu'il tente de rendre compte du processus par lequel on peut susciter une prise en charge par le milieu. Dans chacun de ces projets, en cherchant à découvrir ce qui a marché et ce qui n'a pas marché et pourquoi il en a été ainsi, il dégage une méthode de travail dont les principes fondamentaux s'apparentent étrangement à ceux qui ont été énoncés dans l'élaboration de l'approche de la prise en charge par le milieu. L'homologie structurelle entre un projet de PCM et un projet de recheche-action-formation (RAF) apparaît alors clairement. Qu'il s'agisse du traitement de la demande, de la planification de la démarche, du partage des rôles, du financement et de la gestion du projet, de la conduite de l'analyse ou de l'écriture qui rend compte de l'action, les enjeux d'un projet de PCM ou d'un projet de RAF sont les mêmes. On rejoint ainsi les travaux et les observations des chercheurs de l'école française de socianalyse qui ont fait porter leurs réflexions sur la dynamique en profondeur des organisations et des institutions.

Dans le dernier chapitre, Robert Mayer tente d'expliciter les enjeux fondamentaux de toute recherche-action. À cette fin, il examine tout un ensemble de projets de recherche-action réalisés au Québec et en France et il dissèque les conclusions auxquelles ils ont donné lieu. Plusieurs de ces conclusions viennent confirmer les observations que Jacques Beausoleil a dégagées des projets de recherche-action-formation. Si les projets de RAF montrent que les intervenants, indépendamment de leur niveau de formation, sont capables d'analyser leurs propres pratiques d'action et de les modifier, les projets de PCM montrent aussi que les gens du milieu sont capables d'analyser leurs pratiques de vie et de les réorienter.

Pour l'universitaire qui s'engage dans la recherche-action-formation comme pour l'intervenant qui exerce une pratique axée sur la prise en charge par le milieu, une même conclusion s'impose: les chemins par lesquels se développe la solidarité ne sont pas toujours ceux qu'on avait prévu d'emprunter. Le milieu, semble-t-il, a des raisons que la méthode ne connaît pas.

I

LES DISCOURS SUR LA PRISE EN CHARGE PAR LE MILIEU

Avant d'exposer le modèle de prise en charge par le milieu peu à peu élaboré par l'équipe du GRARSPI, il est bon de dresser un inventaire aussi complet que possible des pratiques et des discours qui ont nourri notre réflexion. Bien que, très souvent, ces formes d'action et de pensée aient été dévalorisées et marginalisées par le développement d'institutions étatiques, elles n'en permettent pas moins, mieux que ces dernières peut-être, d'identifier les éléments constitutifs de ce qui devrait être à notre sens la prise en charge par le milieu. C'est dire en même temps que le repérage des contributions à l'idée de prise en charge par le milieu a plutôt suivi les intérêts, les connaissances et l'expérience des membres du GRARSPI que les bilans déjà établis par les professionnels du domaine.

Les courants que nous avons ainsi retenus et analysés sont au nombre de vingt-trois répartis de la manière que voici:

— treize types de *pratiques* sociales: il s'agit ici des types d'actions ou d'interactions spontanées ou organisées dans un milieu donné et visant à apporter ou pouvant servir à apporter un soutien aux personnes qui expriment ou connaissent des besoins sociaux; on peut penser, notamment, au bénévolat, aux groupes d'entraide ou aux communautés thérapeutiques;

— six types de *mouvements sociaux*: dans ce cas, les interventions prennent la forme de regroupements d'individus qui partagent une vision commune de la personne humaine et des rapports que les humains entretiennent avec leur environnement social et physique, et qui cherchent à vivre et à répandre cette vision des choses; l'écologisme, le communautarisme et le mutualisme en sont des exemples;

— quatre courants, enfin, se réfèrent davantage à des *écoles de pensée*, c'est-à-dire à des interprétations de la réalité qui peuvent faciliter ou susciter directement ou indirectement une forme de prise en charge par ou dans le milieu; il en est ainsi de la convivialité, de la philosophie existentielle ou du discours plus récent sur le désengagement de l'État.

Naturellement, les vingt-trois courants que nous retenons ne sont pas sans interrelations, parfois avouées, parfois plus discrètes. Pour notre part cependant, nous n'insisterons pas sur cet aspect de la question. Nous nous contenterons plutôt de préciser la nature propre de chacun d'eux et d'en définir les apports spécifiques aussi bien que les limites. Devant leur nombre, toutefois, une forme de regroupement est nécessaire.

L'instrument de classification que nous nous donnons à cette fin est le champ. Nous entendons par là une construction théorique, un regroupement opératoire de courants ou de types de discours sur la prise en charge dont la fonction est de faciliter l'analyse. Le champ est donc davantage un outil opérationnel qu'un concept arrêté, fondé sur des données empiriques.

Nous avons ainsi délimité trois champs: le champ social, le champ thérapeutique et le champ organisationnel. Il va de soi qu'un courant ou un type de discours donné peut à la fois être centré sur des rapports sociaux, avoir un impact significatif sur le comportement des personnes et conduire à un mode particulier d'organisation. Le classer dans l'un ou l'autre champ est alors avant tout fonction de la caractéristique qui apparaît déterminante ou dominante, mais il est clair que d'autres classifications sont possibles.

Le champ social, tout d'abord, est centré sur la recherche de la réalisation des personnes par l'établissement de rapports responsables, autonomes et harmonieux avec les autres et avec l'environnement (social aussi bien que naturel).

Il regroupe cinq courants:

CHAMP SOCIAL	Bénévolat/volontariat
	L'écologisme
	La convivialité
	La philosophie existentielle
	Le communautarisme

La recherche de rapports égalitaires, fraternels, chaleureux, valorisants, équilibrés, n'exclut évidemment pas les tensions et les conflits qui résultent des différences d'intérêts, de valeurs et de culture. Mais les courants du champ social supposent que l'exercice d'un sain leadership et le désir de chacun de trouver un équilibre conduiront aux compromis nécessaires. On mettra ainsi l'accent sur les rapports humains qu'on opposera aux structures gigantesques, dysfonctionnelles et anonymes propres aux sociétés industrielles dites développées.

Le champ thérapeutique est centré sur l'interaction sociale et il vise un changement de soi à travers un processus passant par la connaissance préalable de soi, l'identification des besoins individuels et sociaux, la croissance du potentiel d'affirmation de soi, d'interrelation et d'engagement social.

Il regroupe sept courants organisés de la façon suivante:

CHAMP
THÉRAPEUTIQUE

Réseaux sociaux

Pairage

Groupes d'entraide

Communautés thérapeutiques

Mouvement du potentiel humain

Thérapie centrée sur la personne

Action éducative préventive

Enfin, le champ organisationnel est centré sur les modes d'organisation des rapports sociaux et institutionnels et des stratégies de changement planifié. Il regroupe onze courants dont chacun porte en lui des valeurs qui déterminent le mode de fonctionnement proposé:

	Le développement des ressources par les institutions
	Le développement communautaire
	L'animation sociale et la participation
	L'autogestion et le mutualisme
CHAMP ORGANISATIONNEL	Les approches liées à l'organisation du travail
	L'analyse institutionnelle
	La conscientisation
	L'action des groupes militants
	L'approche structurelle radicale
	L'approche de désengagement de l'État
	Le discours autogestionnaire

Le champ social

Le champ social réunit donc cinq courants, dont l'objectif commun, explicite ou non, est d'établir des rapports responsables, autonomes et harmonieux autant avec les autres personnes qu'avec l'environnement global. Chacun de ces courants a pourtant ses caractéristiques propres qu'il s'agit maintenant de repérer et d'analyser.

Le bénévolat et le volontariat

Le don de soi se traduit par l'apport d'une aide financière, matérielle ou morale, à une personne qui n'est pas un pair et où n'intervient pas la réciprocité (principe de l'entraide); nous aborderons celle-ci lorsqu'il sera question de pairage.

Historiquement, le bénévolat a pris la forme des œuvres charitables d'organisations comme la Société de la Saint-Vincent-de-Paul, des secours d'urgence, par exemple la Croix-Rouge, ou encore de l'action des «visiteurs bénévoles» caractéristiques des premières organisations sociales et communautaires réformistes de pays comme l'Angleterre et les États-Unis. Avec l'amplification du rôle de l'État-providence, ces organisations sont devenues moins visibles.

Le bénévolat n'a pas disparu pour autant; sa persistance s'explique par l'évolution même des rapports sociaux dans la société industrielle, comme le souligne le Conseil des affaires sociales et de la famille: «L'organisation sociale du début du siècle révélait des formes où l'aide bénévole jouait un rôle important, la famille, le voisinage, le milieu de travail, les institutions, la paroisse, la collectivité assumaient des fonctions d'assistance et de prise en charge de façon spontanée (...). L'ère industrielle est venue modifier les structures de cette société en élargissant considérablement le rôle de l'État, perçu désormais comme l'instrument privilégié, sinon unique, de développement social et de la prise en charge des phénomènes collectifs, tant sur le plan matériel que sur le plan de l'environnement social. L'ensemble du tissu social et humain s'organise alors à partir de modèles institutionnels complexes, souvent abstraits et prédéterminés par l'État (...) les citoyens se sentent dépossédés de plus en plus du pouvoir de participer aux décisions qui les concernent (...) (alors qu'ils) sentent le besoin de se ménager des avenues d'intervention susceptibles de mieux identifier les nécessités individuelles et collectives et d'inventer des façons d'y répondre de manière adéquate. Cette démarche s'inscrit dans le cadre d'une certaine conception de l'exercice de la démocratie qui implique une marge d'autonomie suffisante pour permettre l'initiative et la responsabilité des citoyens qui veulent exercer le maximum de pouvoir sur leur propre vie» (Conseil des affaires sociales et de la famille, 1978, 10).

Le bénévolat apparaît donc comme une ressource sociale indispensable, prenant la forme de réseaux plus ou moins intégrés par l'État qui s'appuient sur les traditions locales de soutien aux plus démunis ou aux victimes de fléaux naturels. Dans plusieurs pays, des organismes coordonnent l'action des regroupements volontaires. Au Québec, le Service bénévole de la région de Montréal existe depuis 1937; en 1983, dans cette seule région, on estime à plus de 100 000 le nombre de travailleuses et travailleurs bénévoles, dont 3000 pour les seules 86 popotes roulantes actives auprès des personnes âgées à domicile. D'autres études permettent d'évaluer sommairement l'ordre de grandeur de l'effort bénévole concerté. Ainsi, Payette et Vaillancourt, s'appuyant sur les données de 1980 de Statistique Canada, estiment qu'en 1979 les 512 000 bénévoles québécois fournissaient en moyenne 116,6 heures de bénévolat, ce qui correspond à 32 800 personnes/années (1983, 27). De leur côté, Dumas et Monette (1982) affirment que si nous comptabilisions tout le travail «gratuit» effectué dans les domaines des loisirs, des services sociaux et des organismes communautaires au Canada, c'est 1,3 milliard de dollars qu'il aurait fallu ajouter au PNB, en 1981.

Notons enfin que, au Québec, dans les années 1970, ce qui s'appelait bénévolat prend le nom de volontariat. Ce changement d'appellation traduit, d'une part, le désir de détacher l'action bénévole de l'action charitable; il permet, d'autre part, de se rapprocher du courant anglo-saxon, généralement plus développé, qui utilise déjà cette dénomination.

Quelles sont ces organisations volontaires au service de la communauté? Il s'agit d'abord et avant tout d'associations privées, sans but lucratif. Certaines d'entre elles sont reconnues d'utilité publique par l'État, qui leur confie des mandats (favoriser le maintien à domicile, faire la promotion de la santé mentale, etc.), alors que d'autres sont littéralement contrôlées par lui dans certains pays.

Le bénévole, c'est celui qui fait quelque chose sans obligation, gratuitement, pour la communauté ou certains de ses membres. On dénombre 70 000 organismes sans but lucratif au Canada (Payette et Vaillancourt, 1983, 23) et 21 000 au Québec (Huot, 1983, 9). La notion d'organisme bénévole n'est toutefois pas toujours sans équivoque.

Le profil du travailleur volontaire varie selon la nature de la définition du volontariat. En gros, on obtient deux réponses relativement différentes. La recherche de Payette et Vaillancourt (1983), basée sur une définition large et discutable, arrive à la conclusion qu'il s'agit surtout d'hommes (53,4 % des bénévoles), de 35 à 44 ans, ayant poursuivi des études postsecondaires, employés des secteurs de l'éducation et de la santé. Les auteurs distinguent toutefois deux types de bénévolat: le bénévolat de consommation pratiqué pour les avantages immédiats qu'il confère (rencontres d'amis, partage de tâches de garde d'enfants, activités hors foyer) et le bénévolat d'investissement, qui permet surtout d'acquérir ou de maintenir diverses connaissances sur le marché du travail. C'est vers cette deuxième forme de bénévolat que sont surtout attirés les hommes, qui ont en effet davantage tendance à utiliser le bénévolat pour élargir le cercle de leurs relations d'affaires, par exemple.

Par contre, lorsqu'on interroge les responsables de centres de bénévolat, la vision du phénomène est fondamentalement différente. Les bénévoles sont essentiellement des exclus du marché du travail rémunéré, des personnes sans emploi: femmes, retraités, jeunes pas encore en emploi. On observe une courbe significative si on s'attache à la moyenne d'âge: bonne présence entre 18 et 30 ans (sans doute renforcée par des programmes incitatifs avec un apport financier complémentaire pour les jeunes assistés sociaux québécois qui se portent «volontaires» ou qui acceptent de se livrer à des «travaux communautaires»), fortement décroissante jusqu'à 42-45 ans et reprise évidente ensuite jusqu'à 65 ans.

Le rapport des femmes au travail volontaire n'est pas sans soulever maintes questions. De nombreux préjugés contribuent à entretenir les femmes dans des fonctions de «dévouement» (hors du marché de l'emploi rémunéré, donc non concurrentielles) décrites et valorisées comme des qualités typiquement féminines. On y voit en certains milieux une transposition à peine plus élaborée des rôles traditionnels assumés par la femme dans la famille, ce qui expliquerait pourquoi des maris opposés à ce que leur femme «travaille» à l'extérieur du foyer conjugal accepteraient qu'elle se dévoue bénévolement. Pour beaucoup de femmes, le travail volontaire est effectivement l'occasion de sortir de la maison et de vérifier leur capacité de réaliser des tâches à moitié reconnues. Mais cela risque d'accentuer la division sexuelle du travail et les inégalités qui en découlent si l'homme gagne sa vie alors que la femme la donne. On constate en effet que, même si elle a augmenté au cours des dernières années en Europe comme en Amérique, la proportion d'hommes au sein des différentes formes de travail bénévole ne dépasse guère 30 à 40 % des effectifs et que ceux-ci sont généralement des jeunes, des chômeurs ou des travailleurs à la retraite ou près de l'être. Cela apparaît très significatif du rapport étroit que les hommes entretiennent avec le travail rémunéré, l'emploi, signe de statut et lieu de valorisation sociale et de réalisation personnelle.

La littérature sur les femmes et la santé mentale révèle le lien important qui existe, chez elles, entre mariage et tension perturbatrice (réduction de l'univers social, perte d'estime de soi, différence entre son vécu et celui de l'époux stimulé par son univers de travail, etc.) lorsque la femme est confinée au foyer (Fasteau, 1980, 93). L'action volontaire peut donc apparaître comme un moyen de s'assurer un réseau social significatif plus étendu que celui qu'offre la famille immédiate. Cette expérience acquise pourra même être invoquée pour un éventuel retour sur le marché du travail rémunéré. Entre-temps, les femmes bénévoles acceptent un travail non rémunéré qui consacre leur place dans le non-emploi, situation dans laquelle peu d'hommes les suivent. Ceux qui le font se retrouvent, généralement, dans l'autre catégorie de volontaires: les préretraités et les retraités, eux aussi fréquemment sans emploi.

Il en est souvent de même pour les personnes à la retraite. Léa Marcou souligne qu'il «est des personnes âgées pour qui le volontariat représente une participation sociale, un nouveau but dans l'existence: on est un membre actif et utile de la société, et non seulement un ayant-droit... Plus simplement cette activité apporte à la personne âgée une chance d'une vieillesse plus heureuse, plus stimulante: ne pas se retrouver seul, avoir encore une occupation, se prouver qu'on est encore capable de faire quelque chose, maintenir un contact avec d'autres générations» (1976, 185-186).

Depuis une dizaine d'années, la tentation est très grande aussi pour l'État de créer, dans les organisations volontaires, des emplois à court terme qui servent à camoufler annuellement quelques milliers de chômeurs que l'économie est incapable d'absorber. Cela n'est pas sans provoquer des tensions importantes dans ces organisations en survalorisant l'emploi au détriment de l'action volontaire et en monétarisant des activités qui relevaient auparavant des seules ressources communautaires particulières à un milieu donné.

Quelles sont maintenant les motivations les plus répandues de ceux et celles qui s'engagent volontairement? Il y a, tout d'abord, la perspective traditionnelle de la charité. Surtout le propre d'œuvres religieuses, elle est, cependant, en nette régression. Pour d'autres, souvent influencés jeunes par une expérience comme le scoutisme ou les clubs 4-H, le volontariat va de soi. On cherchera donc à vivre des expériences où on se sentira utile dans son milieu. En ce qui concerne ensuite les agents de changement, leur engagement plus ou moins militant correspond à un désir social ou politique de lutter contre l'injustice sociale, la pauvreté, l'isolement social, etc. Leur engagement répond au besoin de faire quelque chose de concret, au-delà du discours militant qui ne débouche que très rarement sur des changements réels.

Parfois venus dans une organisation pour «aider», ils sont graduellement conduits à une réflexion plus globale, de l'analyse des conséquences à celle des causes; cela débouche alors sur un engagement de nature militante. Pour d'autres, enfin, il s'agit de s'aider tout en aidant les autres, puisque travailler sans contrepartie monétaire ne signifie nullement qu'on ne recherche pas, consciemment ou inconsciemment, un «bénéfice» ou des satisfactions — comme dans la plupart des activités humaines. Cet engagement volontaire permet souvent de répondre à un besoin d'appartenance et se révèle un moyen de vivre des valeurs chères (religieuses, morales, politiques); il permet, en bref, une forme de recherche de soi doublée d'une ouverture nouvelle sur les autres et leurs problèmes.

Comment les bénévoles sont-ils perçus par ceux pour qui ils agissent dans leur communauté? Ginette Milgram a interrogé nombre d'usagers qui lui ont indiqué une nette préférence «pour le travailleur non professionnel perçu comme une personne proche, ayant des préoccupations voisines et n'ayant pas le halo du professionnel qui est supposé savoir, pouvoir, et qui souvent fait peur...; (dans les faits) faire appel à l'institution et au professionnel, c'est reconnaître qu'on est dans le besoin, qu'on est malade. S'adresser aux bénévoles, c'est limiter l'importance du mal (...), c'est une relation interpersonnelle qui va s'instaurer, une relation entre deux personnes, et non entre un spécialiste et un sujet en difficulté. Le bénévole va tenter de comprendre l'autre, de l'accompagner dans ses problèmes, au contraire du spécialiste qui va comparer, diagnostiquer» (1975, 179).

Au-delà des rapports directs avec les professionnels et les institutions, c'est la reconnaissance de l'action volontaire par l'État, voire l'«institutionnalisation» de celle-ci qui semble poser des problèmes. L'appel d'un responsable de l'État à une plus large participation des citoyens à l'action sociale et communautaire peut être perçu par d'aucuns comme un moyen de masquer les faiblesses des pouvoirs publics, voire l'abandon du secteur social par l'État.

Aux États-Unis, chaque nouvelle coupure dans les budgets sociaux s'accompagne d'un discours du président qui appelle les citoyens à suppléer au retrait de l'État par une revalorisation et une amplification des actions charitables traditionnelles à l'aide desquelles les individus répondaient à certains des besoins d'autrui avant l'instauration des politiques sociales. Au Québec comme au Canada, on a assisté au cours des récentes années à différentes formes de réaffirmation par l'État du rôle jugé essentiel joué par le bénévolat, rebaptisé volontariat. Des programmes d'intégration aux services sociaux et sanitaires prennent forme, et des établissements prévoient un service et du personnel spécifiquement chargé de l'encadrement de ces travailleurs volontaires. De même, des structures régionales comme les conseils de la santé et des services sociaux ont implanté un programme qui passe par la reconnaissance, le financement et l'évaluation de groupes de bénévoles à qui on confie des tâches précises sur un territoire donné dans le cadre d'une politique plus générale de maintien à domicile. Dans les centres hospitaliers, par exemple, «les bénévoles ont pour mandat d'encourager les patients à acquérir une plus grande autonomie pour réintégrer éventuellement leur milieu» (Tremblay, 1983, 32).

Quels liens pouvons-nous établir entre volontariat et prise en charge par le milieu? Il y a certainement lieu de faire un certain nombre de constats, certains positifs ou plutôt positifs et d'autres, au contraire, plutôt négatifs.

En ce qui concerne les premiers, l'engagement volontaire contribue, tout d'abord, au développement d'un système social de support à travers le rapport personnel qui s'établit entre l'aidant et l'aidé, rapport qui profite aux deux personnes en cause et à leur entourage. Il contribue, ensuite, au développement d'un sentiment renouvelé de responsabilité sociale dans une société fortement individualiste. Ce sentiment se traduit généralement par une volonté concrète d'aider à corriger les conséquences (et parfois les causes) d'une réalité jugée moralement ou socialement inacceptable. On retrouve et on renouvelle également le sens de la gratuité dans une société où la valeur d'échange s'est substituée à la valeur d'usage. Enfin, l'engagement volontaire favorise la multiplication de lieux et d'occasions pour l'acquisition d'une expérience personnellement et socialement utile.

Quant aux constats négatifs, il est clair que l'engagement volontaire consolide un secteur de travail hors emploi rémunéré. Cela signifie: non-reconnaissance professionnelle des actes posés dans ce secteur; récupération par l'État de ces tâches; création temporaire d'un secteur d'emploi à bon marché (sous le seuil officiel de la pauvreté) durant les périodes de crise touchant le marché véritable du travail; et manque d'un processus suffisant de formation et de support, ce qui permet aux professionnels de techniciser davantage leur pratique en se déchargeant sur les travailleurs volontaires des tâches ingrates, répétitives ou peu valorisantes. L'engagement volontaire contribue, d'autre part, à maintenir certaines catégories de main-d'œuvre dans une situation globalement discriminatoire: femmes, jeunes, préretraités. Enfin, il cautionne l'isolement de l'engagement social puisque chacun vient individuellement à cette forme d'action. Les volontaires sont ainsi évalués puis dirigés vers une organisation qui utilise leurs services, sans qu'ils puissent exprimer collectivement le sens de leur action, leurs besoins et leur volonté de transformer un certain nombre de rapports sociaux.

Un dernier enjeu est celui du financement des efforts bénévoles. Aux millions de dollars recueillis annuellement par des organismes comme Centraide, il faut ajouter toutes les autres campagnes d'organismes non regroupés et les programmes gouvernementaux de financement qui confondent organismes volontaires et ressources alternatives. À ces programmes directs de l'État s'ajoutent ceux qui visent des clientèles particulières (Horizon Nouveau pour les personnes âgées, par exemple) et ceux qui cherchent à créer de l'emploi dit «communautaire» pour réduire l'incidence du chômage. Sans toutes ces contributions, l'action volontaire aurait-elle l'ampleur qu'elle connaît maintenant?

L'écologisme et la convivialité

Deux courants assez complémentaires portent leur attention sur le lien entre la personne et l'environnement. Ce sont l'écologisme, qui prend de plus en plus la forme d'un mouvement social, et la convivialité, qui est moins une pratique qu'une réflexion prospective sur l'homme et son rapport à l'environnement. Si la démarche des écologistes tout comme la réflexion conviviale visent essentiellement à ce que chacun de nous reprenne en main sa relation à l'univers, on doit toutefois distinguer très nettement leur conception de l'environnement de celle, beaucoup plus sociale, qui a cours dans l'analyse des facteurs qui peuvent perturber une personne ou causer une maladie (Orth et Voth, 1973), ou encore de celle qui joue, à travers le concept d'homéostasie, dans les recherches sur l'équilibre biochimique (et par la suite psycho-social) sur le fonctionnement des systèmes (Friedlander, 1976, 20).

Le mouvement écologique regroupe tous ceux qui, prenant acte du pouvoir de surproduction et de destruction dont dispose l'homme, tentent, par divers moyens d'intervention et de sensibilisation, d'éloigner la menace que ce pouvoir constitue pour le fragile équilibre de la planète. À mesure que la pensée écologique se développe (Vaillancourt, 1982), elle raffine son analyse, s'intéressant autant aux conséquences (par exemple, les pluies acides) qu'aux causes (comme la production industrielle) des situations problématiques. Elle rappelle alors que, s'il veut assumer pleinement sa responsabilité à l'égard de l'environnement, l'homme doit changer sa façon de vivre. Il doit se préoccuper davantage de la qualité, de l'équilibre et de l'harmonie de son milieu de vie, protéger les ressources naturelles et remplacer la société de consommation par la société de conservation. Le bien-être (quantité) pourra alors être remplacé par le mieux-être (qualité).

L'écologisme cherche à améliorer la qualité des rapports physiques, humains et sociaux. Il demeure toutefois sans grande conséquence tant que la majorité de la population continue de consommer et de polluer une partie de l'atmosphère. La détérioration du milieu physique n'est par ailleurs pas étrangère à l'apparition et au développement de malaises physiques ou mentaux, l'environnement influant nécessairement sur ceux qui doivent y vivre.

L'écologisme se définit en opposition à la société existante et à son fonctionnement. Ainsi, pour le «mouvement alternatif québécois», il est prioritaire d'affirmer «1. la prépondérance des citoyens et des citoyennes sur les gouvernements, les lois et les règlements de toutes sortes; 2. la prépondérance de l'humain sur la machine, de l'environnement sur le productivisme et le gigantisme, du bonheur et de la liberté sur les types de planification (ou virage technologique), qui ne servent que les ambitions des grandes entreprises et des bureaucrates; 3. la prépondérance de la pratique (individuelle et collective) sur la théorie» (*Idées et pratiques alternatives*, 1983, 18).

De l'écologisme, on retiendra surtout sa préoccupation fondamentale pour un comportement responsable et autonome, qui respecte l'environnement, évite le gaspillage de ressources et la pollution. En réduisant notre consommation de produits et de services tout en respectant l'équilibre naturel, nous atteindrons un degré plus grand d'autonomie (dans le sens de l'autosuffisance).

Autre caractéristique de ce mouvement: il fonctionne selon des groupes d'action qui prennent en charge certains aspects de la vie quotidienne (alimentation, conservation de l'énergie, récupération à la source, dépollution); c'est donc par l'action qu'il essaie de réaliser ses objectifs.

Comme on vient de le dire, l'écologisme c'est moins un mouvement coordonné qu'un réseau de groupes et d'individus ayant des préoccupations communes. Cette dispersion nuit à son efficacité. Autre limite du courant, sa conception des problèmes actuels et les solutions qu'il propose sont trop généraux pour susciter autre chose qu'une sympathie diffuse.

En ce qui concerne maintenant la convivialité, rappelons que c'est Ivan Illich qui en a popularisé le terme (emprunté à Brillat-Savarin), dans un livre où il tente de préciser sa pensée sur les rapports que l'homme devrait entretenir avec la production et la société (1973). Le point de vue adapté par Illich révèle l'inquiétude que soulèvent chez de nombreux chercheurs et penseurs de divers pays l'évolution de la production industrielle et la perte de contrôle des hommes sur celle-ci, et la nécessité qu'ils voient de réorienter le développement de la croissance vers la recherche d'un équilibre. Leur réflexion s'inscrit donc tout à fait dans la perspective des travaux du Club de Rome et du courant centré sur «ce qui est petit est plus sain» (*Small is Beautiful*, Schumacher, 1973; McRobie, 1981).

Pour Illich, une société conviviale serait caractérisée par le contrôle de l'outil par l'homme. Cela signifie que l'outil ne doit pas se démarquer de son utilisateur au point de devenir autonome, indépendant de ce dernier. L'outil doit au contraire être «générateur d'efficience sans dégrader l'autonomie personnelle, il ne suscite ni esclaves, ni maîtres, il élargit le rayon d'action personnel. L'homme a besoin d'un outil avec lequel travailler, non d'un outillage qui travaille à sa place. Il a besoin d'une technologie qui tire le meilleur parti de l'énergie et de l'imagination personnelles, non d'une technologie qui l'asservisse et le programme. (...) il faut inverser radicalement les institutions industrielles, reconstruire la société de fond en comble. Pour être efficient et rencontrer les besoins humains qu'il détermine aussi, un nouveau système de production doit retrouver la dimension personnelle et communautaire. La personne, la cellule de base conjuguent de façon optimale l'efficacité et l'autonomie: c'est seulement à leur échelle que se déterminera le besoin humain dont la production sociale est réalisable» (1973, 27).

Or, selon Illich, «la relation industrielle est réflexe conditionné, réponse stéréotypée de l'individu aux messages émis par un autre usager, qu'il ne connaîtra jamais, ou par un milieu artificiel, qu'il ne comprendra jamais. La relation conviviale, toujours neuve, est le fait de personnes qui participent à la création de la vie sociale. Passer de la productivité à la convivialité, c'est substituer à une valeur technique une valeur éthique, à une valeur matérielle une valeur réalisée. La convivialité est la liberté individuelle réalisée dans la relation de production au sein d'une société dotée d'outils efficaces... La convivialité sera restaurée au cœur de systèmes politiques qui protègent, garantissent et renforcent l'exercice optimal de la ressource la mieux répartie dans le monde: l'énergie personnelle que contrôle la personne» (1973, 28-29). En maîtrisant l'outil, l'homme change le sens de son monde. L'individualisme apparent qui caractérise la pensée d'Illich a pourtant une valeur d'universalité. L'outil est convivial dans la mesure où chacun peut l'utiliser à des fins qu'il détermine lui-même.

Contrairement à l'écologisme, la convivialité apparaît essentiellement comme une démarche intellectuelle qui suscite de nombreux débats et des critiques sévères (Navarro, 1981). L'une des grandes faiblesses de la pensée d'Illich c'est son éclectisme, sa tendance à toucher à tous les secteurs (éducation, santé, écologie, chômage, femmes) sans en approfondir aucun et sans déboucher sur des propositions concrètes.

La question de la convivialité a conduit Illich à s'interroger sur le rapport entre l'usager et l'institution, d'abord dans le processus de scolarisation (1971), puis dans le domaine de la santé, où il a introduit l'idée de l'iatrogenèse, c'est-à-dire des «maladies engendrées par la médecine». Il distingue effectivement trois types d'iatrogenèse. L'iatrogenèse clinique, qui correspond à l'inefficacité globale de la médecine et à ses dangers physiques (effets secondaires); l'iatrogenèse sociale, qui correspond à la perte de la capacité personnelle de s'adapter à son environnement; et l'iatrogenèse structurelle, qui correspond aux dommages psychologiques causés par le mythe selon lequel la médecine peut nous préserver de la souffrance et de la mort et qui compromet justement notre capacité de donner sens à ces phénomènes et de leur faire face, puisque «les comportements préconisés par la médecine diminuent l'autonomie vitale des individus en affaiblissant leurs aptitudes à s'auto-développer, à se co-soigner et à vieillir» (1975, 165).

Pour Illich donc, l'institution en vient à détruire la capacité de l'homme d'assumer ses faiblesses, sa fragilité et son individualité d'une manière autonome et personnelle, l'expropriant en quelque sorte du contrôle qu'il pourrait exercer sur sa propre existence et l'empêchant de s'auto-réaliser.

Dans *Le travail fantôme*, Illich poursuit et élargit sa réflexion. «Dans tous les domaines où des experts des services *s'occupent* des gens, je constate un effort de ces professionnels pour enrôler le profane, autrement dit le client, en tant qu'assistant non rétribué opérant sous leur contrôle. Par cette politique du *self-help*, la bifurcation fondamentale de la société industrielle est projetée à l'intérieur du foyer: chacun devient producteur individuel de la marchandise nécessaire à la satisfaction de ses propres besoins de consommateur. Pour propager cette expansion neuve du travail fantôme, des termes tels qu'alternative, décentralisation, conscientisation, sont affectés d'une signification qui est exactement le contraire de ce qu'entendaient ceux qui les inaugurèrent» (1980, 8).

Selon Illich donc, il y a des formes de prise en charge qui correspondent à la «colonisation» par les professionnels et les institutions de zones jusque-là personnelles, conviviales et communautaires de vie. Il lui apparaît que, sous l'effet de la crise actuelle du développement et du chômage important qui en résulte, l'économie aura tendance à chercher à intégrer le vaste secteur informel, l'économie souterraine ou fantôme, et à donner une valeur marchande à ce qui avait jusqu'alors une valeur d'usage.

C'est contre cette emprise subtile que s'élève Illich: «Ainsi la voie douce peut-elle mener soit vers une société conviviale où les gens possèdent les moyens matériels de faire par eux-mêmes ce qu'ils estiment nécessaire à leur survie ou à leur plaisir, soit vers une nouvelle forme de société asservie à la production industrielle où l'objectif du plein emploi signifie que toute activité, rétribuée ou non, est politiquement aménagée... Le travail salarié en tant que forme dominante de la production, et les travaux ménagers non rétribués, qui en sont le complément idéal (...), priment là où l'État absolu, puis l'État industriel ont détruit les conditions sociales d'un mode de vie tourné vers la subsistance. Ils s'étendent au fur et à mesure que les communautés à petite échelle, vernaculaires et diversifiées, sont rendues sociologiquement et légalement impossibles — créant un monde d'individus dépendants, leur vie durant, de l'enseignement, des services de santé, des transports et autres produits standardisés fournis par les multiples canaux d'alimentation mécanique des institutions industrielles» (1980, 29-30). Et ce n'est pas un hasard si le travail salarié (la production) est le propre des hommes alors que l'après-travail non rémunéré (la reproduction et la consommation) est le domaine dans lequel les femmes sont traditionnellement refoulées.

Illich dénonce la recrudescence de l'idéologie de la croissance et du plein emploi qui passeraient par la domestication de l'énergie humaine actuellement non contrôlée par le système de biens et de services. Mais si Illich dénonce beaucoup, il développe en revanche peu la solution qu'il propose. Sa société vernaculaire (naturelle), située quelque part entre la communauté écologique et l'autogestion, reste floue. Elle s'oppose en tout cas nettement aux projets d'intégration sociale de l'univers par l'informatisation totale et rapide que proposent les hérauts de l'ère de l'ordinateur comme Servan-Schreiber (1980). Par moments, elle a des affinités avec la pensée de Marilyn Ferguson (1981).

Que pouvons-nous retenir de tout cela pour notre réflexion sur la prise en charge par le milieu? L'écologisme montre bien la nécessité non seulement de s'occuper de soi (de se prendre en charge), mais de se soucier également des rapports que nous entretenons avec notre environnement physique et de l'effet en retour que celui-ci a ou peut avoir sur notre propre devenir. La prise en charge par le milieu doit inclure une forme de prise en charge du milieu. Un environnement sain peut en effet réduire malaises, traumatismes et problèmes, faciliter l'orientation de chacun et améliorer les réseaux de relations non seulement dans le milieu de travail, mais aussi dans la vie privée. Cela devrait aussi influer sur le type de rapports que le professionnel opérant dans le cadre institutionnel cherche lui-même à établir avec son milieu de travail et les personnes auprès de qui il intervient.

La convivialité insiste, elle, sur le thème de la contre-productivité professionnelle et institutionnelle et sur la nécessité de reprendre en main ce que nous faisons et vivons: rapport au travail, rapport à l'outil, rapport à la connaissance, etc. Si elle fonde toujours les tentatives d'autonomisation sur la volonté personnelle, elle insiste aussi sur la nécessité d'un mode d'organisation différent de ceux imposés par la société industrialisée. Ce mode est mal défini, mais on comprend qu'il mise sur la capacité d'entrer en relations conviviales avec les autres selon des rapports fondés sur l'échange, le support, le plaisir réciproque (valeur d'usage) plutôt que sur l'achat ou l'utilisation de biens et de services (valeur d'échange). On retrouve ici, exprimée sous une forme différente, la gratuité typique de l'engagement volontaire. Et comme pour ce courant, toute tentative de récupération de l'énergie, du dynamisme personnel apparaît condamnable et est par conséquent dénoncée.

La philosophie existentielle

Même si elle ne relève pas tout à fait de la pratique sociale, la philosophie existentielle n'est pas sans résonance sur la question de la prise en charge par le milieu. Elle s'élabore en effet autour d'un pivot qui nous permet de préciser un des fondements du modèle théorique que nous cherchons à développer, celui de l'individu responsable, en plus d'indiquer les moyens de réaliser solidairement cette responsabilité personnelle.

Bien que ses racines soient plus anciennes, la philosophie existentielle s'est surtout développée dans le contexte des horreurs vécues dans la première moitié du 20e siècle avec la montée du totalitarisme et les guerres sanglantes qui en résultèrent. Elle apparaît alors comme un appel à la conscience de l'homme pour une mobilisation des ressources personnelles afin que de tels événements ne se produisent plus. Démarche essentiellement intellectuelle destinée aux intellectuels pour qu'ils s'engagent avec les autres citoyens, l'existentialisme aura une influence considérable sur plus d'une génération. Des auteurs aussi différents qu'Eric Fromm (1956, 1977) et Paulo Freire (1971, 1974) seront marqués par lui et cela se réflétera dans leur œuvre. Évidemment, l'approche existentielle n'est pas uniforme. La version qui semble avoir davantage incité à l'action et à l'engagement, c'est celle de Jean-Paul Sartre, qui lia sa morale de la responsabilité à une analyse inspirée directement de la pensée marxiste. D'autres auteurs ont adopté des positions qui s'en rapprochent, comme Maurice Merleau-Ponty et Albert Camus, mais cela ne les a pas conduits au même engagement social et politique.

Pour Jean-Paul Sartre (1946, p. 70), la personne humaine n'est rien d'autre que ce qu'elle se fait: «Je suis responsable de toutes les personnes et quand je choisis d'être quelque chose, j'affirme en même temps la valeur de ce choix et j'en fais un modèle pour toutes les personnes. Dans ce sens, que je m'engage ou non, je fais un choix et à ce choix correspond une responsabilité profonde à l'égard d'autrui. On doit toujours se demander ce qu'il arriverait si tout le monde en faisait autant.»

Évidemment, nous sommes libres d'agir ou pas, comme nous sommes seuls pour prendre nos décisions et assumer notre responsabilité. Mais il n'y a de réalité que dans l'action et c'est dans la mesure où nous agissons que nous nous réalisons vraiment. Or, notre action n'a de sens et d'impact que si elle rejoint celle d'autres personnes tout aussi libres et responsables que nous, suscitant des débats démocratiques et l'organisation de mouvements destinés à agir sur et dans la société.

L'action concrétise le projet, enracine l'espoir, confirme la responsabilité collective constituée des responsabilités individuelles assumées et nous fait rencontrer les autres à travers lesquels nous nous reconnaissons sujets plutôt qu'objets de l'histoire. Agissant collectivement, les sujets historiques responsables et solidaires en viennent à faire face aux systèmes de pouvoir et de domination, à l'injustice sociale.

La pensée sartrienne s'inspire nettement du marxisme lorsqu'il s'agit d'analyser les rapports sociaux, le fonctionnement des États et les rapports économiques qui régissent les échanges internationaux. Le socialisme apparaît alors comme la seule voie politique capable de réunir ceux qui, dépassant la conscience individuelle, cherchent à mettre en place des structures sociales qui permettraient à chacun d'exercer réellement le pouvoir résultant de son engagement responsable dans la collectivité humaine. On aura compris qu'un tel socialisme, fondé sur l'autonomie des personnes et la solidarité active, n'a rien à voir avec le centralisme bureaucratique et le pouvoir des appareils d'État propres aux pays communistes, ce qui explique bien le rejet par ceux-ci de la philosophie existentielle, taxée de gauchisme (Sartre, 1969).

Que retenir de cette philosophie pour qui, selon Sartre, «l'important ce n'est pas ce qu'on a fait de nous, mais ce que nous faisons de nous-mêmes de ce qu'on a fait de nous»? Certes, la philosophie, même si elle vise à responsabiliser ceux qui agissent ou pourraient agir, a peu de rapports directs avec un modèle de pratique. Il demeure que le courant existentialiste a eu une influence profonde sur toute la génération de penseurs et gens d'action de l'après-guerre. Il n'est pas étranger à l'apprentissage de la liberté de Fromm (qui inspira à son tour les travaux de Carl Rogers, puis le mouvement du potentiel humain) et à la pratique conscientisante de Freire.

On y trouve des fondements philosophiques importants pour une pratique qui veut favoriser la prise en charge par le milieu. Car si prendre conscience, c'est se prendre en charge personnellement, avoir un projet de soi, ce n'est là qu'une étape préalable à l'action solidaire avec autrui. C'est le cheminement par lequel chaque individu composant la société peut promouvoir le changement.

Le communautarisme

Le communautarisme réunit ceux et celles qui ont choisi de vivre dans des communautés et des communes, l'appellation variant selon les époques et les pays. Le phénomène, pour sensible qu'il soit aux variations socio-culturelles, porte en lui un certain nombre de valeurs proches de celles qui peuvent inspirer notre modèle: recherche de l'égalité, partage des tâches, gestion collective, projet d'une société différente, etc.

La communauté est une forme particulière d'organisation de la vie sociale qui a toujours existé. C'est toutefois avec les socialistes utopiques du 19e siècle (Robert Owen, Charles Fourier, Pierre Proudhon, etc.) que le phénomène devient projet social et politique. Des tentatives de le concrétiser ont lieu en Europe et en Amérique pendant qu'une théorie s'élabore, liant changement social et organisation égalitaire et communautaire des rapports de production et de travail. Dès le début de notre siècle, les premiers kibboutz juifs implantés en Palestine tenteront de vivre cet idéal.

À partir de son expérience de médecin psychanalyste et de sa pratique de militant communiste auprès des jeunes, Wilhelm Reich ajoutera une dimension nouvelle au projet communautariste en s'attaquant à la conception «freudienne et bourgeoise» de la famille traditionnelle et en insistant sur la nécessité d'une «révolution sexuelle», c'est-à-dire d'une transformation de la fonction de reproduction. Ce qu'il s'agirait de promouvoir, c'est en effet une nouvelle forme de famille constituée par des collectivités de personnes non apparentées par le sang; c'est seulement de cette façon que chacun trouverait l'affection et les relations sociales dont il a besoin. «L'idée de vie collective n'a rien à voir avec l'idée du paradis. La lutte, la souffrance, la sexualité sont en effet partie intégrante de la vie, et il importe de faire en sorte que les individus soient capables d'éprouver en pleine conscience le plaisir et la peine, et capables de les maîtriser rationnellement. Des individus bâtis de la sorte seraient inaptes à la servitude» (1968, 238).

Dans l'immédiat après-guerre, le communautarisme s'est surtout présenté sous la forme des communautés de travail, notamment en France, souvent lié à un habitat de type coopératif (Meister, 1958). L'idée d'une forme différente d'organisation des rapports de vie, d'habitat et de travail devait toutefois connaître un développement considérable au cours des années 1960 lorsqu'en Amérique comme en Europe, bien que de façon différente selon les pays, une génération de jeunes sera tentée par l'expérience du communautarisme.

Aux États-Unis, les nouveaux communards fuyaient la famille, la société industrielle et ses valeurs, l'idéologie du paraître et de l'avoir (consommation) tout en rejetant la technologie aliénante et violente institutionnalisée par l'armée (Vietnam). On se replie alors hors des villes, dans des communautés pastorales. Il n'y a pas de théorie mais une pratique de ce repli. La multiplication des communautés donne naissance à un mouvement à la fois écologique, pacifique, végétarien, etc. La contre-culture fera que les communards ne quittent plus la société mais qu'ils essaient de la changer, de l'intérieur.

Ils multiplient alors rapidement les expériences dites alternatives (coopératives d'habitation, collectifs d'alimentation naturelle, garderies, écoles libres, cliniques de santé, centres de massage et de thérapie, etc.); les femmes jouent un rôle important dans cette reformulation du mode d'existence, et cela est complémentaire de l'essor du mouvement féministe américain. Les enfants qui auront grandi dans ce nouveau contexte sociétal devraient, pensait-on, exprimer des besoins différents de ceux de leurs aînés; ils pourraient être plus autonomes, plus libres, moins répressifs, moins portés par la compétition et plus sensibilisés aux problèmes du sexisme. Les résultats de certaines recherches contrediront partiellement ces espoirs entretenus par les parents communards.

En ce qui concerne les États-Unis, les partisans d'un mode de vie alternatif se préoccupent davantage de faire jonction avec les autres groupes minoritaires (ethniques et culturels, sexuels, etc.) en vue d'obtenir un pouvoir local, souvent par voie de représentation électorale, de manière à vraiment donner corps à leurs idées. Des entreprises de vie collective et autarcique comme The Farm (réunissant jusqu'à 3000 personnes et persistant depuis maintenant vingt ans malgré de multiples transformations) se rapprochent encore davantage du modèle imaginé par ce courant.

En Europe, le communautarisme s'est développé sur des bases fort variées. En Allemagne, ses fondements furent d'abord liés très fortement au mouvement étudiant berlinois, de tendance radicale (Demerin, 1975); cela explique son caractère surtout urbain et l'important travail théorique qui s'y produit, notamment sur l'égalitarisme, les rapports entre les sexes et l'éducation non autoritaire des enfants.

Sa composante écologique, initialement faible, se développera à mesure que des communes s'implanteront en milieu rural et que le militarisme tout autant que la prolifération nucléaire apparaîtront comme des enjeux majeurs. Les alternatifs allemands sont sans doute ceux qui ont réussi à opérer le plus d'alliances entre différentes tendances: féministes, écologistes, pacifistes, libertaires, socialistes, etc. Le résultat donne un réseau hétéroclite mais relativement puissant d'organismes de toutes sortes (banques, coopératives, imprimeries, fermes, etc.) dont l'action se traduit également par une présence politique (les «verts») aux parlements de *maints landers* ainsi qu'au parlement fédéral.

Dans les pays scandinaves, le libéralisme social-démocrate a également permis l'éclosion de formes d'expérimentation communautariste. Les socialistes danois ont même proposé d'octroyer aux communes un statut légal original. En France, le mouvement a pris forme dans une perspective anti-autoritaire, essentiellement écologique; à la suite des événements de mai 1968, il s'est incarné davantage dans des communes agraires et rurales qu'urbaines. L'étude récente de Bernard Lacroix auprès de l'ensemble des communes recensées en France démontre qu'en l'absence d'une théorie et de l'existence d'une véritable organisation qui le supporte, le phénomène s'épuise, se marginalise et perd son attirance originale (Lacroix, 1981).

Le communautarisme, forme de prise en charge qui se veut alternative, est fondé sur la recherche de relations sociales égalitaires et chaleureuses, nécessitant pour le moins un toit commun et tendant fréquemment à une intégration plus grande (sexualité, éducation des enfants, travail). L'expérience démontre toutefois qu'un tel projet est fort exigeant, surtout lorsqu'on cherche à le vivre en autarcie; bien peu de communes y arrivent.

Phénomène de protestation tout autant que contre-modèle, le communautarisme est avant tout une critique fondamentale des valeurs et des habitudes de vie intériorisées dans les sociétés industrielles dites avancées. Il nous apprend que ce n'est pas la durée, ni la réussite d'un projet collectif qui comptent le plus, mais bien son expérimentation elle-même, avec tous les apprentissages qui y sont liés: partage d'un idéal, acceptation d'autrui, mise en commun des ressources, partage équitable des tâches, etc. En ce sens cependant, la prise en charge collective du cadre de vie apparaît potentiellement tout aussi traumatisante et difficile à assumer que l'acceptation de la société qu'on rejette au départ.

L'analyse du communautarisme comme pratique sociale a aussi conduit l'équipe du GRARSPI à examiner la notion même d'égalitarisme qui fonde le mouvement et qui est également fréquemment évoquée lorsqu'on parle de prise en charge par et dans le milieu. Il nous est apparu que, dès que l'égalitarisme est présenté comme un objectif recherché par beaucoup de groupes, un fossé se creuse entre discours et réalité. Pourquoi? On serait tenté d'incriminer naturellement les conditions matérielles dans lesquelles se réalisent les expériences et qui tendent à fausser les intentions: dans les faits, nous sommes différents et nos différences individuelles peuvent interférer avec un projet égalitariste. Mais le problème réside principalement dans l'idée que l'on se fait de l'égalitarisme. Loin d'uniformiser, celui-ci doit reposer sur la complémentarité de toutes les personnes, sur le pluralisme des valeurs, sur le respect des autres et des différences. Égalitaires en droit, nous avons des rôles différenciés, des personnalités uniques, des appartenances de classe particulières, des savoirs et des habiletés différents. Chacun possède des droits égaux, peut exprimer ses opinions et apporter sa contribution à un groupe donné. Dans ce sens, l'égalitarisme ne conduit pas nécessairement à l'élimination de toute structure hiérarchique, à la répartition uniforme ou à la rotation des tâches sans différenciation des rôles, à la nécessité de prendre des décisions par consensus, à l'obligation de tout se dire, etc. Ce n'est plus là de l'égalitarisme, c'est plutôt de l'indifférenciation, de l'uniformisation, du nivellement artificiel. Ce type de comportement nie la complémentarité des personnes et des rôles et force les membres du groupe à se plier au modèle dominant imposé par les plus forts. Des inégalités profondes y subsistent même si on peut, par exemple, niveler totalement les salaires.

Le champ thérapeutique

Regroupant les formes d'interactions qui visent un changement de soi en termes d'identification et d'affirmation de son potentiel, le champ thérapeutique apparaît avant tout comme un ensemble de courants relativement diversifiés, certains centrés sur les interactions personnelles de support (les réseaux sociaux, le pairage et les groupes d'entraide, les communautés thérapeutiques) d'autres sur le développement des personnes (mouvement du potentiel humain, thérapie centrée sur le client, action éducative préventive).

Dans le premier groupe, on insistera sur les rapports interpersonnels comme supports (effet de levier de l'environnement) pour permettre aux personnes en situation de demande d'aide de se prendre en charge et de retrouver leur équilibre. Dans le second groupe, on cherchera plutôt à mieux utiliser les ressources de la personne ou à l'informer de façon qu'elle parvienne également à faire face aux difficultés qu'elle vit.

Pour les quatre premiers courants que nous verrons, c'est le contact de personne à personne, le face-à-face, qui sera le moyen privilégié pour s'assumer. Leur action est donc orientée vers le renforcement (ou la création, dans le cas de la communauté thérapeutique) du système de support social dont chacun a besoin pour vivre.

Les trois courants suivants visent plutôt le développement de chaque personne, l'un par l'action éducative préventive, l'autre par une démarche thérapeutique individuelle et le dernier par l'une ou l'autre des nombreuses approches de croissance personnelle qui se sont développées dans le sillage du mouvement du potentiel humain.

Les réseaux sociaux

La notion de «réseau social» a été mise en évidence par l'anthropologue Barnes dans son travail de 1954. Depuis, elle a été adoptée par des chercheurs œuvrant dans des domaines fort variés. Récemment, elle a été utilisée pour définir le support social fourni aux individus vivant des situations difficiles. Au Québec, les travaux de recherche de l'équipe de Claude Brodeur (Brodeur, Rousseau *et al.*, 1983), ceux de l'équipe rattachée au centre hospitalier Douglas (Desmarais, Mayer *et al.*, 1980; collectif, 1982), et ceux du Laboratoire de recherche en écologie humaine et sociale (Bozzini, Tessier, 1983) font une part importante aux réseaux sociaux. Jérôme Guay (1981), Jacques Limoges (1982, 1983) et Francine Lavoie se sont également penchés sur la question.

Les réseaux sociaux désignent simplement les systèmes particuliers de liens unissant des personnes. Empruntée à l'anthropologie, à la psychologie sociale (la sociométrie de Moreno), à l'approche systémique et à la sociologie fonctionnaliste américaine, l'idée du réseau social veut insister sur la constante interaction qui lie la personne à l'environnement physique et social dont celle-ci fait partie. De cette manière, on tente de réconcilier les approches macro-sociologiques (celles qui se préoccupent des structures sociales et de leurs effets sur les personnes) et les approches micro-sociologiques (celles qui s'occupent essentiellement, à l'inverse, des comportements individuels), ou encore d'intégrer analyse structurelle de la société et modèle de comportement individuel (l'individu participe à la construction de son monde social).

L'analyse des réseaux sociaux rencontre cependant de nombreuses difficultés: difficulté de préciser ce que l'on entend par «lien» entre des unités sociales, de mesurer l'étendue de ces liens dans le temps et dans l'espace, d'évaluer la mobilité des interactions sociales, de recueillir des données objectives sur ces interactions, etc. Quelle que soit l'imprécision de la notion, elle devient toutefois fort utile lorsqu'on se place du point de vue de l'intervention. En effet, puisque les réseaux sociaux désignent l'ensemble des relations significatives que vit la personne, c'est dans leur cadre que se vivront les moments difficiles comme les moments plus heureux de la vie de chacun. Ces réseaux apparaissent donc comme des moyens de s'insérer dans la société, de briser l'isolement: «On s'accorde généralement pour attribuer au réseau social un rôle tampon contre les effets du stress, lesquels agiraient, sans ce tampon, comme des déclencheurs de maladies mentales de tous genres, psychosomatiques et physiques. Des études de plus en plus nombreuses démontrent que la fréquence d'apparition et la gravité de plusieurs symptômes mentaux et physiques sont directement reliées à l'absence ou à la présence du support social fourni par le réseau naturel, et ce pour des troubles aussi divers que la schizophrénie, l'alcoolisme, l'hypertension et l'arthrite... Ces diverses études épidémiologiques ont, en effet, mis en évidence que l'isolement social, c'est-à-dire l'absence d'amis et de proches, est un des facteurs les plus importants de détérioration en santé mentale» (Guay, 1981, 45).

Les réseaux sociaux sont donc un élément clé de la vie de l'individu, son tissu social personnalisé. Évidemment, ils ne sont pas vécus de la même façon par tous: l'immigration, une ascension sociale, des conflits politiques et sociaux, la discrimination ou la difficulté d'établir des relations sociales (notamment chez les schizophrènes) peuvent réduire considérablement le réseau d'une personne, voire le détruire complètement. C'est au réseau social également que s'en remettront ceux qui vivent des difficultés plutôt qu'à l'aide professionnelle.

Les réseaux sociaux constituent donc un facteur important pour ceux et celles dont la tâche est d'aider des personnes à passer à travers des situations particulièrement difficiles ou pénibles. Une fois bien comprises les propriétés formelles des réseaux, on peut faire appel aux ressources de ceux-ci dans le cas d'ex-patients psychiatriques, de délinquants de divers types (Rinder, Scheurell, 1973), de nouveaux parents (Gottlieb, McGuire, 1979), ou encore, dans une perspective plus théorique, comme base méthodologique pour repenser le travail social (Scherdin, Scheurell, 1972).

On peut évidemment distinguer divers types de réseaux, par exemple la parenté, le voisinage, les amis ou encore les compagnons de travail, d'études, de loisirs, etc. Tous remplissent un rôle d'intégration sociale, de construction de rapports entre l'individu et la société, chacun avec ses caractéristiques particulières. Ainsi, les voisins constitueront une ressource immédiatement utilisable en cas d'urgence, la parenté offrira plutôt une aide à long terme à ses membres.

Les réseaux sociaux forment donc une trame de base de la société et ils constituent une voie importante d'intégration sociale; on peut vraisemblablement s'appuyer sur eux pour des interventions naturelles ou professionnelles de support ou de réinsertion sociale. Il faut noter, cependant, qu'il arrive souvent que, après une hospitalisation, et plus encore après plusieurs hospitalisations, le réseau social de la personne concernée traverse une crise qui se traduit par la rupture d'une partie des relations. L'institutionnalisation temporaire ou prolongée a donc tendance à isoler les individus.

Quelles sont les autres caractéristiques du réseau dont il importe ici de tirer un enseignement? D'abord, le réseau peut lui-même être une source de problèmes: «Un réseau très interconnecté peut même constituer une source de stress ou conduire à la détérioration. Qu'on pense, par exemple, à un alcoolique qui fréquente soit les A.A., soit ses amis de taverne. En ce qui concerne le patient psychiatrique, si les membres de la famille le blâment, sont inopportuns et critiques, on peut prédire une rechute moins de neuf mois après la sortie de l'hôpital. Par contre, si les membres de la famille sont calmes et capables de contrôler les crises, il n'y aura pas de rechute. Il est donc essentiel d'analyser la valence positive ou négative de chacune des connexions en terme de support ou de stress affectif ou d'aide instrumentale» (Guay, 1981, 50).

De même, les relations seront d'autant plus significatives et positives qu'elles seront également réciproques et multidimensionnelles. Par réciprocité, nous entendons l'échange équilibré vers lequel devrait tendre le fait de donner et de recevoir. Au contraire, faute de réciprocité, la famille qui supporte un schizophrène, par exemple, aura tendance à s'épuiser. Le caractère multidimensionnel des relations est également très significatif: celui qui remplit plusieurs rôles dans un réseau détient forcément plus de connaissances, il a une présence plus manifeste et il exerce une influence plus grande.

La notion de réseau social est en fait une version contemporaine de celle de famille étendue qui souligne, comme celle-ci, le caractère essentiellement social de l'être humain. En ce sens, le tissu social significatif pour chacun se construit à partir de relations interpersonnelles, lesquelles en viennent à former un réseau de liens affectifs, qui proviennent ou se superposent le plus souvent aux liens fonctionnels. Le réseau s'oppose à l'isolement de la personne et peut servir à celle-ci de point d'appui lorsqu'elle éprouve des difficultés ou des besoins particuliers; les interventions de professionnels gagnent à utiliser et à renforcer ce réseau de relations. Inversement, le réseau est perturbé, réduit et même détruit par l'institutionnalisation progressive ou répétée de la personne. Il constitue donc un lieu naturel de prise en charge des besoins mais non des problèmes qui en découlent. Les réseaux sont également des entités dont les frontières ne sont jamais complètement délimitées; ils évoluent et s'adaptent rapidement, et se rendent facilement indépendants des institutions.

Leur importance est en tout cas de plus en plus reconnue, même par ceux et celles qui travaillent dans les institutions. Ainsi, récemment, le Comité consultatif en santé mentale communautaire de l'Association des directeurs de départements de santé communautaire affirmait que «pour renforcer les sentiments de compétence, d'autonomie et d'appartenance des gens, il faut utiliser au maximum les possibilités offertes par leur réseau primaire et communautaire c'est-à-dire leurs milieux de vie significatifs... Que l'intervention préventive doit viser non pas tellement à changer les gens, qu'à leur présenter des alternatives et à aménager leur environnement pour qu'il leur soit possible d'y maintenir les conditions d'équilibre nécessaires à leur santé mentale. L'enfant de moins de cinq ans dont la mère est sous soins psychiatriques et qui peut compter sur la garderie de son quartier de 9 heures à 17 heures, est en bien meilleure position pour maintenir sa santé mentale que l'enfant du même âge que l'on doit placer en famille d'accueil pendant les quelques semaines dont sa mère a besoin pour se remettre sur pied» (Comité consultatif en santé mentale communautaire de l'Association des directeurs de DSC, 1983, 124-125).

Le même document mettait en évidence les exigences d'une telle attitude: «Se préoccupant du milieu de vie des gens, l'approche réseau est, nous le pensons, plus à même de répondre avec souplesse aux besoins spécifiques d'une population. Elle exige une programmation locale, différente d'une école à l'autre, d'un quartier à l'autre, d'un groupe d'entraide à l'autre, d'un

CLSC à l'autre. Le rôle des intervenants dans une telle approche en est un d'éducation, d'animation et de support. Pour mener à bien ce rôle dans un territoire, il est nécessaire que les organismes de planification/programmation aient une grande autonomie, et fassent preuve de beaucoup de souplesse, car l'approche réseau s'accommode mal d'une trop grande bureaucratisation. L'approche réseau permet de rejoindre à temps des clientèles qui ne le seraient pas autrement (travail de rue, maison de jeunes), de développer des solutions collectives qui renforcent le sentiment d'appartenance et de viser à une plus grande autonomie et compétence des populations-cibles. Elle exige une volonté réelle de collaboration entre les divers intervenants du réseau de services et les groupes communautaires informels d'autre part» (*idem*, 125-126).

Le pairage et les groupes d'entraide

Le pairage est un rapport naturel qui s'établit entre deux personnes d'expérience ou d'habileté différente, l'une supportant l'apprentissage de l'autre; telle était déjà la méthode de formation des artisans au Moyen Âge. Certaines approches pédagogiques tendent à réhabiliter cette forme d'encouragement personnalisé à l'apprentissage.

Le groupe d'entraide, petite structure à caractère bénévole et volontaire, formée de pairs voulant combler un besoin commun, apparaît de façon formelle dans les années 1930 dans l'intention précise d'aider les alcooliques. Il s'appuie sur des habiletés et des aptitudes naturelles, que les intervenants professionnels négligent le plus souvent. Le développement de la technique des groupes de rencontre, sous l'influence de Carl Rogers, dans les années 1960, contribua à populariser le modèle d'autant plus facilement que les institutions n'arrivaient pas à répondre aux nombreux besoins. Aujourd'hui, les groupes d'entraide sont à un tournant; certains d'entre eux sont largement sollicités par l'État qui les engage ainsi sur la voie de l'institutionnalisation.

Alors que les réseaux sociaux faisaient référence à l'ensemble des liens existant entre une personne et son entourage significatif, le pairage s'attache plutôt à la relation interpersonnelle qui s'établit entre deux personnes vivant une relation de support. Quant aux groupes d'entraide, ils sont ouverts à tous ceux qui éprouvent le besoin pour lequel chacun est constitué. Les deux formes de ressources partagent la caractéristique essentielle de s'appuyer sur des aidants naturels, c'est-à-dire non professionnels.

L'aide entre pairs est une pratique naturelle, par exemple en éducation (Champagne, 1981; Limoges, 1982). L'expérience démontre que la formule peut aussi être utilisée en milieu de travail. Ainsi, depuis 1982, Centraide Montréal a conclu une entente avec le Conseil du travail de Montréal pour la mise sur pied d'un programme de formation de conseillers sociaux parmi les travailleurs syndiqués. Ce programme conjoint, Centraide-CTM, vise à former des travailleurs qui pourront aider leurs compagnons aux prises avec des problèmes d'ordre personnel ou familial en les renseignant sur les organismes sociaux capables de les aider (Centraide, 1982). Un tel programme a conduit à une entente, en 1985, entre le syndicat des Travailleurs unis de l'automobile, la compagnie GM et les CLSC desservant la région Saint-Eustache, Sainte-Thérèse et Saint-Jérôme.

Les groupes d'entraide constituent une ressource interpersonnelle de support plus développée et plus visible. Katz et Bender en proposent une définition assez large qui n'épuise pas cependant toutes les formes d'entraide: «Les groupes d'entraide sont de petites structures à caractère bénévole, qui permettent aux membres de s'entraider et de poursuivre un but spécial. Ils sont habituellement formés par des pairs qui se sont réunis pour s'aider mutuellement à combler un besoin commun, à surmonter un handicap commun ou une difficulté commune bouleversant leur existence, et à réaliser le changement social ou personnel souhaité. Les fondateurs et les membres de ces groupes ont compris que leurs besoins ne sont ou ne peuvent être satisfaits ni par les institutions sociales existantes ni par leur intermédiaire. Les groupes d'entraide insistent sur les interactions sociales face à face et sur le sens de la responsabilité personnelle chez les membres. Ils assurent souvent une aide matérielle, en même temps qu'un appui moral. Ils sont fréquemment axés sur une cause et préconisent un idéal ou des valeurs qui permettent aux membres d'arriver à un sens plus aigu de leur identité propre» (Katz, Bender, 1976, 332; voir aussi Romeder, 1982).

Par ailleurs, comme le souligne Jean-Marie Romeder, ce qui importe c'est le processus qui agit dans les groupes d'entraide: l'identification au groupe brise la solitude qui, on le sait, est un facteur supplémentaire de détérioration sociale. Cette adhésion au groupe produit toutefois un effet thérapeutique différent de celui des groupes de rencontre (ou de croissance) et des groupes de thérapie animés par des professionnels, même si, ici comme là, on met l'accent sur le partage d'expériences et de sentiments.

Les membres d'un groupe d'entraide «se débarrassent de leur sentiment d'isolement, de culpabilité, ou de leur impression d'être uniques, lorsqu'ils s'aperçoivent que les autres membres du groupe ont les mêmes difficultés, conflits, satisfactions, mécontentements, impulsions et pensées cachées. Les groupes d'entraide reconnaissent le principe fondamental selon lequel aider un semblable est en même temps l'occasion de se développer, de croître soi-même, de la même façon qu'enseigner est souvent la meilleure façon d'apprendre. En ce sens, on peut dire que la distinction entre aidant et aidé disparaît souvent dans les groupes d'entraide où chaque membre peut jouer à la fois ou alternativement les deux rôles. Les considérations précédentes nous amènent à situer l'action des groupes d'entraide relativement à la dichotomie proposée par Maslow entre thérapie profane et thérapie technique. Pour Maslow, la thérapie profane est une thérapie plus simple, plus courte, visant à la satisfaction des besoins fondamentaux (sécurité, appartenance, amour et estime) tandis que la thérapie technique, plus longue, plus laborieuse, va plus en profondeur, visant une certaine compréhension (*insight*) et requiert une formation technique professionnelle. Les groupes d'entraide constitueraient une source importante et disponible à bon compte de thérapie profane dans nos sociétés» (Bender, 1971, 308).

Les groupes d'entraide consacrent une partie importante de leurs activités à informer leurs membres, à les mettre en contact avec des personnes ressources, à favoriser l'acquisition d'habiletés particulières, etc. Cette fonction éducative et préventive permet aux gens de mieux se comprendre et de mieux comprendre les autres. Dans d'autres types de groupes d'entraide, c'est la sensibilisation du public qui est l'enjeu important.

Diverses typologies sont proposées pour classer et regrouper les groupes d'entraide. Nous retiendrons, pour notre part, celle de Zelda Harris, de l'École de service social de l'université McGill, qui distingue trois types de groupes: les groupes dits anonymes, très structurés, où on remplace les besoins des membres par une structure qui encadre ceux-ci leur vie entière (par exemple, les A.A.); les groupes qui, au moment d'une transition ou d'une étape critique dans la vie (immigration, chômage, naissance d'un enfant handicapé, retraite, séparation, divorce, etc.) servent de milieu de support; les groupes de nature médicale, reliés à chacun des problèmes de santé, particulièrement les maladies chroniques, sans espoir de changement, et qui ont un impact lourd sur les relations que la personne atteinte entretient avec son environnement. Dans certains cas de ce dernier type d'ailleurs, le travail du groupe d'entraide est plus important pour ceux qui doivent prendre soin de la personne atteinte que pour celle-ci. Les professionnels de la santé joueront alors un rôle actif d'information.

Dans le domaine de l'éducation, l'interaction entre pairs comporte de nombreux avantages: «En mettant l'accent sur la coopération plutôt que la compétition, l'enseignement par les pairs au niveau de la formation professionnelle permet au futur professionnel de développer son aptitude au travail d'équipe. D'autre part, l'isolement dont souffrent beaucoup d'étudiants pendant leur période d'adaptation au milieu universitaire les dirige naturellement vers leurs camarades, les contacts avec le personnel enseignant étant le plus souvent très limités. Enfin, on a remarqué que cette forme d'enseignement s'accompagne souvent chez les étudiants d'une amélioration de la motivation et de la confiance en soi. Sur le plan pédagogique, l'avantage principal de l'enseignement par des pairs est l'engagement actif de l'étudiant dans le processus d'apprentissage, par opposition au rôle plutôt passif qu'il se contente de jouer dans la situation traditionnelle de transmission de l'information» (Champagne, 1981, 184).

Enfin, contrairement à beaucoup d'innovations pédagogiques, cette forme d'enseignement ne coûte rien de plus, ce qui est un atout considérable en temps de restriction budgétaire. La limite majeure toutefois de ce type de relation est qu'on ne peut donner que ce qu'on possède même si le pairage n'est généralement pas, contrairement à ce qu'il semble, une relation à sens unique: celui qui donne reçoit aussi en retour, notamment de l'amitié, de la considération, de la reconnaissance.

Quels sont maintenant les principaux apports des groupes d'entraide dans une optique visant à favoriser la prise en charge par le milieu? Tout d'abord, ils permettent de reconnaître que les aidants naturels, qu'on les appelle pairs, para ou non-professionnels, sont individuellement ou en groupe plus chaleureux, plus disponibles, plus près des gens que les professionnels. Ils établissent des relations égalitaires, favorisent la création de liens qui combattent l'isolement social, et cela à un coût économique très bas.

La faible structuration de l'action de pairage (par exemple, un parrainage civique en santé mentale) ou de celle d'un groupe d'entraide (bien que certains, du type A.A., le soient davantage pour faire face aux besoins particuliers de personnes vivant des attitudes compulsives) permet en outre la souplesse des services et favorise une dissémination là où des services professionnels et spécialisés ne sont pas disponibles ni économiquement réalisables.

Quant aux principales limites, elles tiennent, d'abord, au remplacement de la relation professionnelle par une démarche nettement plus subjective qui peut parfois se faire illusion; ensuite à la personnalité propre des gens en cause; enfin, à l'intention qui anime l'intervention: donne-t-on priorité au changement social ou à l'intégration, à l'individu ou à la société, aux causes ou aux conséquences. La vérité consiste sans doute à voir l'action des intervenants naturels comme une ressource complémentaire de l'intervention des professionnels qui a les qualités des défauts de celle-ci et vice versa.

L'État demeure également un problème important pour les groupes d'entraide: est-il une source d'encouragement ou un agent récupérateur de leurs initiatives? Si les groupes d'entraide mettent en évidence des aspects intéressants des relations interpersonnelles telles qu'elles se construisent dans un groupe et telles qu'on peut les exploiter à des fins de support, leur propre mode d'organisation demeure assez méconnu et peu évalué. Comment réagissent-ils aux lois qui les encadrent, comment affrontent-ils les problèmes de financement, quel rapport ont-ils avec les professionnels, etc.? Sur ces différents problèmes que rencontre le modèle, la littérature est souvent muette, surtout

lorsqu'elle est le fait de participants enthousiastes. Certains auteurs, notamment Romeder ainsi que Gartner et Riessman
(1977), ont tenté de relever un certain nombre de ces points
laissés dans l'ombre, mais c'est sans doute l'absence de contrôle,
d'évaluation de l'aide fournie ou du support accordé qui demeure l'écueil à la fois le plus subtil et le plus dangereux: ce
n'est pas parce qu'on a vécu une situation semblable ou similaire
à celle que vit autrui qu'on est forcément capable de lui donner
des conseils ou de l'aider. Il se crée souvent des rapports
inégalitaires, jeux d'influence et tentatives de domination, d'autant plus facilement que la personne qui se confie et qui vit
une crise apparaît faible, émotive et ouverte à celle qui est là
pour la guider.

Ce qui est vrai des rapports de personne à personne l'est
également des relations qui s'établissent dans les groupe d'entraide. Ainsi, certains individus portés à exercer un leadership
autocratique et charismatique, peu sensibles à l'importance de
la collaboration et de la participation, auront tendance à centra-
liser l'information, à favoriser ceux et celles qui pensent comme
eux, à déléguer peu et à beaucoup contrôler les tâches accom-
plies par d'autres membres, à prendre seuls les décisions et à
identifier presque totalement leur existence à la vie de «leur»
groupe d'entraide. Ce qui est généralement pénible à vivre
dans une entreprise, une administration ou un groupe populaire,
le sera également dans un groupe d'entraide. Ce le sera même
encore plus, dans la mesure où ces problèmes interfèrent là
avec le principe même de l'entraide et que des individus fragiles
risquent davantage d'être marqués par une expérience néfaste.
C'est sans doute pour combattre ces risques que certains groupes
prévoient dans leurs règlements la rotation obligatoire des
tâches ou une durée nécessairement limitée d'un mandat (non
renouvelable); c'est notamment le cas dans une organisation
très structurée comme les Alcooliques Anonymes (Robinson,
1979).

Une autre critique qu'on adresse fréquemment aux groupes
d'entraide est le manque de préparation, de connaissances appropriées et d'objectivité de leurs membres. De telles critiques
sont évidemment formulées par des professionnels qui se sentent
remis en question par le développement de pratiques non profes-

sionnelles. Il n'en reste pas moins que l'un des risques inhérents à ce type d'intervention est la place privilégiée donnée à l'expérience subjective au détriment de la connaissance résultant des recherches scientifiques.

Il ne faut pas oublier cependant qu'un problème de toxicomanie ou une maladie chronique bouleversent profondément l'existence; or, si la connaissance médicale, psychologique ou sociale peut aider à mieux faire face à la crise, le support subjectif de quelqu'un qui a vécu la même expérience traumatisante et qui est parvenu à l'assumer, et sa compréhension chaleureuse risquent fort d'être plus réconfortants que l'écoute distante d'un professionnel, pas toujours disponible au moment le plus opportun ni aussi souvent qu'il le faudrait.

Il est certain que «la découverte de leurs capacités thérapeutiques réelles par de nombreux leaders de groupes constitue souvent une révélation personnelle en même temps qu'une incitation considérable à utiliser ce potentiel nouvellement découvert, sans l'avoir encore bien maîtrisé... Le risque est alors de prendre ses connaissances subjectives pour des connaissances objectives et, au lieu simplement de faire part de ses expériences personnelles, de commencer à prodiguer des conseils, puis éventuellement à exercer (sur les personnes aidées) un contrôle de plus en plus marqué» (Romeder, 1982, 53-54). Il semble toutefois que les cas d'abus soient relativement rares. Dans leur étude sur le vécu de plusieurs groupes d'entraide, Lieberman et Borman (1977) n'ont rencontré que quelques cas de personnes ayant connu une telle expérience, ce qui se compare sans doute à l'effet de détérioration personnelle observée par ailleurs chez un faible pourcentage de personnes s'engageant dans une psychothérapie.

Le dernier problème que nous relèverons semble résider dans le rapport que les groupes d'entraide entretiennent avec la société et ses valeurs. Certains groupes visent ouvertement à combattre des attitudes ou des préjugés discriminatoires pour leurs membres: sexisme, refus de l'homosexualité, racisme, etc. Leur action tendra alors à la fois à sensibiliser un large public pour l'amener à modifier ses attitudes et à obtenir des services adaptés aux besoins de leurs membres. Ces revendications, tout comme la défense de valeurs propres à des minorités sexuelles ou culturelles, ne sont pas sans provoquer des réactions chez ceux à qui elles s'adressent.

D'autres groupes d'entraide jouent à l'inverse un rôle intégrateur plutôt qu'innovateur, incitant en quelque sorte leurs membres à s'ajuster aux normes de la société de façon à ne plus déranger leur entourage plutôt que de remettre en cause les normes sociales ambiantes. Cette voie de l'intégration sociale est celle de groupes d'entraide qui s'occupent de gens qui connaissent des bouleversements personnels ponctuels (chômage, retraite, par exemple) et qui ont besoin d'aide pour s'assumer et se reprendre en charge.

Les communautés thérapeutiques

C'est en Angleterre, dans les années 1940, que se développe le concept et le modèle de la communauté thérapeutique, notamment grâce aux travaux du psychiatre Maxwell Jones. En 1953, celui-ci expose dans *The Therapeutic Community: A New Treatment Method in Psychiatry* une nouvelle façon d'aborder la maladie mentale en mettant l'accent sur l'environnement. L'auteur s'inspirait des études de Kurt Lewin sur la vie de groupe et sur le concept d'espace de vie.

Tant en Amérique qu'en Europe (notamment par la clinique Tavistock, animée par Melanie Klein), les communautés thérapeutiques veulent tirer profit des possibilités que recèlent les petits groupes. Les phénomènes qu'on y observe (rôles différenciés et complémentaires, expression des besoins, exercice de formes de leadership, réseaux de relations, etc.) mettent en évidence l'importance des éléments sociaux dans les maladies mentales, ce dont s'inspirera la psychiatrie sociale. L'environnement social de la personne qui présente des comportements généralement interprétés comme signes de maladie mentale retient ainsi de plus en plus l'attention, en même temps qu'on commence à considérer le milieu de traitement lui-même comme un environnement qui pourrait avoir des effets thérapeutiques. Et en effet, les groupes de thérapie intègrent dans une démarche commune tous les membres de la communauté, personnel et personnes en traitement, dans des réunions quotidiennes où ils examinent ensemble ce qu'ils font et pourquoi ils le font.

Diverses influences contribuent au développement de ce courant de pensée, notamment le béhaviorisme, l'approche systémique, la critique de l'institutionnalisation, les mouvements de promotion de la santé communautaire et de prévention en santé mentale. Des auteurs comme Basaglia passent d'une notion limitée de communauté thérapeutique à l'intérieur d'un service psychiatrique institutionnalisé à une conception plus globale où toute la communauté devient le lieu ouvert de traitement des problèmes de santé mentale; l'institution devient dès lors inutile (Basaglia, 1966).

La communauté thérapeutique développée par Jones repose sur un certain nombre de principes: «Le patient possède un potentiel thérapeutique aussi bien pour lui-même que pour les autres malades. Bien que le malade demeure objet de soins, la communauté thérapeutique le transforme essentiellement en sujet soignant. L'institution n'est plus centrée sur un agent d'exécution dépourvu d'initiatives (l'infirmier) mais sur le malade. La structure verticale tend à devenir horizontale à mesure que l'institution sociale s'organise sur le modèle démocratique. Il ne s'agit pas seulement de permettre une libre expression, mais aussi de favoriser la participation aux prises de décisions importantes... Pour que cette transformation s'opère, il est nécessaire d'ouvrir des voies de communication à deux sens... entre tous les membres de la communauté. Les psychiatres de la communauté thérapeutique reconnaissent l'impossibilité de traiter individuellement tous les malades qui leur sont confiés. Ils ont concentré leurs efforts aussi bien sur la formation du personnel, que sur des réunions de pavillon. La communauté thérapeutique apparaît donc comme une institution mobilisant de façon aussi complète que possible les capacités tant des malades que du personnel dans un but thérapeutique. Ceci nécessite une transformation caractéristique de l'organisation sociale de l'hôpital psychiatrique aussi bien dans les secteurs médicaux qu'administratifs pour engager au moins en partie chaque membre de la communauté dans le traitement et dans l'administration» (Bleandonu, 1970).

Cette présentation de la communauté thérapeutique faite par un psychiatre français demeure encore imprécise. Dans *Community as Doctor*, Rapoport (1960) a mieux cerné les quatre caractéristiques fondamentales de celle-ci, caractéristiques généralement reconnues dans chaque expérimentation. Ce sont la démocratisation, la permissibilité, la confrontation avec la réalité et le «communalisme». Ces traits imprègnent la vie quotidienne: «Libération de la communication, réduction des niveaux hiérarchiques de pouvoir, partage des responsabilités, prise de décision par consensus, analyse des événements vécus, multiplication des occasions d'apprentissage par le vécu, examen des rôles et des relations. Cette liste, qui pourrait encore être allongée, indique à quel point la communauté thérapeutique fut préoccupée par les structures sociales et leurs fonctions, la nature du leadership, l'exercice de l'autorité et les relations de travail entre le personnel et les clients» (Morrice, 1980, 49).

On peut donc considérer la communauté thérapeutique comme un lieu privilégié où l'intervention, s'appuyant à la fois sur des ressources professionnelles et sur celles des pairs, s'efforce de permettre un fonctionnement démocratique, relativement chaleureux, où les comportements adoptés par l'équipe thérapeutique sont proposés sans être imposés comme des modèles. En réaction contre l'institution psychiatrique traditionnelle, contre le traitement individuel et contre les rapports hiérarchisés de pouvoir et de savoir, elle se présente comme une pratique sociale en santé mentale. Son utilisation demeure en effet limitée aux problèmes de comportement (délinquance, psychiatrie) et ne saurait jouer le même rôle pour des problèmes de santé ou de vieillissement, par exemple, qui n'exigent pas le même type d'intervention.

Toutefois, tout comme la communauté thérapeutique a permis de passer de la psychiatrie individuelle à une forme de psychiatrie sociale, de même il semble que l'on s'oriente depuis une quinzaine d'années, vers une pratique encore plus communautaire de la psychiatrie considérée comme une responsabilité collective et agissant préventivement dans le milieu même. On se dégage ainsi de plus en plus de l'institution psychiatrique pour opérer plutôt à partir d'un centre communautaire de santé mentale, par exemple.

L'un des grands intérêts de la communauté thérapeutique est qu'elle reconnaît la capacité des individus d'être étroitement associés à la modification de leurs comportements problématiques, ce qu'ils réussissent d'autant plus qu'ils sont placés dans un environnement où ils sont assurés d'une écoute et d'un support, en présence de pairs et de professionnels, dans un contexte où les rapports de pouvoir sont sensiblement réduits et ramenés au minimum nécessaire pour que le modèle fonctionne. La principale limite de la communauté thérapeutique demeure toutefois son caractère particulier: elle n'est utile que pour une remise en question des comportements. Enfin, l'esprit même de la communauté thérapeutique implique que le modèle intègre gestion et intervention. Il y a en effet là une volonté explicite de ne pas dissocier les comportements de gestion et les comportements de traitement: l'expérience doit être vécue comme un tout et non pas comme une série de fonctions indépendantes. Tout est thérapeutique, que ce soit la préparation des repas, du café, ou que ce soit la prise de décisions concernant l'entretien des locaux, les relations de travail, etc. C'est là un facteur qui rend le fonctionnement de la communauté difficile.

Le mouvement du potentiel humain

Le mouvement du potentiel humain prend sa source dans les recherches de Kurt Lewin. L'expérimentation du travail de groupe et des divers types de leadership déboucha en effet, dans l'après-guerre, sur la méthode du *training group*, à Bethel (Maine), qui attira rapidement deux clientèles fort distinctes: d'abord les animateurs, les coordonnateurs de groupes ou d'organisations de toutes sortes (y compris des cadres d'institution et d'entreprise) intéressés à mieux maîtriser les phénomènes de groupes et préoccupés d'améliorer l'efficacité de leurs interventions; ensuite, les «gens mal dans leur peau», qui remettaient en question leur vie, leurs relations interpersonnelles, etc.

Cette seconde clientèle croît régulièrement durant les années 1950 en même temps que s'exacerbe le credo individualiste et l'orientation vers la consommation de masse. Pour mieux répondre aux besoins de sa clientèle éloignée de la côte ouest, le First National Training Laboratory in Group Development (NTL) ouvre un deuxième centre à Los Angeles, en 1952. Les deux chercheurs-formateurs responsables, John Weir et William Schultz, l'axent sur la dynamique individuelle, l'expérience intrapersonnelle.

Au plan méthodologique aussi, ils se distinguent de Bethel: l'expression corporelle, les techniques non verbales, la respiration et la création remplacent les exercices de tâches. L'écart ira grandissant pendant dix ans jusqu'à ce que la conjonction d'influences orientalistes, de recherches personnelles et de courants sociaux conduise à la naissance d'un véritable mouvement du potentiel humain, le *Human Growth Movement* et que la rupture se produise, en 1962. Schultz et Weir fondent alors l'Institut Esalen, à Big Sur. Esalen devient rapidement un lieu à la mode où de nouveaux courants thérapeutiques prennent forme et s'expérimentent, centrés autant sur la croissance individuelle que sur le développement des personnes en groupe (Rondeau, 1981).

Le mouvement du potentiel humain estime que chaque personne humaine n'utilise qu'une partie de son potentiel, le reste étant étouffé par l'éducation répressive, les normes et les rôles sociaux. Les techniques de croissance doivent donc travailler à libérer et à actualiser le potentiel négligé qui constitue une réserve de ressources permettant à chaque personne de reprendre en charge sa vie. Trois courants majeurs ont influé sur le mouvement à ses débuts: l'analyse transactionnelle (Berne, Harris), l'approche bio-énergétique (Lowen) et la théorie gestaltiste (Perls). D'autres courants émergèrent, comme la théorie du cri primal (Janov), le rolfing (Wolf), le rebirth (Orr) et, plus récemment, l'approche de Erhard Seminar Training; à ces courants, il faudrait en ajouter d'autres, la psychosynthèse, le training autogène, etc.

Le mouvement du potentiel humain repose en fait sur trois valeurs clés: le pluralisme, qui demande d'accepter les autres comme ils sont, c'est-à-dire différents de soi, et d'être à leur écoute; le pragmatisme, qui incite à faire ce qui donne des résultats rapides, et qui est une critique des thérapies traditionnelles comme l'analyse; et l'authenticité, selon laquelle il faut chercher à se réaliser totalement. Il s'agit là de valeurs que chacun vit personnellement et qui confirment la priorité accordée à la vie privée et au changement individuel plutôt qu'aux luttes pour un changement social caractéristiques des années soixante et soixante-dix. Ce déplacement ne s'est cependant pas fait sans une transformation de la démarche thérapeutique que, à la manière d'un produit de consommation courante, divers intervenants, pas forcément consciencieux, commercialisent (Sévigny, 1977; Goupil, 1983).

Donald Stone, sociologue californien, énumère les facteurs qui rendent compte de l'attrait exercé par le mouvement du potentiel humain: «La soif d'expériences intenses, l'enthousiasme de ceux qui ont participé aux groupes, la promesse d'une guérison rapide et relativement peu coûteuse, le fait que se faire aider n'est pas infamant, le fait que ces groupes s'inscrivent dans la culture américaine traditionnelle, les témoignages des autres participants reconnaissant une amélioration de leurs rapports avec les autres, la place faite à l'expression et à la spontanéité, la promesse d'un pouvoir personnel dans une société où prévaut un sentiment d'impuissance...» (Stone, 1982).

La technique thérapeutique adoptée par le mouvement du potentiel humain consiste à faire vivre ou revivre des expériences fondamentales en vue de permettre aux personnes de découvrir leur potentiel inexploité et de le mettre en valeur de manière à atteindre un meilleur équilibre personnel. Alors que les sociétés industrielles avancées ont centré l'univers sur ce qui est rationnel, sur le savoir abstrait impersonnel, on rappelle ici l'importance du savoir-être, des émotions, etc. Cependant, en s'opposant au conditionnement de la société anonyme et de l'univers technicisé, ce courant donne lieu à des excès contraires caractérisés par la valorisation excessive de l'ici et du maintenant, du vécu émotionnel et groupal.

L'apport du mouvement du potentiel humain reste d'avoir insisté sur l'idée de croissance personnelle et sur le potentiel de se prendre en charge, de s'ouvrir au changement personnel et social. Sa conception holistique de la personne est également importante: les tensions personnelles ou sociales provoquent des blocages qui se reflètent dans le corps; en travaillant ces blocages et en provoquant l'émergence du refoulé, on essaie de rétablir la continuité entre vécu antérieur et vécu actuel, corps et sentiments, vécu individuel et environnement social.

La thérapie centrée sur la personne

L'approche non directive est généralement associée aux travaux menés par Carl Rogers depuis 1940 et qui ont eu un impact considérable dans certains milieux. Alors qu'elle se présentait, au début, comme «thérapie centrée sur le client», cette conception a évolué vers une thérapie centrée sur la personne avec le développement de la psychologie personnaliste (Rogers, 1951, 1957, 1958, 1959, 1971). De même, si à l'origine la technique reposait essentiellement sur la relation thérapeute-client, celle-ci s'est peu à peu transformée à mesure que Rogers expérimentait les groupes de rencontres et que certains auteurs (Batten, 1967) développaient une approche non directive dans le travail communautaire et de groupe. S'il est certain que Rogers marqua profondément cette approche, il nous faut aussi reconnaître les contributions d'auteurs comme Gordon Allport (1955) qui ont sensiblement renouvelé le courant.

À l'origine, l'approche de Rogers se fondait essentiellement sur la croyance que la personne humaine possède les ressources personnelles nécessaires pour assurer sa croissance, sa santé et les ajustements qui lui sont bénéfiques. L'action du thérapeute viserait donc à «libérer» le client de ses craintes pour qu'il assure ensuite son développement personnel. Une telle démarche thérapeutique met davantage l'accent sur le vécu immédiat de la personne que sur des aspects intellectuels (discours, mémoire, etc.); la relation thérapeutique qui s'établit fait alors elle-même partie de l'expérience de croissance personnelle.

Plus récemment, Rogers est revenu sur les concepts et les valeurs qui sont associés à la thérapie centrée sur la personne: volonté de changer, ouverture à l'expérimentation, croyance que la thérapie est le processus par lequel la vérité sera découverte, permission pour le client de devenir de plus en plus lui-même, l'importance de vivre sa vie maintenant, etc. De nombreux rapprochements sont visibles entre cette perspective et celle du mouvement du potentiel humain.

Cette approche centre avant tout sa conception de la prise en charge de la personne sur le processus même de l'actualisation de soi. Aussi accorde-t-elle beaucoup d'importance à la nature de la relation thérapeutique, au thérapeute et à la personne en relation d'aide, à leur rôle respectif, aux mécanismes qui règlent leurs rapports. En réaction contre le conditionnement typique et l'anonymat de la société de masse, elle réaffirme aussi la liberté et la capacité de choix de chacun, au moins dans l'univers de vie privé, personnel ou familial.

La possibilité de transposer la démarche dans les groupes, les institutions et la société demeure incertaine. Rogers a lui-même consacré un chapitre entier de *Client-Centered Therapy* aux organisations, mais sans avoir exercé une influence réelle dans ce milieu. Si la philosophie non directive a eu un impact considérable sur les milieux éducatifs et de l'animation de groupe, il ne semble pas qu'elle ait réussi à atteindre les institutions elles-mêmes. C'est peut-être ce qui explique pourquoi Rogers a par la suite choisi de s'associer aux rédacteurs de la «résolution 13» (en Californie) visant à abolir le plus possible les services publics de façon à laisser à chacun l'autonomie et la responsabilité de se procurer lui-même ou de se donner les services dont il a véritablement besoin. En ce sens, l'individualisme rogérien n'est pas très éloigné du laisser faire préconisé par certains courants anti-étatiques et libertaires.

L'action éducative préventive

La distinction entre action curative et action préventive n'est pas nouvelle dans le domaine de la santé, qui distingue d'ailleurs divers niveaux de prévention (primaire, secondaire, tertiaire). L'accent qu'on a mis sur la santé communautaire et les multiples remises en question de l'efficacité de la médecine ont fréquemment conduit à la recherche de nouvelles façons de faire.

Dans un cadre plus vaste, la mise en place d'un nouveau type d'établissements, les centres locaux de services communautaires (CLSC), à la suite de la réforme de l'organisation et de la dispensation des services sociaux et de santé, en 1973, ouvrait la porte au développement de nouvelles pratiques puisque ces établissements se voyaient notamment confier un mandat de prévention dans le cadre de l'implantation de services multidisciplinaires de première ligne (près des besoins de la population, non spécialisés, caractérisés par une intervention à court terme).

Le concept même d'action préventive demeurait imprécis, comme le rapporte en 1977 Maurice Roy au terme d'une enquête menée auprès des praticiens. Encore aujourd'hui, on en arriverait sans doute à la même conclusion. Sur le terrain toutefois, les CLSC, comme d'autres types de ressources communautaires ou alternatives, ont développé depuis une quinzaine

d'années une approche qui, sans être définie de manière rigoureuse, est tout de même assez pratiquée. Le champ de l'action
et de l'éducation sanitaires a également fait des progrès et les
concepts de base ont été aussi précisés, notamment par Corril
et O'Neill.

Pour bien comprendre le modèle de pratique qui suit, il
faut se rappeler le contexte d'apparition des CLSC. Selon les
endroits, le projet d'établissement de ces centres est né de
groupes populaires ou d'entraide, de professionnels à la recherche de renouveau, d'enjeux politiques locaux ou encore à
partir d'un ancien hôpital privé. Ces différences vont se refléter
sur la lecture des besoins du milieu, le modèle d'organisation
et les pratiques qui en découlent.

L'importance relative des ressources consacrées aux programmes socio-communautaires et aux programmes de santé
jouera également; les politiques de transfert de ressources des
départements de santé communautaire et la croissance de la
demande pour des services courants de santé tendront à médica-
liser davantage certains CLSC. La nature même de ces établissements et leur culture organisationnelle seront à leur tour objet
d'examen dans les années quatre-vingt (Ouellet, Poupart, Simard,
1986).

Selon la Fédération des CLSC, chacun de ces centres est
«un établissement public qui, en rendant accessibles les services
de santé et les services sociaux courants, les services de prévention et les services d'action communautaire, vise dans une
approche globale et multidisciplinaire à relever l'état de santé
d'une population donnée, à améliorer les conditions sociales
des individus et de la communauté, à amener la population à
prendre en charge ses problèmes et à améliorer le milieu dans
une perspective de développement». Au-delà de cet énoncé déjà
ambitieux, la Fédération présuppose que les services sociaux
dans les CLSC «sont bien adaptés aux besoins de l'aspect santé
et l'aspect communautaire, sont intégrés à l'approche sociale;
les praticiens sociaux du CLSC consacrent autant de temps et
d'énergie à prévenir les problèmes et les détériorations sociales
qu'à les guérir; les services sociaux se préoccupent autant de
la qualité de la vie, donc de l'environnement, que des problèmes
individuels; l'objectif principal du praticien social du CLSC est
de favoriser une prise en charge de ses problèmes par l'usager

et/ou par la communauté» (Roy, 1977, 3). Le désir d'innover naît habituellement de l'échec ou au moins des faiblesses des pratiques traditionnelles, critiquées dans la mesure où elles maintenaient souvent les usagers «dans un état de dépendance, au lieu de les aider à se prendre en main et à sortir de leurs problèmes, elles les entretenaient dans leur marginalité jusqu'à la prochaine situation de crise».

Quelles sont donc les «pratiques novatrices»? Il y a celles qui concernent le milieu, celles qui relèvent des nouvelles attitudes à l'égard des usagers, celles relatives à la conception du rôle des praticiens des CLSC et celles liées au fonctionnement même de l'institution. Examinons-les brièvement.

Les caractéristiques des pratiques qui concernent le milieu sont les suivantes: reconnaissance et utilisation des ressources que le milieu s'est donné, pénétration réelle de ce milieu, qualité de la relation établie avec les groupes du milieu et reconstitution ou consolidation du tissu communautaire. Autre dimension importante, la qualité des relations que le CLSC dans son ensemble entretient avec les groupes du milieu. «Il (le CLSC) ne doit pas utiliser les ressources du milieu pour se débarrasser de certains usagers particulièrement démunis. S'il réfère à une ressource du milieu, c'est d'abord parce qu'il refuse de se substituer à cette ressource et ensuite parce qu'il reconnaît son aptitude à prendre des usagers en charge... Le CLSC, parce qu'il a les ressources financières et humaines nécessaires, peut facilement se mettre au service de la coordination des ressources du milieu.» Cela peut aussi aller dans le sens d'inviter des «praticiens» des ressources du milieu à participer à la vie interne du CLSC en les conviant aux réunions des équipes avec lesquelles ils sont appelés à travailler (Roy, 1977, 43-44).

D'autres caractéristiques des CLSC ont trait aux nouvelles attitudes que praticiens et établissements tentent de développer à l'égard des usagers; elles découlent des précédentes. On a d'abord mis fin à toute tentative de développer dans ces services sociaux des «spécialités» du type de celles qui caractérisent le découpage médical du traitement de l'usager. La nature de la relation qu'on cherche à établir est aussi différente: «L'usager qui se présente au CLSC n'est pas nécessairement un être malade. Un minimum de respect exige donc qu'on cesse de chercher à le soigner à tout prix et souvent malgré lui... Le praticien social verra davantage chez l'usager une potentialité ou une autonomie à développer qu'une maladie à soigner. Le pire service qu'on puisse rendre à cet usager, c'est de le prendre en charge... Il importe que le praticien social du CLSC ait le réflexe de donner à l'usager du pouvoir sur lui-même. Le praticien n'a pas le droit de s'approprier ce pouvoir. À moins d'indication contraire, le praticien évitera de poser tout geste ou de prendre une décision à la place de l'usager... Ce n'est certes pas en enlevant à l'usager le peu de pouvoir qu'il a sur lui-même qu'on l'amènera à se reprendre en main» (Roy, 1977, 45-46).

Plus encore, les CLSC n'ont pas à offrir des services que le milieu dispense déjà et il doit s'efforcer d'aborder les problèmes de façon communautaire. Dans les faits, il faut reconnaître que si le milieu possède déjà de nombreuses ressources, c'est justement parce qu'il s'y est développé une vision communautaire des besoins sociaux.

Par ailleurs, insister sur le recours à une solution communautaire aussi souvent que possible n'invalide pas pour autant l'utilité d'une pratique individuelle qui peut se révéler mieux adaptée à certains types de demande. Une autre façon de concilier pratique et réponse individuelles, d'une part, et communautaires de l'autre est de former des groupes d'activités (préretraités, allaitement, parents d'enfants délinquants, assistés sociaux, etc.) qui permettent à l'usager de s'informer, de multiplier ses relations, de préciser son identité et ses aspirations, de prendre des responsabilités, de vivre des situations d'entraide ou de croissance. Le CLSC supportera ces groupes qui tendront à l'autonomie.

Toutes ces attitudes des praticiens devraient avoir un impact significatif sur le milieu en termes de développement d'une solidarité locale qui, à son tour, pourrait se traduire par la mise sur pied de nouvelles ressources constituées de services que le milieu se donne ou encore par la formation de groupes de pression visant la défense des droits collectifs.

Le troisième ensemble de caractéristiques des centres a trait à la conception que les praticiens ont de leur rôle: c'est avec et par eux qu'il est possible de développer de nouvelles pratiques. Les premiers CLSC ont fréquemment préféré embaucher des non-professionnels, issus du milieu comme travailleurs de quartier, travailleurs communautaires ou préposés à l'accueil, plutôt que des professionnels, jugés trop «loin du monde». Ils posaient ainsi le problème de la déprofessionnalisation. Celle-ci «ne vise pas à faire exécuter par des non-professionnels des actes qui nécessitent une formation professionnelle... À l'opposé, nous n'entendons pas qu'on doive utiliser les professionnels uniquement pour poser des actes qui exigent une formation professionnelle. Dans ce cas, il s'agit davantage de surprofession-nalisation.» Il faut donc «examiner lesquelles des tâches tradition-nellement réservées aux professionnels peuvent être confiées à des non-professionnels sans que cela coupe les professionnels de la réalité et sans que cela diminue la qualité des services» (Roy, 1977, 52).

On reproche aux professionnels d'utiliser leurs connais-sances pour asseoir leur autorité ou servir leur employeur plutôt que pour répondre aux besoins réels des usagers; l'autonomie de ces derniers passe justement par une non-prise en charge professionnelle de leurs problèmes. D'ailleurs, les CLSC préfére-ront retenir les services de praticiens qui présentent un judicieux savoir-faire mêlé à un grand sens de l'initiative, un fort respect des usagers et une capacité d'œuvrer en équipe, en dehors des cadres étroits de la profession.

En ce qui concerne enfin le fonctionnement des établisse-ments, les CLSC s'efforceront de favoriser les pratiques qui encouragent l'engagement des usagers, qui facilitent le dévelop-pement d'une approche globale, qui ouvrent des possibilités de travail multidisciplinaire et qui laissent au milieu la possibilité de prendre en charge une partie de ses besoins avec ses propres ressources. Notons que des objectifs comme la déprofessionnali-sation et la multidisciplinarité sont à l'opposé du cloisonnement des pratiques ou de la spécialisation et de la hiérarchisation. Le plan d'organisation choisi et la place qu'il fera à l'action communautaire, module spécifique ou support tout autant aux programmes de l'établissement qu'aux initiatives du milieu, au-ront également un rôle important à jouer.

Les traits que nous venons de relever mettent en évidence la possibilité pour un établissement comme un CLSC de dévelop-per des pratiques novatrices qui vont globalement dans le sens d'une démarche éducative et préventive et qui visent à favoriser chez les personnes concernées une meilleure compréhension de leur vécu, de leur environnement et de leurs difficultés. Et en effet, les CLSC ont contribué à stimuler la prise en charge, à renforcer les groupes populaires, à mettre sur pied des mécanismes de collaboration dans une perspective égalitaire avec des ressources du milieu, à maintenir à domicile des personnes âgées, à développer de multiples programmes pour des clientèles ou des problèmes cibles.

De telles pratiques remettent en question la tendance spontanée des professionnels à orienter leur action vers les symptômes plutôt que vers les causes profondes. Et c'est par là que se fait habituellement le passage de l'intervention individuelle à l'intervention collective et de l'intervention curative à l'intervention préventive. Les CLSC ne sont évidemment pas les seuls à adopter de telles pratiques, mais ils constituent un lieu privilégié où il est généralement possible qu'elles se développent. Des établissements multidisciplinaires de ce type risquent d'être réquisitionnés par l'État dans le cadre des politiques préventives destinées à réduire le coût social des problèmes socio-sanitaires, et même de voir leur rôle ramené à une caricature d'action préventive (Baker, 1978; Holtzman, 1979). Le phénomène de l'alourdissement de la clientèle qui semble inévitable soit pour des raisons socio-économiques (l'ampleur des crises) que démographiques (évolution de la pyramide d'âge) réduit la possibilité d'agir de façon préventive parce que davantage de ressources doivent être consacrées à donner les services aux personnes en plus grande perte d'autonomie.

Les rapports que des établissements comme les CLSC entretiennent avec le milieu ne sont pas non plus sans conséquences sur l'action communautaire. En embauchant des travailleurs communautaires du milieu, les CLSC risquent de vider celui-ci, de le priver de ressources humaines importantes et de démobiliser ainsi des groupes populaires. Ce qui était dynamisme local est intégré dans une structure à caractère institutionnel. C'est ainsi que se manifeste souvent le désir politique de contrôler certaines formes d'action communautaire. Mais une telle pratique a aussi eu pour effet de favoriser la réaction contraire, celle de diffuser le modèle de l'intervention communautaire là où des groupes n'étaient pas encore constitués.

Le problème demeure toutefois entier en ce sens que la

limite à respecter de part et d'autre n'est pas clairement établie et que beaucoup d'organismes communautaires ont l'impression que les CLSC ou leurs intervenants professionnels les concurrencent sur leur propre terrain. Si cette question n'est pas tranchée, c'est sans doute parce qu'il n'est pas concevable de planifier le développement systématique d'organismes communautaires ou de préciser qui doit, et dans quelles circonstances, assumer telle ou telle responsabilité sociale. Les CLSC peuvent tout au plus stimuler les ressources embryonnaires du milieu, supporter leur développement, accompagner les premières initiatives; mais il faut aussi savoir se retirer, laisser les gens se prendre en charge. En multipliant leurs programmes, les CLSC ont développé une tendance interventionniste dont il doivent se méfier. Il faut aussi constater que si certaines clientèles apparaissent prioritaires et favorisées en termes de services (notamment les personnes âgées dans le cadre du maintien à domicile), d'autres sont peu ou moins choyées et c'est notamment le cas des jeunes. Encore là, il s'agit d'un choix de société.

Une dernière remarque, concernant l'organisation et l'orientation même des établissements qui cherchent à développer des pratiques éducatives préventives: ces pratiques sont-elles forcément liées à une institution faiblement bureaucratisée, peu spécialisée et offrant des services polyvalents, proche du milieu, de petite ou moyenne taille? Si tel était bien le cas au moment où les CLSC, à leur début, (Alary et Lesemann, 1975), estimaient que l'essentiel de leur mandat était d'être communautaires et de tracer des voies originales, cela se révèle de moins en moins vrai avec les transferts successifs qui accroissent les effectifs et le nombre des programmes à assurer, la fréquentation, le budget à gérer, en même temps que s'ajoute la rigidité imposée par les conventions collectives et par la volonté des employés syndiqués de préserver certaines pratiques acquises même si les besoins ne sont parfois plus les mêmes. Les enjeux récents exacerbent en quelque sorte ce dilemme: restrictions budgétaires et redéfinition du rôle de l'État dans la prise en charge de la demande, nouveau *Cadre relatif au partage des responsabilités CSS-CLSC* en matière de services sociaux, addition de ressources liées à de nouveaux programmes (santé au travail) régies par des institutions plus médicalisées ou bureaucratisées (DSC/CSST), insistance du ministère pour que les CLSC apportent leur contribution à la prise en charge des jeunes en attente de services des Centres de services sociaux (Protection de la Jeunesse), etc.

Le champ organisationnel

Le champ organisationnel est constitué de onze courants ou types de discours et de pratiques de prise en charge par le milieu qui pourraient être regroupés en quatre sous-thèmes: le développement des ressources, des milieux et des organisations; le fonctionnement même des organisations; les conduites de rupture; et la remise en question du rôle de l'État et de ses institutions.

Le changement et la prise en charge ne s'envisagent pas seulement au plan individuel. Les organisations sont elles-mêmes porteuses ou sources de changements. Plutôt que d'être le reflet d'une réalité tout à fait extérieure aux personnes en cause, utilisant leur énergie dans un contexte organisé de travail, l'organisation repose aussi sur la prise en compte de la volonté des travailleurs et des consommateurs de services.

Le développement des ressources, des milieux et des organisations regroupe donc des courants, les quatre premiers que nous aborderons, qui concentrent leurs efforts sur le développement d'un potentiel organisationnel. Cet effort passe par le développement de ressources par les institutions elles-mêmes, par la pratique professionnelle du développement communautaire, par le courant de l'animation sociale et de la participation, et par celui de l'autogestion et du mutualisme, deux tentatives du milieu de prendre en charge une partie de son vécu à travers une formule juridique qui facilite de telles pratiques.

Les deux courants suivants s'intéressent spécifiquement à l'organisation et au fonctionnement même des organisations et des lieux de travail, soit dans la perspective de tirer le meilleur parti possible des ressources qui y sont réunies (en cherchant à concilier les objectifs de l'organisation avec ceux des personnes qui y travaillent), soit pour en faire une analyse critique capable d'en montrer les contradictions et d'y susciter des changements. Ces approches peuvent donner lieu à une plus grande prise en charge de l'environnement institutionnel par ceux qui y œuvrent. Le pouvoir des intervenants comme accélérateurs ou comme freins de l'innovation mérite d'ailleurs une attention toute particulière.

Les conduites de rupture analysent les rapports sociaux établis par des institutions, par une classe ou par la société tout entière, et qui sont sources, pour des catégories particulières de citoyens, de tensions, de blocages et d'oppression. Il s'agit alors d'inviter ces derniers à s'engager dans une critique radicale de cet état de choses qui devrait les mener à reprendre en main leur vécu. Les courants qui vont dans ce sens sont ceux de la conscientisation, issus des travaux de Paulo Freire mais ayant connu des transformations considérables depuis lors; de l'action des groupes militants plus ou moins partagés entre l'action proprement sociale et celle plus typiquement politique; et de l'approche structurelle radicale qui, partant d'une perspective propre au service social, cherche à provoquer une autonomisation critique des clientèles.

Après une longue période de construction et d'extension de son pouvoir, depuis les premières initiatives de la fin du 19e siècle en Allemagne jusqu'à l'édification des différents régimes nationaux de politiques sociales propres aux social-démocraties scandinaves, en passant par le travaillisme britannique, le Front populaire français, le New Deal américain ou canadien, progressivement et sans grande résistance des citoyens, l'État s'est imposé comme le maître d'œuvre d'innombrables services, sans parler des politiques de sécurité du revenu. L'État-providence devait remplir deux fonctions fondamentales: assurer une redistribution de la richesse et assurer l'accès de tous aux services jugés essentiels (santé, logement, etc.). Or, l'effet redistributif s'est révélé fort limité à la suite de l'introduction de différents programmes de réduction du fardeau fiscal dont bénéficient exclusivement les gens plus fortunés (programme d'accès à la propriété, RÉER, régime d'imposition différencié selon les sources de revenu, etc.) et qui annulent ou même renversent l'effet redistributif des régimes universels (Larivière, 1982).

Par ailleurs, l'accès aux services, autre objectif des politiques sociales, reste un idéal retardé par la bureaucratisation accélérée des organismes mis en place qui consomme une bonne partie des ressources consacrées à ces derniers, au détriment de la qualité et au prix de délais d'accès (listes d'attente, etc.).

On comprend dès lors que d'aucuns s'interrogent sur le sens même de l'expansion de l'État qui en vient à consommer entre 40 et 50 % du produit intérieur brut dans certains pays. C'est dans ce contexte qu'il faut situer le discours sur l'intervention minimale de l'État.

La remise en question du rôle de l'État et de ses institutions réunit les deux derniers courants que nous examinerons. Très différents sur plusieurs aspects, ils ne se rapprochent pas moins l'un de l'autre sur cette question de la réduction de la structure étatique. Le premier porte sur le discours récent qui remet en question la croissance démesurée de l'appareil de l'État et qui propose une reconversion de la fonction de celui-ci en tenant compte du caractère limité de ses ressources, afin de faire une plus large place à des initiatives de prise en charge par le milieu. D'une certaine façon, ce courant s'inspire du laisser faire typiquement conservateur selon lequel tous les problèmes surviennent justement quand l'État intervient, comme l'affirment nommément les penseurs de la «nouvelle droite». Le second courant est en fait double: d'une part, il y a le discours libertaire de caractère anarchiste qui n'accepte pas l'autorité, donc ni institutions ni État (très marginal de ce côté-ci de l'Atlantique, ce discours n'est pas négligeable dans la culture politique espagnole ou française, par exemple); et, d'autre part, le courant autogestionnaire de type politique pour qui il faut que les collectivités locales s'auto-organisent.

Le développement des ressources par les institutions

Il n'est pas rare qu'une grande institution, après avoir identifié un besoin dans un milieu donné, favorise le développement d'une ressource souple, bien implantée dans ce milieu, de caractère communautaire ou alternatif, plutôt que de recourir aux ressources intégrées dans le réseau plus formel des affaires sociales.

Plusieurs institutions actuelles sont nées de cette façon et se sont développées soit comme service spécialisé, soit comme ressource complémentaire de celle des professionnels (et avec l'accord d'une direction soucieuse de s'adapter aux besoins), ou encore à la suite d'une décision institutionnelle. Ces structures intermédiaires, souvent plus ou moins alternatives — du moins dans leur phase initiale —, sont généralement ouvertes au changement, possèdent une capacité d'adaptation plus grande et souffrent moins de rigidité institutionnelle.

Dans les dix dernières années, le frein mis à la croissance des ressources publiques et la crise socio-économique ont contribué à restreindre la possibilité pour les grandes institutions de consacrer une partie de leurs ressources à développer des projets, même s'il y a encore des exceptions. Dans ce contexte, les projets de création d'emplois temporaires à l'intention des personnes en chômage apparaissent souvent comme le seul mode de développement de ressources encore possible, bien qu'ils posent de multiples problèmes aux intervenants, aux institutions et aux groupes qui recourent à cette possibilité.

La mise sur pied, par une institution, d'une ressource complémentaire (centre de jour, appartements protégés, communauté thérapeutique, projet-pilote, maison d'accueil, etc.) est généralement le fruit d'un travail de sensibilisation mené par un intervenant ou un groupe de praticiens plus particulièrement attentifs au besoin, ou encore le fait d'une direction consciente, d'une part, des limites, des failles ou des faiblesses des pratiques institutionnalisées qu'elle est chargée d'encadrer, et soucieuse, d'autre part, de créer à côté, dans un contexte ouvrant davantage la porte à l'initiative bénévole, à la participation communautaire et à l'innovation.

Parfois, il s'agit d'initiatives *ad hoc*, de durée limitée, correspondant à une situation urgente ou temporaire (venir en aide aux victimes d'un sinistre, permettre l'accueil et l'intégration sociale d'une communauté immigrante, etc.); dans d'autres cas, l'institution et ses professionnels mettront à la disposition de l'organisation nouvelle suffisamment de ressources pour qu'elle se donne un statut juridique autonome, qu'elle recrute dans le milieu une équipe de gestionnaires et de participants bénévoles, qu'elle définisse adéquatement sa mission, ses objectifs et son programme d'activités, et qu'elle se fasse reconnaître de la communauté qu'elle entend desservir tout autant que des organismes publics (MSSS, CRSSS) ou privés (Centraide) qui coordonnent, reconnaissent et supportent financièrement les services socio-communautaires. C'est ainsi que l'Association canadienne pour la santé mentale a, par exemple, parrainé la création de la Croix-Blanche de Montréal. Le Centre des services sociaux Laurentides-Lanaudière constituant la fondation Le Tisonnier ou encore le Service des ressources alternatives et communautaires du centre hospitalier Robert-Giffard représentent d'autres voies de développement de ressources par les institutions (*Transitions*, 1983).

Dans le cas des programmes de création d'emplois temporaires fréquemment utilisés pour «débloquer» des ressources, il apparaît difficile de mesurer l'ampleur du phénomène et son évolution depuis le début des années 1970. Toutefois, la simple recension des multiples programmes montre qu'il s'agit là d'une ressource difficilement négligeable pour le développement de projets en période de contraintes budgétaires, bien que l'usage de programmes de création d'emplois à des fins de développement de ressources constitue une forme de détournement de finalité dont les conséquences se traduisent souvent en services discontinus là où le besoin est constant. De plus, le statut de chômeur ou d'assisté social gomme tout autre critère lorsqu'il s'agit de choisir les personnes qui réaliseront le projet. Le temps consacré à chercher du financement, l'incertitude de la décision et le jeu de facteurs politiques sont autant d'autres problèmes.

Par exemple, un établissement comme un CLSC peut être appelé à susciter, encadrer, supporter ou gérer près d'une dizaine de projets de toutes sortes chaque année: centre de femmes, projet de «travaux lourds» (grand ménage), maintien à domicile de clientèles particulières, médias communautaires, intervention auprès des jeunes (en milieu scolaire défavorisé, en milieu rural), sans parler des projets générés par les groupes populaires du milieu qu'il faut souvent héberger ou supporter techniquement (photocopie, comptabilité, etc.). Aucun mécanisme de concertation ne préside à la présentation de ces demandes, ce qui laisse jouer à fond la loi de l'influence politique (député) ou administrative (CRSS, ministère).

Le développement de ressources par les institutions peut être interprété comme un aveu d'impuissance à s'adapter de l'intérieur à l'évolution des besoins, tout autant que comme une reconnaissance du fait qu'à une pluralité de besoins doit correspondre un éventail équivalent de ressources.

En ce qui concerne les projets de création d'emplois tempo-raires, en l'absence d'une étude complète de l'impact de cette mesure, il nous faut déplorer l'irresponsabilité souvent affichée par les instances gouvernementales devant des conséquences comme la non-continuité de services et le recrutement d'un personnel selon des critères autres que sa compétence. Par ailleurs, l'incitation fréquente à l'auto-financement frise l'irréa-lisme dans bien des cas, compte tenu des clientèles largement défavorisées auxquelles s'adressent ces projets.

Le développement communautaire

Traditionnellement, le développement communautaire est un type d'intervention professionnelle, directement reliée à la for-mation et à la pratique communautaire du service social. Dans les faits, ce courant apparaît au Colonial Office de la Grande-Bretagne pour qui il s'agissait d'«une action pour s'assurer la coopération active de la population de chaque communauté dans des programmes conçus pour augmenter le niveau de vie et promouvoir le développement sous ses diverses formes... les gens qui seront affectés par le développement planifié doivent y être associés et le moyen le plus sûr pour stimuler l'enthou-siasme est de donner à la communauté des raisons de croire que les idées et les plans mis en avant sont les leurs» (Lagassé, 1969). Né dans un contexte historique particulier comme ré-ponse inquiète d'un État remis en cause par les poussées autono-mistes de sujets soumis à une longue domination extérieure, le développement communautaire sera repris par l'Organisation des Nations unies comme technique d'approche pour favoriser le développement de milieux non intégrés à l'économie de marché et de populations laissées pour compte.

Plus près de nous, ce type d'action est intervenu dans les luttes contre la pauvreté, tant aux États-Unis qu'au Canada. Volontaires employés par l'État, de jeunes travailleurs commu-nautaires ont été mis à contribution dans des projets que la Compagnie des jeunes canadiens, l'Action sociale jeunesse et plus récemment Katimavik ont conçus avec la participation de gens du milieu. Parallèlement, à travers sa loi de l'aménagement régional et du développement agricole visant spécifiquement certaines régions canadiennes désignées comme défavorisées, le gouvernement fédéral a ouvert la porte à des opérations considérables comme le Bureau d'aménagement de l'Est du Québec, le projet du Cap-Breton et d'autres expériences typiques de développement communautaire. Là aussi l'objectif était de réintégrer les populations concernées dans l'économie de marché plutôt que d'avoir à la supporter financièrement par des programmes d'assistance sociale et d'assurance-chômage.

Le développement communautaire favorise donc une certaine forme de prise en charge du milieu. En scolarisant davantage les citoyens qui n'ont pas eu la possibilité de s'instruire plus tôt, en améliorant l'infrastructure des communications, en mettant en valeur des richesses naturelles jusque-là ignorées ou peu exploitées, en suscitant une volonté régionale ou sous-régionale de sortir de la stagnation économique, l'État favorise la naissance d'un dynamisme nouveau, qui d'ailleurs s'inscrit souvent en opposition aux projets proposés par les planificateurs centraux au nom de l'intérêt collectif, mais dans lesquels la population locale ne se reconnaît pas.

Au-delà des mécanismes globaux de changement planifié propres au développement communautaire, ce sont des mini-projets concrets d'organisation de services qui caractérisent surtout l'approche, comme l'a démontré la pratique de centres communautaires implantés dans leurs milieux respectifs, comme la Clinique des citoyens de Pointe-Sainte-Charles, le Centre multi-ethnique Saint-Louis, le «Y» international, les centres d'éducation populaire, etc. Ces initiatives locales visent le regroupement d'usagers, l'organisation d'ateliers, de cliniques ou de cours, l'amélioration concrète d'une situation donnée ou la maîtrise d'une technique ou d'un problème particulier, grâce à la mise en commun de ressources institutionnelles et de celles des participants.

Cette approche s'adapte à la capacité de changement de chacune des personnes qu'elle rejoint, en même temps que la nature collective du projet de groupe assure que la prise en charge, toute partielle qu'elle soit, débouche tout de même sur un changement social: démystification de l'administration, établissement d'un réseau de connaissances et d'entraide, découverte par chacun de sa propre capacité créative, etc.

Lorsque la volonté étatique interfère directement avec la conception que les citoyens se font de leurs besoins et de l'environnement dans lequel ils veulent vivre, le développement communautaire apparaît comme une occasion inespérée de réagir collectivement et de s'auto-organiser (Opération Dignité, JAL, comités de citoyens). Ces résistances traduisent l'existence d'un tissu social ignoré et d'un potentiel considérable (même s'il rencontre très rapidement les limites propres à un milieu économiquement défavorisé et sous-scolarisé) qui peut alors prendre la forme d'initiatives significatives.

L'animation sociale et la participation

Qu'elle soit directe ou indirecte (représentative), la participation vise à associer un groupe donné de citoyens, d'usagers, de consommateurs ou de producteurs au processus de prise de décision, voire au pouvoir lui-même. Quant à l'animation sociale, il s'agit du nom que l'on donne depuis une vingtaine d'années, au Québec, à différentes formes d'organisations populaires (de mobilisation, de service ou de représentation) nées pour tenter de remédier aux situations vécues par les couches défavorisées de la population urbaine et rurale. À ses débuts, l'animation se présentait comme une intervention professionnelle et sociale susceptible de donner, à des citoyens jusqu'alors négligés par la structure formelle de décision, le moyen de se regrouper et d'exercer par l'intermédiaire d'un groupe de représentation des pressions sur les autorités concernées, afin d'équilibrer celles que pouvaient exercer d'autres groupes sociaux déjà bien organisés (hommes d'affaires, propriétaires, etc.).

Engagée en 1968, une réflexion sur les limites de l'action locale et parcellaire (problème par problème) menée avec l'apport d'intellectuels conduisit à une radicalisation et à une globalisation de certains fronts de lutte: revenu (aide sociale, accidentés du travail, retraités, etc.), logement (conditions de logement, coopératives, logements sociaux, rénovation des quartiers, etc.), travail (création d'emplois, normes minimales, syndicalisation, etc.), santé (accès aux services, cliniques populaires, auto-santé, etc.), consommation (endettement, protection du consommateur, organisation de coopératives, etc.), garderies, etc.

La participation dans ce contexte est essentiellement une expérience de partage de pouvoir à l'occasion d'un enjeu mettant aux prises deux protagonistes possédant une vision différente de la situation: elle permet à ceux qui sont au pouvoir d'acquérir une plus grande légitimité, et aux gens traditionnellement exclus d'être reconnus et écoutés.

Dans les faits, comme le rapporte Jacques T. Godbout (1983), les études menées sur la participation des citoyens à la vie publique à travers divers groupes de pression montrent qu'elle varie entre 5 et 20 %, rarement plus. Il s'agit donc d'une minorité agissante au sein d'un ensemble de citoyens plus ou moins apathiques. Alors que des situations critiques tendent à susciter une prise en charge au moins momentanée, l'institutionnalisation de la participation soulève maintes réserves sur l'autonomie dont disposent les participants dans ce type de système (Bouchard, 1982; Conseil des affaires sociales et de la famille, 1976).

Hors des milieux institutionnels, la participation des citoyens prend la forme d'organisations populaires de représentation, de services et de mobilisation. Les groupes représentatifs de clientèles particulières (handicapés, personnes âgées, etc.) disposent d'une marge de manœuvre assez grande pour se solidariser, faire connaître et défendre les intérêts des personnes ainsi regroupées; toutefois, l'étendue du territoire québécois et la faiblesse de leurs moyens leur permettent rarement de s'imposer comme véritables partenaires lorsqu'ils discutent avec des fédérations d'établissements, des organismes professionnels ou étatiques, ou encore lorsqu'ils témoignent devant des commissions parlementaires.

Ces organisations de services ont à la fois les caractéristiques d'un groupe d'entraide (solidarité, similarité du vécu et des ressources, etc.), d'une ressource alternative (faiblesse des moyens, dépendance des programmes gouvernementaux pour le développement et le financement, etc.) et d'un groupe populaire (leadership, rapports militants/permanents, etc.). Quant aux organisations de mobilisation, elles prennent forme ou s'animent surtout à l'occasion d'un enjeu particulier et réunissent souvent sous une même coordination des organisations qui existent déjà.

Meister a démontré que la participation sociale ou à l'intérieur des organisations n'allait pas de soi (1957). Bien souvent d'ailleurs, de telles structures permettent l'ascension sociale d'une nouvelle forme d'élite qui cherche ainsi à partager le pouvoir avec les élites traditionnelles. Plus récemment, Jacques T. Godbout en arrive à des conclusions assez voisines. Le conflit d'intérêts entre producteurs et usagers (consommateurs) de services en milieu institutionnel apparaît particulièrement probant et difficilement surmontable. Le diagnostic paraît sévère: «Le CSS du Montréal Métropolitain est un organisme très bien protégé contre toute nouvelle menace de la part des citoyens et de la clientèle. Certes, l'idéologie de la participation y est toujours présente, mais elle ne signifie plus rien. Elle a été reprise en main par les professionnels, en collaboration avec les fonctionnaires gouvernementaux» (1983, 101).

En ce qui concerne l'animation sociale, après la phase dévastatrice pour certaines organisations que constitua la mainmise des groupes marxistes-léninistes au cours des années soixante-dix, les défis des années quatre-vingt demeurent nombreux: éviter le localisme, dépasser la tendance au populisme, faire face à la détérioration du vécu des personnes touchées par la crise, bâtir des fronts communs de lutte, négocier des rapports avec le mouvement syndical (sommets populaires), etc.

L'autogestion et le mutualisme

Les premiers projets d'autogestion ouvrière apparurent au 19e siècle comme moyen de résister au mode d'organisation du travail engendré par l'industrialisation. Le mutualisme naît à peu près à la même époque comme système d'assurance réciproque et de service d'entraide. Les deux programmes reposent sur des concepts formulés par les pionniers de Rochdale, le *self help* (s'aider soi-même, se prendre en charge) et le *mutual help* (l'entraide). Le modèle même de l'auto-organisation de type communautaire est évidemment plus ancien (Henri Desroches, 1976), mais ce n'est qu'aux 19e et 20e siècles qu'il devient un projet économique et politique, une forme recherchée, assez bien définie et progressivement reconnue, d'organisation socio-économique.

L'entreprise coopérative ou mutuelle vise l'affranchissement économique et social de ses membres, leur autonomie propre, dans le domaine précis où elle opère. L'organisation coopérative s'est donné un certain nombre de règles fondamentales pour tenter de réaliser cet ambitieux projet. Les trois principales entendent contrer les caractéristiques propres au fonctionnement du capitalisme: la première est celle du propriétaire-usager, la seconde est celle de l'égalité de représentation de chaque sociétaire, et la troisième est celle de la vente des produits et des services au prix coûtant (absence de profit).

Si la notion de propriétaire-usager demeure pleinement significative dans les entreprises coopératives naissantes ou de petite taille, elle tend à perdre progressivement tout sens réel dans des coopératives plus institutionnalisées qui offrent leurs services et leurs produits aux membres comme aux non-membres, directement ou par l'intermédiaire de filiales non coopératives. Au Québec, par exemple, dans leurs domaines respectifs, la Coopérative fédérée et la Confédération des caisses populaires et d'économie Desjardins sont devenues des conglomérats sur lesquels le sociétaire individuel n'a plus de prise réelle.

Il en est de même de l'égalité de représentation de chaque sociétaire (une personne, un vote). Si elle est toujours vraie, dans le cas des petites organisations coopératives, l'égalité est de moins en moins réelle dès que les entreprises coopératives croissent, et que l'information est détenue par les dirigeants de carrière ou par des cadres non élus qui œuvrent dans l'organisation.

Enfin, le principe de la vente des produits et des services au prix coûtant, qui est notamment le trait majeur d'organisations coopératives et populaires comme les comptoirs alimentaires et les coopératives funéraires, tend lui aussi à se transformer dès que les organisations coopératives se financent à même les bénéfices non répartis. Comme toute entreprise, la coopérative doit disposer de ressources financières propres, dans le cas présent un capital dit social. Or, dans la mesure même où le propriétaire-usager ne sent pas son pouvoir de contrôle sur l'organisation, il est forcément peu enclin à vouloir y investir plus qu'un capital social symbolique; par exemple, une part sociale de 5,00 $ dans une caisse populaire est nettement insuffisant pour l'ampleur des opérations qui en découlent, en particulier quand l'organisation offre en plus ses services à des nonsociétaires. L'entreprise coopérative est donc poussée progressivement à ne plus remettre à ses sociétaires les profits réalisés sur les opérations (trop-perçus, autrefois ristournés) et à financer son développement à même les bénéfices accumulés. Autre modification au principe de vente des produits et services au prix coûtant, l'accumulation tend de plus en plus à se faire dans les multiples filiales dont le contrôle échappe aux sociétaires, puisqu'elles ne sont pas coopératives mais bien privées et de caractère capitaliste.

De façon générale, toutes les études qui lui sont consacrées concluent que le phénomène coopératif, s'il est intéressant du point de vue de l'expérience même de la prise en charge par un milieu donné d'une partie de ses besoins, n'échappe pas à la loi générale du marché. Aussi longtemps que, d'un point de vue économique, l'entreprise coopérative est marginale, elle respecte tous les principes qui ont présidé à sa fondation, elle aura tendance à innover en ce qui concerne les rapports sociaux internes et elle sera généralement critique à l'égard de l'environnement. Quand elle cesse d'être marginale pour croître et devenir concurrentielle sur un marché donné, l'organisation même prévaut sur la finalité, elle commence à traiter avec des non-membres, à se doter de filiales, à multiplier les niveaux hiérarchiques. C'est pourtant à ce stade que l'organisation coopérative est la plus soucieuse d'offrir des services à ses membres, sa performance devant être meilleure que celle des concurrentes capitalistes.

Dès qu'une entreprise coopérative devient dominante sur un marché donné, elle adopte même les attitudes typiques des entreprises monopolistiques, se souciant peu de sa nature coopérative, cherchant plutôt à créer de nouveaux produits pour maintenir sa place prépondérante, développant davantage l'organisation que la qualité ou le coût des services, accumulant des réserves pour l'acquisition de filiales qui n'ont plus aucun rapport avec l'organisation coopérative originale, se comportant de plus en plus comme un conglomérat autarcique.

Ces considérations globales ne doivent toutefois pas faire oublier l'apport fondamental de ce courant: les gens sont spontanément disposés à tenter des expériences d'auto-organisation qui, pensent-ils, répondront mieux à leurs besoins ou à un moindre coût que l'entreprise strictement capitaliste. Si l'initiative s'inscrit dans un contexte communautaire, elle aura tendance à ajouter à ces dimensions premières celle d'être un réseau assez serré de relations d'amitié, d'entraide et de voisinage. Une recherche interne menée par la Société de développement coopératif démontre d'ailleurs qu'il suffit, par exemple, de coopératiser (retirer du marché privé dit spéculatif) entre 5 et 10 % des unités de logement d'un territoire donné pour briser le marché et arrêter un mouvement de hausse des loyers. Il s'agit là en effet d'une pénétration suffisante pour que tout le monde juge possible d'avoir un logement de qualité équivalente à un prix déterminé, ce qui refroidit l'envie de certains propriétaires d'abuser de leurs locataires.

En ce qui concerne l'autogestion ouvrière — qu'il faut distinguer des différentes formes de participation dans l'entreprise (D'Aragon, Nightingale, Tarrab, 1980) —, l'enjeu de la prise en charge se complique rapidement parce qu'il suppose pour se réaliser que le groupe intéressé dispose de capitaux initiaux suffisants, d'un savoir-faire, de la connaissance d'un produit, d'un marché et du mode approprié de distribution, sans parler des problèmes strictement liés à la gestion de l'ensemble. Encore là, si l'expérience est neuve ou modeste, les rapports sociaux et la volonté d'autonomie personnelle et collective risquent d'être plus respectés que si l'entreprise a vieilli et s'est développée.

Les approches liées à l'organisation du travail

L'organisation scientifique du travail (taylorisme ou fordisme) se présente comme un effort pour obtenir au moindre coût économique et humain la plus grande productivité possible. En structurant la chaîne de production selon des cadences de travail étudiées à la seconde près, en modifiant au besoin l'environnement, elle apparaît comme un sommet dans la rationalisation du travail. Elle ne laisse à peu près pas de place à l'initiative, à la créativité ou à l'autonomie des travailleurs. Cela aura pour effet de réduire la motivation de ces derniers (maintenue artificiellement par les primes au rendement), de provoquer une fatigue accrue et rapide, d'entraîner une croissance du taux d'absentéisme et de rotation du personnel, voire de la résistance ou encore une réduction sensible de la qualité de la production.

Contre ceux qui croient nécessaire de contraindre la personne au travail et de la contrôler pour obtenir un rendement optimal, on insistera donc ici sur les relations humaines. Pour cette école dite «des relations humaines», il faut faire confiance à la capacité de la personne de réaliser la tâche pour laquelle elle est engagée en conciliant ses besoins personnels avec ceux de l'organisation. Celle-ci, plutôt que d'être contrôlante, sera supportive, stimulante, intégrant la créativité et l'initiative de la personne.

Une telle approche fait ainsi prendre conscience que l'autonomie des personnes ne saurait être parcellaire ou limitée au seul aspect de la consommation, de l'habitation ou des relations familiales. La personne humaine baigne dans des environnements différents; et si elle ne peut se réaliser dans son travail, cela conduira à des insatisfactions profondes qui se traduiront par des tensions dans les autres univers où elle évolue, tout autant qu'à des difficultés de s'assumer parce que cette responsabilité est niée ou escamotée dans l'univers du travail.

L'analyse institutionnelle

L'analyse institutionnelle est un courant de la sociologie dite d'intervention qui s'est développé après les événements de mai 1968 chez des universitaires français à la recherche d'une meilleure prise sur le réel. Démarche très intellectuelle, où le discours tient souvent lieu de méthode, elle n'a toutefois pas réussi à s'implanter véritablement hors de la France. On regroupe en fait sous cette appellation des expériences très variées comme la psychothérapie institutionnelle, la pédagogie institutionnelle et surtout la socianalyse institutionnelle de Lourau (1971a, 1971b, 1977, 1978) et Lapassade (1970, 1971, 1975).

Bien qu'il n'y ait guère de dénominateur commun entre tous ceux qui font de l'analyse institutionnelle, on peut néanmoins indiquer les objectifs que celle-ci poursuit: «1. l'analyse de la demande et de la commande; 2. l'autogestion de l'intervention et le paiement des analystes par l'ensemble des membres de l'institution cliente; 3. la règle de tout dire; 4. l'éducation de la transversalité des personnes, groupes, organisations et institutions qui traversent le dispositif d'intervention; 5. l'analyse implicationnelle des différentes personnes impliquées dans l'intervention (et donc des intervenants); 6. la construction et l'élucidation des analyseurs» (Hess, 1981, 200). Par transversalité, on entend l'articulation des relations interpersonnelles à et dans un groupe et celles qui nous lient à une institution. Quant à l'analyseur, c'est ce qui révèle et met à jour les structures cadrées au cours d'une intervention. L'institution est en quelque sorte l'inconscient politique de la société; ou encore l'équivalent, dans le champ social, de ce qu'est l'inconscient dans le champ psychique.

En ne tenant rien pour acquis, l'analyse institutionnelle provoque un sain questionnement qui permet de voir les organisations et leur fonctionnement sous un nouveau jour, en même temps que, de ce cheminement, peuvent surgir des hypothèses intéressantes pour un changement éventuel.

À l'inverse, toutefois, en défaisant systématiquement ce qui existe, en explorant avec un souci méfiant ce qui permet la continuité des organisations, l'analyse institutionnelle peut concourir à provoquer de réels blocages, par les craintes qu'elle suscite, là où des possibilités de changements, fussent-ils mineurs ou progressifs, existaient.

La conscientisation

La conscientisation découle principalement, mais non exclusivement, des écrits et de la méthode d'alphabétisation développée par Paulo Freire, éducateur catholique brésilien: «Le but de l'éducateur n'est plus seulement d'apprendre quelque chose à son interlocuteur, mais de rechercher avec lui les moyens de transformer le monde dans lequel ils vivent (comme opprimés) ... Au fur et à mesure qu'une méthode active aide l'homme à prendre conscience de sa problématique, de sa condition de personne, donc de sujet, il acquerra les instruments qui lui permettront des choix... Alors, il se politisera lui-même (développant ainsi sa propre autonomie)» (Hess, 1981, 128). Ce point de vue valut à Freire d'être chassé de son pays. Réfugié à l'étranger, l'éducateur brésilien expérimenta la méthode avec un succès mitigé auprès des travailleurs immigrés en France, avant de s'engager une nouvelle fois dans une vaste campagne d'alpha-bétisation-conscientisation dans les États de culture dominante portugaise d'Afrique récemment décolonisés.

Sur la voie ouverte par Freire, un courant a pris forme depuis une dizaine d'années. Ainsi, Colette Humbert et Jean Merlo, associés à INODEP (une organisation française vouée au développement international inspirée par la gauche catho-lique), ont développé la pratique dite de l'enquête conscienti-sante dont l'objectif fondamental est de changer à la fois le groupe enquêteur et le groupe enquêté. L'intervenant oublie sa propre culture et sa provenance de classe pour se mettre au service et à l'écoute des personnes opprimées et de leur culture. C'est de cette manière qu'il devrait être possible de construire de nouveaux rapports.

Cette philosophie très particulière de l'intervention sociale a reçu un écho important au Québec, où l'influence chrétienne n'est pas négligeable, et où bon nombre d'intervenants coincés entre le courant rogérien de l'acceptation d'autrui (l'animation non directive, strictement instrumentale) et le dogmatisme idéo-logique caractéristique des organisations marxistes-léninistes, ont trouvé là une solution intermédiaire. On retrouve cette in-fluence, à des degrés divers, dans l'orientation d'un groupe comme La Maîtresse d'école, les divers cours d'alphabétisation-conscientisation donnés tant à Montréal qu'en milieu rural et surtout au Collectif des intervenants en conscientisation (Ample-man, Doré, Gaudreau, Larose, Lebœuf, Ventelou, 1983).

Ce courant est intéressant dans la mesure où il contribue au mécanisme de désaliénation par la vulgarisation de la connaissance; le vécu antérieurement dominé et manipulé peut ainsi être réapproprié. Plus problématique est l'attitude de l'inter-venant qui cherche à nier sa «supériorité» culturelle et sociale lorsqu'il travaille auprès de personnes de milieux populaires: ne s'agit-il pas là d'une forme subtile de manipulation? Un enseignant qui cherche à se mettre au niveau de ses étudiants ne perd pas pour autant son autorité symbolique, son statut social, sa rémunération et son acculturation à un milieu donné. Le populisme caractéristique de cette approche risque de la maintenir dans une position relativement marginale dans le champ global des pratiques communautaires au Québec.

L'action des groupes militants

Une autre forme de conduite de rupture est l'engagement militant dans un mouvement social ou une organisation à caractère social et politique ou uniquement politique, l'éventail ici représenté pouvant être très large.

Le militantisme n'est certes pas une réalité nouvelle. Le syndicalisme ou encore les efforts menés dans les pays industriels pour démocratiser les processus électoraux de représentation parlementaire en sont des exemples. Deux types d'organisation apparaissent généralement dans les contextes de lutte: des organisations de masse (souvent divisées en multiples tendances) qui cherchent à rejoindre l'ensemble des personnes concernées en les regroupant en différentes associations (régionales, locales, sectorielles, de services) en vue d'exercer une influence réelle sur l'organisation sociale et de constituer une prise au moins partielle sur leur existence immédiate; à l'opposé, les organisations d'avant-garde dénoncent les compromis et affirment que seule la voie révolutionnaire (souvent violente) respecte les principes de ceux qui luttent totalement pour un changement. Généralement, les mouvements d'avant-garde se marginalisent, et ce n'est que lorsque des circonstances extérieures s'y prêtent (guerre, crise économique, effet de surprise, appui offensif d'un État étranger) qu'ils peuvent effectivement renverser une situation donnée.

L'action des groupes militants passe généralement par un mouvement social, c'est-à-dire un regroupement le plus souvent spontané, à la fois culturel et organisationnel, traduisant des tensions ou des aspirations sociales et s'appuyant sur une production idéologique qui présente une vision différente de la société. En ce sens, on peut parler de mouvement ouvrier, national, féministe, socialiste, écologiste, etc. Ce type de pratique sociale, surtout s'il prend la forme de groupes ou d'organisations populaires, permet à des milliers de personnes de prendre en charge une partie de leurs besoins à travers l'organisation de services de toutes sortes: consultation juridique, services de santé, garderie, éducation populaire, dépannage et entraide, logement, alimentation, etc.

Toutes ces initiatives militantes n'ont pas eu évidemment la même résonance, et elles ne remettent pas non plus profondément en cause la structure des rapports sociaux de domination, certaines étant facilement récupérées par l'État, d'autres cherchant elles-mêmes à s'institutionnaliser après quelque temps.

Quant aux intervenants eux-mêmes, la perspective a elle aussi profondément changé. Alors que, durant les années soixante, le modèle mis en avant était l'engagement total («le privé est politique») dans la lutte pour la transformation du monde, allant jusqu'au don de sa vie et l'action proprement «révolutionnaire» (dont la figure légendaire de Che Guevara fut certainement le symbole), on s'est peu à peu rendu compte qu'il faudrait peut-être commencer par changer sa propre vie (Sansfaçon, 1982). L'épuisement du militantisme politique et la réorientation des énergies vers un objectif plus humain, communautaire et écologique constituent une réalité significative des années quatre-vingt. Elle est en tout cas centrale dans la démobilisation et l'éclatement de maintes organisations politiques ces dernières années.

L'approche structurelle radicale

L'approche structurelle radicale a été formulée par Maurice Moreau. Elle repose sur la réflexion critique du travail social, notamment du Radical Social Work britannique (Leonard, 1975), pratique qui vise à donner un maximum de services aux usagers, tout en les supportant dans une démarche de transformation sociale.

Cette approche lie conditions de vie et de travail, et problèmes personnels et interpersonnels. Elle s'inscrit également dans la perspective d'un changement social fondé sur l'égalité des personnes, sur la priorité des intérêts collectifs sur les intérêts individuels et la recherche de la coopération plutôt que la compétition entre les personnes. Maurice Moreau admet toutefois que l'approche structurelle demeure essentiellement une démarche de réflexion en évolution plutôt qu'une pratique structurée.

Elle vise à aider les gens à combattre l'inégalité économique et les injustices qui en découlent, tout en libérant les personnes de l'emprise idéologique dominante qui les pousse à se mésestimer (se sentir mal parce qu'ils n'ont pas «réussi»). De ce point de vue, la déviance et les autres problèmes sociaux seraient des conséquences de la distribution actuelle du pouvoir. L'approche structurelle cherche également à réduire l'inégalité de pouvoir entre le travailleur social et son client, celui-là transmettant à celui-ci un savoir et un savoir-faire; les intervenants sont aussi invités à prendre conscience des valeurs qui les animent, tout autant que des limites des interventions qui ne tiennent pas compte des dimensions politiques des problèmes. Encore là, le client doit en être informé.

Le travail commencera donc dès la relation avec le client, avec le souci d'aider celui-ci à développer sa propre praxis, c'est-à-dire une réflexion critique des problèmes vécus (personnels et politiques), suivi d'une action sur le plan personnel ou collectif. L'intervenant s'efforcera de travailler à un triple niveau: dans les services sociaux (où il faut remettre en cause les rapports traditionnels aux clients), hors de ces services (afin d'aider les clients à mettre sur pied des ressources alternatives), et dans l'ensemble de la société en vue de développer une solidarité plus large.

Trop récente comme perspective «professionnelle» pour être adéquatement évaluée, l'approche structurelle radicale a tout de même contribué à remettre en question la position privilégiée de l'intervenant: son savoir, sa pratique et ses attitudes ne sont pas neutres.

L'approche du désengagement de l'État

Le ralentissement de la croissance économique des années quatre-vingt a réduit d'une partie non négligeable les recettes de l'État, sans réduire pour autant la demande de services et de paiements de transfert. Le déficit budgétaire qui s'ensuit a un effet brutal: l'État doit ou bien imposer un nouveau contrat social au nom de la solidarité nationale, ou bien effectuer des compressions budgétaires, des réductions salariales, des mises à pied massives et des coupures dans les services accompagnées d'un appel pressant à la reprise en charge par le milieu des besoins sociaux.

Si la crise financière actuelle des gouvernements pousse à la réduction des interventions et au désengagement de l'État des secteurs où il était jusqu'alors actif, le type de pensée qui préside à cette réorientation n'est pas neuf. Au moment même où l'administration de J.F. Kennedy s'engageait dans une «guerre à la pauvreté», au début des années soixante, divers intellectuels et universitaires, identifiés à la pensée conservatrice américaine, s'élevaient déjà contre cet interventionnisme de l'État.

Chaque effort en ce sens était perçu comme un fardeau fiscal supplémentaire et inutile pour les grandes corporations qui combattaient déjà la pauvreté à leur façon en créant de l'emploi; les taxer davantage ne ferait que freiner l'initiative privée, provoquer de l'inflation et du gaspillage de fonds dans les programmes non directement productifs gérés par une bureaucratie inefficace, commentait alors Milton Friedman (1962). Le débat sur l'État et les services sociaux aux États-Unis s'est particulièrement envenimé en 1965 lorsque le sociologue Daniel Patrick Moynihan, jusqu'alors libéral, bascule dans le clan des conservateurs après avoir mené une recherche approfondie sur la vie des familles noires (1967). Il arriva à la conclusion que l'un des facteurs majeurs de la pauvreté persistante des familles noires était leur division, encouragée par l'assistance publique apportée aux femmes. Élevés dans un contexte de «revenu garanti» sans avoir à travailler, 60 % des enfants noirs (comparés à 20 % des enfants blancs) auraient été ainsi incités culturellement à vivre aux dépens des politiques sociales sans vraiment chercher à se prendre en charge (Hill, 1978). Moynihan en vint donc à remettre en question les politiques de soutien du revenu pour briser le cercle vicieux de la dépendance (1973).

D'autres auteurs proposent de rétablir l'initiative privée et le laisser faire qui forceraient chacun à prendre en charge ses besoins; l'incitation à travailler doit être maintenue, fait-on valoir, si on veut que la consommation soit méritée et n'encourage pas indûment l'inflation. Irving Kristol (1978) et d'autres théoriciens économiques conservateurs avancent alors leur *supply side theory*. C'est la demande qui détermine le marché, stimule la capacité de produire dans un système où l'initiative individuelle assure la compétition et la qualité des produits. L'État n'a pas à intervenir, sinon pour assurer que l'équilibre de l'offre et de la demande n'est pas perturbé, que la sécurité des citoyens est assurée et que seuls ceux qui ne peuvent fonctionner adéquatement sont pris en charge et contrôlés par l'État.

Pour George Gilder, par exemple, et contrairement à ce que pense Maurice Moreau, la pauvreté n'est pas un véritable problème social, c'est plutôt un problème d'inadaptation individuelle et culturelle: «Le premier principe qu'il faut reconnaître c'est que pour monter dans l'échelle sociale le pauvre ne doit pas seulement travailler, mais qu'il doit travailler plus fort que les classes sociales qui sont au-dessus de lui. Chaque génération précédente de pauvres a fait de tels efforts pour s'en sortir. Mais les pauvres actuels, les Blancs encore plus que les Noirs, se refusent à travailler fort» (1981, 87-88).

Évidemment, de telles analyses peuvent être renversées. On peut fort bien démontrer que les citoyens pauvres ne peuvent travailler parce que l'entreprise privée est incapable d'assurer le plein emploi, et que l'accumulation des profits et des richesses par une minorité ne peut se faire qu'au prix de l'appauvrissement du plus grand nombre, particulièrement des petits salariés dont les conditions de vie et de travail n'ont pas cessé de se détériorer globalement au cours des dernières années, comme l'indique une recherche récente (Lefebvre-Girouard, Gauthier, 1977).

Le chômage comporte des coûts sociaux élevés (Pines, 1982; Bellemare, Poulin-Simon, 1983). Par ailleurs, la crise de l'État est profonde, et les conséquences de la remise en question de ses politiques sociales fort importantes; les gouvernements nord-américains ont opté pour un désengagement plus ou moins prononcé de l'État. Or, les coupures dans les budgets sociaux touchent principalement ceux qui ont le moins de ressources.

Le désengagement de l'État rencontre cependant une limite considérable. Comme les classes moyennes sont celles qui retirent le plus de services de l'appareil de l'État (Harrington, 1980), des analystes comme Piven et Cloward croient que les attaques répétées contre les budgets sociaux et les services que l'État offre à ses citoyens ne pourront conduire à de nouvelles coupures à cause de la résistance combinée des milieux défavorisés, des syndicats et des classes moyennes (1982).

Dans tous les cas, la réduction des services étatiques s'accompagne de politiques de maintien à domicile, de responsabilisation des citoyens et d'un appel au bénévolat comme substitut à l'intervention des employés de l'État. Au Québec, le ministère de la Santé et des Services sociaux n'a pas hésité, dès 1973, à suggérer le recours aux bénévoles pour combler le manque de ressources dans les établissements où des postes ne sont pas créés (ministère des Affaires sociales). Les dernières années, afin d'en tirer le meilleur parti possible, le bénévolat fut encadré par certaines institutions qui créent un poste à cette fin.

Bien entendu, les effets du désengagement de l'État ne sont pas tous néfastes; dans certains cas, il favorise la prise en charge par le milieu, plus humaine et moins bureaucratique. La question primordiale reste la détermination de ce qui devrait être assumé par l'État et de ce qui pourrait l'être par les citoyens, si on leur facilite la tâche. Cet aspect de la question n'est malheureusement pas très présent dans les analyses actuellement disponibles.

Si nous reprenons le langage classique de la gestion du marché, nous constatons que la crise que nous avons connue alimentait la «demande» de services alors même que l'État réduisait «l'offre». Cela se traduit alors nécessairement par un alourdissement de la tâche des intervenants et des établissements qui les regroupent. Certains d'entre eux seront alors tentés d'ignorer ou de négliger des clientèles pour en privilégier d'autres; ce choix traduit, par exemple, l'attitude de certains CSS qui ont concentré presque tous leurs effectifs en protection de la jeunesse (mandat légal), au détriment des interventions prévues par la loi des services sociaux (mandat social).

Le discours autogestionnaire

Le discours autogestionnaire est tenu par tous ceux qui, partisans de l'autonomisme régional et surtout socio-politique, pensent que l'État doit céder son pouvoir régulateur aux collectivités locales (Rosanvallon, 1976; Bourdet, Guillerm, 1975).

Il s'inscrit donc dans la double tradition de la lutte ouvrière pour le contrôle sur le travail et de la lutte culturelle pour le maintien des cultures minoritaires dans les États nationaux, deux formes de recherche d'une autonomie propice à une plus grande prise en charge individuelle et collective. C'est toutefois et avant tout d'autogestion socio-politique, aspect plus collectif d'auto-organisation, que d'autogestion de type coopératif ou communautaire, qu'il s'agit ici.

La pensée autogestionnaire a quitté le champ clos de l'entreprise ou de l'expérimentation limitée au petit groupe autogéré pour tenter depuis une vingtaine d'années de concevoir une réorganisation des rapports socio-politiques et du développement d'une communauté, qui passe par une reprise en charge de fonctions jusqu'alors assumées par l'État et ses appareils, ou encore par des entrepreneurs privés, des promoteurs ou des entreprises multinationales. La mise en valeur et l'aménagement du territoire et de ses ressources a ainsi fait l'objet de maints projets (le JAL, les vallées de la Témiscouata, de la Métis, New Dawn, etc.) cherchant tous à assurer à la fois l'autosuffisance économique d'un milieu donné et une forme communautaire ou coopérative de gestion des ressources (Hanratty, 1981; Lévesque, 1978).

Cette forme de prise en charge par le milieu, à caractère autogestionnaire, n'est évidemment pas très éloignée d'un autre courant dont nous avons parlé plus tôt, le développement communautaire, du moins au plan méthodologique (Roger Clarke a d'ailleurs dressé une typologie permettant de les distinguer; 1982). Les principes qui fondent ce type d'expérience de prise en charge par le milieu sont formulés ainsi: «Les personnes peuvent percevoir que c'est à leur avantage de mettre les ressources en commun pour mener une action collective. L'initiative collective repose sur une base volontaire; le développement est perçu comme une occasion de mener une vie enrichie et non pas seulement de générer la croissance économique; l'entreprise collective répond de ses gestes à la collectivité locale; elle est également sous leur contrôle; le développement recherché vise à intégrer des objectifs économiques et des objectifs sociaux; le développement économique de type communautaire se veut holistique dans la mesure où il s'efforce de faire le meilleur usage possible de l'ensemble des ressources humaines et physiques» (Stinson, 1983, 35).

L'autre courant, plus politique, est celui qui met en avant le projet d'une société autogestionnaire. D'abord inspiré par les expériences yougoslave et algérienne, il s'en est par la suite démarqué à mesure que celles-ci étaient limitées par un pouvoir politique encore centralisé et doté de puissants appareils de contrôle (parti, armée). Albert Meister et l'équipe de la revue *Autogestions*, fuyant tout dogmatisme, s'appuyant sur le discours renouvelé de la Confédération française démocratique du travail (CFDT), et en particulier d'Edmond Maire et de Pierre Rosanvallon, ont relancé l'idée de l'autogestion comme solution à la crise de l'État-providence. Pour Rosanvallon, par exemple, il est essentiel de sortir le débat actuel sur l'État-providence des deux scénarios classiques, l'étatisation et la privatisation. Le premier se heurte aux graves difficultés financières de l'heure et à une résistance sournoise qui permet de reconstituer des inégalités qui échappent à la redistribution, en plus de priver les citoyens de tout contrôle réel sur les réalités collectives. Le second est socialement inacceptable parce qu'il conduit à une sérieuse régression sociale et à un accroissement des inégalités. La perspective autogestionnaire ouvre de nouvelles possibilités en redéfinissant les rapports entre l'État et la société (Rosanvallon, 1981).

Ce courant nous propose une socialisation axée sur la décentralisation et l'autonomisation qui permet de renforcer les collectivités locales plutôt que l'État centralisé. Une telle approche suppose une volonté de prise en charge des besoins du milieu par les ressources du milieu, à travers des structures souples comme les groupes d'entraide, des mutuelles, des coopératives de services, etc. L'expérience acquise jusqu'à ce jour démontre que de telles ressources parviennent parfois à un premier niveau de coordination régionale (table de concertation, Sommets populaires, Regroupements, «Maison» commune, etc.) comme en témoignent diverses expériences (Rimouski, Rouyn, Joliette, etc.). Mais ces structures ou ces lieux de coordination des prises en charge sectorielles demeurent fragiles. Comment alors envisager une autogestion plus large de la société qui soit réaliste et réalisable?

II

LA PRISE EN CHARGE
PAR LE MILIEU

Tout en s'interrogeant sur les différentes formes et pratiques de prise en charge par le milieu, l'équipe du GRARSPI a entrepris de préciser sa propre vision de la PCM. Deux conceptions servent ici de balises. Selon un premier point de vue, l'État et les institutions constituent des structures fondamentales dont le développement apparaît inéluctable. Moralement bonnes, ces structures ont toutefois tendance à commettre des excès qu'il faut combattre en limitant la prise en charge professionnelle et institutionnelle. Pour ce faire, il s'agit de responsabiliser les individus et de favoriser leur propre prise en charge de leurs besoins.

La seconde perspective part du principe selon lequel le milieu dispose de toutes les ressources pour faire face à ses problèmes. L'intervention de l'État et de ses institutions doit être réduite au minimum. Les interactions sociales spontanées, la solidarité et l'autogestion sont suffisantes pour résoudre les situations difficiles. On peut donc penser qu'en changeant la conception que les gens se font de l'organisation sociale, les notions de problèmes et de besoins seraient transformées en même temps qu'apparaîtraient des formes de prise en charge collective du milieu.

L'alternative semble donc être celle-ci: faut-il changer la société ou bien faut-il modifier la façon dont les institutions interviennent afin qu'elles favorisent une plus grande prise en charge par le milieu? La position qu'a finalement retenue le GRARSPI se situe quelque part entre ces deux pôles.

Trois conceptions de la PCM

La prise en charge apparaît tout d'abord comme la conséquence directe du besoin, comme réponse à un besoin; elle sera généralement fonction de l'importance ou de l'ampleur de celui-ci. En ce sens, si certains besoins conduisent à une prise en charge

très partielle ou temporaire (par exemple, la préparation des
repas ou l'entretien ménager dans une famille où la femme
vient d'accoucher), d'autres exigent une prise en charge complète (par exemple, dans le cas d'un vieillard grabataire). Il
existe ainsi un continuum dans la prise en charge qui suit la
perte progressive d'autonomie des personnes en cause.

Ce qui vient d'être dit des individus vaut également pour
les groupes qui s'emploient à prendre en charge un besoin. Là
aussi la tâche peut être limitée et immédiate (comme la transmission d'information sur un droit) ou plus large et plus longue
(tenter d'obtenir pour les jeunes bénéficiaires de l'aide sociale
la même allocation que celle des personnes de 30 ans, par
exemple).

La dépendance qui s'établit fréquemment entre la personne
en besoin et la ressource qui la prend en charge est de plus
en plus condamnée par les intervenants et analystes. Jérôme
Guay résume ainsi leur position: «En prenant à sa charge la
santé physique et mentale de la population, l'État a privé le
simple citoyen de toute responsabilité. Chaque fois qu'on identifie un nouveau besoin, on élabore une nouvelle mesure sociale
puis on met en place une structure bureaucratique pour voir à
son application. L'intervenant à qui l'on confie l'application d'une
nouvelle mesure sociale remplit alors une fonction que, souvent,
un simple citoyen pourrait remplir. L'implantation d'une nouvelle mesure sociale a donc pour effet d'affaiblir davantage la
capacité d'entraide mutuelle et d'accroître la dépendance de la
population face aux services publics» (1981, 3).

En fait, les attitudes à l'égard de l'idée même de prise en
charge des individus sont assez variées. Ainsi, les uns rejettent
toute forme de prise en charge institutionnelle, particulièrement
dans le domaine de la santé mentale, parce qu'elle accentue le
problème de la personne, en plus de lui imposer de nouveaux
besoins par les rapports de dépendance qu'elle instaure très
rapidement. Des groupes de personnes psychiatrisées considére-
ront même la maladie mentale comme le produit de l'action
combinée de la société et de ses institutions sur la personne
concernée. La prise en charge professionnelle ou institutionnelle
apparaît alors comme un mécanisme répressif à tendance totali-
taire contre lequel il faut lutter, et la médication comme une
violation de la personnalité (Chamberlin, 1979).

Des psychiatres, psychologues et travailleurs sociaux adoptent de plus en plus fréquemment cette position anti-autoritaire, soit parce qu'ils contestent la nature scientifique du diagnostic posé (Szasz, 1974, 1976), soit parce qu'ils estiment que l'intervention professionnelle est généralement moins efficace que le support apporté par l'aidant naturel, particulièrement en situation de crise (Broskopp, Lester, 1973). La solution se trouverait donc du côté des groupes d'entraide ou des ressources développées et gérées par les personnes éprouvant le problème en question; Jérôme Guay insiste même pour que ces ressources se démarquent du réseau professionnel et étatique. En somme, plutôt que s'adresser aux professionnels et aux institutions, on propose aux personnes connaissant une situation difficile de recourir à leur propre prise en charge collective.

Sans aller jusqu'à penser que la prise en charge se change automatiquement en relation de dépendance, d'autres intervenants critiquent la prise en charge institutionnelle pour ses excès, sa rigidité et ses difficultés à répondre aux besoins. L'opposition à l'institution n'est pas ici aussi radicale que dans le courant précédent. On admet la nécessité de celle-ci comme lieu de prise en charge de certains besoins, mais on attend d'elle qu'elle respecte des règles et qu'elle complète et prolonge la prise en charge qui peut se vivre dans le milieu.

La littérature sur la mauvaise utilisation des ressources institutionnelles est abondante (Béland, 1982). De même, on critique souvent le caractère inhumain, froid des institutions et on reproche à l'intervention professionnelle de ne pas tenir compte des ressources de la personne en situation de besoin, ce qui ne peut être fait qu'en s'appuyant solidement sur la communauté de celle-ci. Jacques Limoges relève tout un ensemble de faiblesses des ressources professionnelles et institutionnelles qui expliqueraient la préférence que manifestent les personnes en situation de besoin pour leurs pairs, que l'auteur appelle para-conseillers ou entraidants: «a) les coûts très élevés des services professionnels; b) l'inaccessibilité des professionnels à cause de la bureaucratie obligeant à prendre rendez-vous et à subir souvent des attentes; c) les approches utilisées par les professionnels sont souvent trop conservatrices, trop médicales, trop thérapeutiques et donnent au client le sentiment d'être malade; d) la relation dominant-dominé qu'engendre souvent le contact avec des experts (Peavy constate que les para-conseillers s'aident souvent mutuellement et établissent alors une relation égalitaire); e) la gêne de parler de choses difficiles et personnelles avec quelqu'un qui semble au-dessus et loin de toute cette réalité; f) la crainte de créer une dépendance; g) la déception causée par des rencontres avec des experts dans le passé; i) l'ignorance de ce qui est fait par le professionnel» (1982, 29). De leur côté, les intervenants professionnels et institu-tionnels reconnaissent, lorsqu'ils s'attachent à définir avec préci-sion les besoins d'une clientèle et ce qui semble être la meilleure façon d'y répondre, que les établissements du réseau des affaires sociales ne sont pas un milieu de vie où l'on saurait apprendre aux usagers à devenir responsables de leur bien-être physique, mental et social.

Hors du réseau étatique des affaires sociales, on se soucie également d'allier travail professionnel et contribution bénévole d'usagers qui prennent en charge une partie de leurs besoins ou ceux de leurs pairs. Cette participation constitue même un critère de financement explicite pour Centraide (Montréal): «Que Centraide garde la prise en charge comme critère fondamental de financement des organismes en tant qu'expression de la participation et de l'engagement communautaire des citoyens... Que Centraide incite ses organismes partenaires à assurer une participation des gens directement concernés par les problèmes, si possible à tous les niveaux de leur organisation» (Centraide, 1981, 28).

On a beaucoup parlé, au Québec et ailleurs, au cours des vingt dernières années, de cette forme de prise en charge; on lui doit la participation des usagers dans des structures consulta-tives (comités d'usagers, comités de parents) ou décisionnelles (conseils d'administration d'établissements, d'offices municipaux d'habitation, etc.). Sans entrer dans le détail de ces efforts et tout en n'oubliant pas les aléas de toute participation dépourvue de pouvoirs réels, il apparaît évident, à la lecture de la littérature consacrée au sujet, que l'expérience est plutôt un échec; dans la plupart des cas, la «prise en charge» reste symbolique, on n'est pas vraiment disposé à céder aux usagers une partie véritable des pouvoirs acquis par les institutions en cause (God-bout, 1983).

Remarquons cependant que, du point de vue du discours officiel, la prise en charge par le milieu peut être elle-même intégrée à la mission de l'institution, du moins en ce qui concerne les CLSC et certaines structures intermédiaires. Cette intégration a une fonction préventive en ce qu'on tente d'éviter que des situations se détériorent au point de requérir des services spécialisés très coûteux.

On aura compris que, fondamentalement, en critiquant la prise en charge institutionnelle, on cherche surtout à obvier aux effets pervers des institutions. En conséquence, on aura tendance à recourir le moins possible à leurs ressources, pour leur préférer, par exemple, la mise en valeur des ressources de la personne en situation de besoin. Et ce n'est qu'une fois ce potentiel épuisé ou reconnu inadéquat qu'on entreprendra de recourir progressivement aux autres ressources. On en vient ainsi à concevoir une PCM qui se veut à la fois opposée et complémentaire à la prise en charge institutionnelle (PCI). Encore là, comme nous le préciserons plus loin, il faut prendre soin de bien distinguer la prise en charge par le milieu (par des gens du milieu) et la prise en charge dans le milieu (par l'institution aux ressources déconcentrées, avec ou sans support du milieu).

Un troisième point de vue exprime une analyse semblable en des termes différents. Plutôt que de «prise en charge», ces mots ayant la connotation péjorative de recours à autrui, on préférera parler ici de support ou d'aide. L'aide apparaît souvent, dans ce contexte, comme une relation mutuelle: «Aider les autres à améliorer leur qualité de vie au plan des relations interpersonnelles, c'est aussi s'aider à développer ses propres capacités, ses propres habiletés, ses propres relations avec les autres» (Limoges, 1982, 14). Le concept même d'aide mutuelle ou d'entraide n'est pas nouveau. Il apparaît déjà dans la littérature socialiste, coopérative et mutualiste du 19e siècle (Desroche, 1976). Les organisations coopératives ont d'ailleurs fait leur le double principe du *self-help* et du *mutual help*, s'aider soi-même (responsabilité) et s'entraider (mutualité).

Plusieurs groupes insistent sur l'importance de sa propre prise en charge, appelée auto-santé (*self-care*): «L'importance de la prise en charge personnelle pour maintenir ou améliorer sa santé a été particulièrement soulignée par divers auteurs et dans divers rapports officiels au cours de la dernière décennie. On y insiste sur l'importance des habitudes ou du mode de vie et sur l'auto-responsabilité que doivent assumer individus, familles et collectivités à l'égard de leur santé. Plusieurs ouvrages récents ont été consacrés aux divers rôles que le profane, patient ou consommateur, peut jouer en termes de maintien de sa propre santé, prévention de la maladie, auto-diagnostic, auto-médication ou auto-traitement, ou participation aux soins professionnels...» (Romeder, 1982, 21-22). L'idée qu'on introduit par là, c'est celle de premier responsable ou de principal responsable. Dans les faits, on peut convenir que se prendre en charge ou s'assumer est implicite dans la notion même de prise en charge non institutionnelle et que le support d'autrui ou l'aide reçue constitue davantage un complément qu'un substitut à l'effort personnel.

Le processus de la demande d'aide individuelle et sa prise en charge

La notion de besoin recouvre un vaste spectre de situations. Généralement, la personne et son milieu parviennent à résoudre les difficultés et les problèmes qui se présentent à partir de leurs ressources personnelles (savoir, savoir-être et savoir-faire). Il arrive toutefois que ce fonctionnement soit perturbé: «L'évolution des membres de la famille, les hasards d'influences environnementaux multiples peuvent être perçus comme une menace à l'équilibre du fonctionnement. Les mécanismes d'autorégulation se mettent alors en branle pour un retour à l'équilibre; la famille évolue, se transforme, change. L'ordre et le désordre la nourrissent dans un processus dynamique ouvert... Dans les cas de menace sérieuse, l'impression d'un manque de ressources pour solutionner la menace, et un apport pour retrouver l'équilibre s'installe. La dynamique de la demande d'aide est née» (Mongeau, 1981, 7). On entre alors dans le processus de la prise en charge du besoin, dont Hansell a précisé les étapes (1976). Le problème fondamental demeure toutefois le type de ressources qui assureront cette prise en charge. La tendance qui s'est traditionnellement imposée est de recourir aux professionnels et aux institutions, là où cela ne se révélait pas, bien souvent, nécessaire ni souhaitable.

L'évaluation récente des désirs d'hébergement des personnes âgées est, à ce titre, particulièrement révélatrice: «Le désir d'hébergement prend sa source au-delà des événements immédiats liés au vieillissement, comme la perte d'autonomie. Le contexte où cette perte est quotidiennement vécue fournit ou ne fournit pas les conditions nécessaires à la poursuite d'un maintien adéquat de l'autonomie potentielle. En effet, la qualité du logement, la familiarité avec l'environnement physique et social et le mode de cohabitation ne sont pas des éléments fortuits ou spontanés, tandis que les services à domicile, qu'ils soient produits par des agences gouvernementales ou bénévoles, ou même par des enfants vivant hors du domicile, seraient considérés par les personnes âgées comme des éléments instables et peu sûrs, sur lesquels ils ne peuvent pas exercer un certain contrôle et avec lesquels ils ne sont pas familiers. Lorsque ces éléments de contrôle et de familiarité sont absents, les désirs de quitter le domicile se manifestent... La véritable question posée par les résultats de l'analyse des données disponibles semble donc être la suivante: sous quelles conditions est-ce que les personnes âgées sont prêtes à substituer l'institution à leur domicile? Il ne suffit pas de demander aux personnes âgées si elles désirent demeurer chez elles. Il faut connaître les conditions qu'elles posent pour le faire. Une politique qui a pour but de préserver l'autonomie des personnes âgées n'est donc pas nécessairement une politique qui cherche à les garder à domicile. Ces deux entités doivent être conceptuellement séparées. On peut concevoir que le désir de demeurer à domicile est une conséquence d'un effort pour préserver l'autonomie. L'inverse n'est pas nécessairement vrai. Dans ce contexte, la question n'est plus de savoir quels sont les services essentiels pour qu'une personne âgée reste à domicile, qu'elle souffre ou ne souffre pas de certaines incapacités fonctionnelles, mais plutôt, dans quel environnement social, psychologique et physique et avec quel type de soutien peut-elle poursuivre toutes les activités dont elle est capable d'assumer la responsabilité. La politique de maintien à domicile doit être réorientée vers une politique de maintien de l'autonomie. Contrairement à la première, la seconde peut envisager le déménagement pour préserver les capacités réelles de la personne âgée et permettre leur exercice. Les alternatives multiples et diverses au domicile peu-

vent être inventoriées et établies, tandis que des services extérieurs aux multiples formes de domiciles pour personnes âgées
peuvent intervenir comme complément de milieux déjà pourvus
en support et aide» (Béland, 1982, 28-30).

Le recours aux ressources professionnelles et aux institutions ne saurait donc tout résoudre. Il est souvent préférable
d'utiliser d'abord les ressources personnelles et naturelles de la
personne en situation de besoin, et celles de personnes comme
elle. Cela est évidemment encore plus vrai pour les besoins
sociaux ou collectifs que pour les besoins individuels qui découlent d'ailleurs très souvent des premiers, lesquels sont déjà le
produit de l'inter-relation entre les individus et la société.

La notion de prise en charge par le milieu repose essentiellement sur la solidarité là où, jadis, on faisait volontiers appel
à la charité, motivation qui demeure du reste vivante. Il est
évident que nous serons d'autant plus enclins à consacrer une
partie de nos ressources personnelles pour supporter quelqu'un
ou lui venir en aide que cette personne nous sera familière ou
semblable, que nous aurons l'impression que le service rendu
l'aide véritablement, qu'il est apprécié et qu'il encourage l'aidée
à surmonter ses difficultés.

Cette responsabilisation collective des besoins et des problèmes revêt des formes très variées, et l'importance même de
la prise en charge requise (psychologique ou économique, partielle ou totale, etc.) déterminera son adéquation, les ressources
du milieu immédiat et médiat étant, comme les ressources
professionnelles et institutionnelles, limitées.

Les valeurs fondamentales liées à la PCM

L'attitude qui consiste à favoriser la prise en charge par le milieu
n'est pas spontanée. Elle suppose une conscience particulière
des phénomènes et un parti pris pour une pratique respectueuse
de l'autonomie des individus et du milieu par opposition aux
institutions et à l'État. De ces principes, l'équipe du GRARSPI a
tiré cinq énoncés fondamentaux qui sont apparus au fil de la
réflexion comme autant de prérequis normatifs.

La critique de la solution institutionnelle et la conviction de la nécessité de transformer le rôle des institutions.

Si l'institution doit être soumise à une critique fondamentale, elle peut tout de même jouer un rôle complémentaire et supplétif à la PCM. Dans les faits, la prise en charge par le milieu trouve sa place, à la fois avant et après le recours à l'institution. Avant, pour éviter l'institutionnalisation, quand cela est possible, et après, dans une perspective de désinstitutionnalisation et de réinsertion sociale.

L'institution est le lieu de pratique le plus courant du professionnel. Il faut donc tenir compte des nombreuses contraintes qu'elle impose à ceux qui interviennent dans une relation d'aide: la charge de travail, la récurrence des interventions, l'absence de support à la créativité et à l'innovation, la compartimentation des tâches, le peu de valorisation des ressources de la personne et du milieu, l'importance du temps consacré à bureaucratiser et à contrôler le travail des intervenants, l'absence quasi complète de multidisciplinarité et de ressourcement, la multiplication des rapports hiérarchiques, le manque ou la méconnaissance des ressources alternatives, le recours fréquent à l'intervention autoritaire. Dans le réseau des affaires sociales, on fait face quotidiennement à ces problèmes et à d'autres encore. Il y a bien sûr des établissements qui sont des exceptions importantes, mais la règle est tout autre.

Le poids institutionnel dont on fait état touche de façon aussi fondamentale le professionnel que l'usager. L'institutionnalisation de l'intervenant le conduit souvent à s'identifier avec l'institution qui sacralise son savoir et son savoir-faire en même temps qu'il y a une dévalorisation équivalente des ressources des personnes qui apparaissent progressivement comme plus démunies et qui justifient ainsi, en quelque sorte, une plus grande prise en charge. Alors qu'ils pourraient transmettre et faire partager leurs connaissances, les intervenants professionnels ont tendance à s'approprier totalement le traitement et la gestion des situations problématiques. Si la compartimentation des savoirs et la multiplicité des spécialisations enrichissent facilement un dossier social ou médical, elles ne répondent pas pour autant au besoin qui était à l'origine de la demande. Tout au contraire, elles contribuent souvent à aggraver le cas d'une personne déjà sensiblement perturbée.

Cela est d'autant plus regrettable que la formation des professionnels de la relation d'aide (service social, psychologie, psychiatrie, etc.) n'est pas d'abord orientée vers un modèle de prise en charge institutionnelle. Généralement, elle fait bien ressortir la triple ambivalence à laquelle se heurte toute intervention: s'attacher aux causes ou s'attacher aux conséquences de la situation à l'origine du problème ressenti par la personne; pousser vers une prise en charge de caractère institutionnel ou favoriser le développement des ressources de la personne et de son environnement social en vue d'encourager la PCM; aborder chaque demande individuellement ou considérer que les problèmes sont sociaux et chercher une réponse sociocommunautaire.

Le modèle de formation dominant admet qu'il faut travailler à la fois sur les causes et les conséquences, développer une approche communautaire parallèlement au travail cas par cas, favoriser le développement personnel et social de préférence à la prise en charge institutionnelle dite de protection sociale. Le modèle prévoit que, si l'intervention professionnelle remplit bien son rôle, l'individu supporté tout comme le groupe de citoyens animé devraient en arriver à se prendre en charge et remercier l'intervenant professionnel de ses services après une période plus ou moins longue. L'idée de contrat avec ses phases successives résume l'ensemble de la démarche. Malheureusement, ces principes ne peuvent guère être mis en pratique parce que l'institution n'est pas structurée pour assurer une marge de manœuvre aux praticiens qui souhaitent innover. Voilà pourquoi il est difficile de fonder un modèle de pratique favorisant la prise en charge par le milieu sur l'utilisation des institutions. Le recours à celles-ci sera plutôt, sauf exceptions, une solution de dernier recours, venant bien après toutes les formules de support qui s'inspirent d'une philosophie de PCM.

La reconnaissance de l'autonomie de la personne et la confiance dans son potentiel de s'assumer

La PCM présuppose non seulement que les intervenants valorisent l'autonomie des personnes, mais qu'ils critiquent également l'aliénation créée par les interventions professionnelles et institutionnelles et fondent leur espoir sur la capacité naturelle que les personnes possèdent de trouver des solutions qui leur conviennent.

Notre société est formée de personnes autonomes. Bien sûr, cette autonomie est relative, doublement relative. Elle l'est d'abord dans le sens où chacun de nous possède un potentiel variable qu'on peut développer et maintenir dans la mesure où on respecte certaines règles d'hygiène physique et mentale. Ainsi, on peut penser que le jeune enfant, s'il n'est pas encore effectivement autonome, acquiert toutefois de l'autonomie à chacun des stades de son développement. La personne autonome est celle qui est généralement capable de trouver les ressources nécessaires pour faire face à ses besoins, qu'ils soient physiques (se nourrir, se loger, se vêtir, etc.) ou psychologiques (exprimer ses sentiments, échanger de l'affection, être capable d'analyser une situation, etc.). Le vieillissement et la mort apparaissent comme des limites naturelles avec lesquelles on doit apprendre à vivre.

L'autonomie de la personne est également relative dans la mesure où l'être humain est un être social, vivant en société des rapports étroits d'interdépendance. L'organisation sociale est telle que l'autonomie d'une personne ne saurait se traduire par son indépendance totale. Chaque être humain naît, grandit et vit dans le cadre de rapports sociaux qui prennent la forme de milieux familiaux, de classes sociales, de groupes ethniques, qui sont autant de lieux de socialisation et d'appartenance. L'éducation, le travail, les échanges économiques et sociaux sont les principales sphères où se développent les rapports sociaux. Chacun devrait pouvoir y trouver une place, en relation avec de multiples autres personnes.

Quelles que soient les limites qu'on puisse rencontrer, il est important qu'on prenne conscience de son propre potentiel et qu'on cherche à le réaliser, pour son plus grand bien-être personnel. Dans la mesure où on est aussi un être social engagé dans des rapports sociaux, ce mieux-être aura un impact significatif sur le milieu et contribuera ainsi à améliorer la qualité de la vie de cet environnement.

Dans une perspective de PCM, en revanche, on fait confiance à la capacité naturelle des personnes de trouver des solutions qu'elles sont prêtes à vivre, même si ces solutions ne sont pas forcément les meilleures. Le savoir-faire, la sagesse populaire et la capacité naturelle de s'adapter à des situations parfois pénibles trouvent souvent à s'actualiser dans de multiples initiatives populaires sans que des professionnels y soient mêlés. De plus, l'autonomie individuelle apparaît interdépendante de l'autonomie collective qui se manifeste à travers les formes de PCM; l'expérimentation sociale dynamise la créativité, revalorise et entraîne des effets thérapeutiques inaperçus. À force de déposséder les gens de leur capacité naturelle, on finit par les conditionner à paraître impuissants et dépendants.

Même si les situations sont parfois très détériorées, les intervenants qui croient dans l'autonomie individuelle et collective des personnes doivent envisager leur fonction comme une forme de support pour vaincre la force d'inertie de ces dernières de manière qu'elles puissent trouver par elles-mêmes ce qui leur convient le mieux. À l'opposé de la PCI qui les dépossède, la PCM outille et supporte les personnes dans la recherche de solutions appropriées aux situations qu'elles vivent.

La reconnaissance de la responsabilité collective face aux inégalités sociales.

S'il est difficile d'intervenir pour modifier les différences de potentiel personnel, il est d'autres différences qui méritent tout au contraire d'être corrigées. Ce sont les inégalités socio-économiques qui font qu'une partie non négligeable de la population ne dispose pas d'un revenu suffisant pour s'assurer un niveau satisfaisant de bien-être. C'est généralement là le lot de personnes pratiquement exclues du marché du travail: femmes chefs de famille monoparentale, personnes du troisième âge, etc. Le cas des jeunes de moins de trente ans qui dépendent de l'assistance sociale est particulièrement criant, comme celui des immigrants en attente d'une décision sur leur statut et qui doivent recourir aux secours privés.

Ces inégalités ne datent pas d'hier, et elles se paient le plus souvent en problèmes dits sociaux: délinquance et criminalité, suicides, violence conjugale dont sont surtout victimes les femmes et les enfants, analphabétisme et abandon scolaire, chômage chronique, alcoolisme, logements insalubres, vieillissement prématuré, etc. Bien entendu, les gens aisés sont également frappés par la maladie, soumis au vieillissement et déchirés par des conflits familiaux. Mais leur situation particulière leur permet de trouver des solutions individuelles à partir de ressources privées.

La crise des dernières années fait aussi que la pauvreté augmente et que, par conséquent, une part importante de la population n'a guère la possibilité de contribuer à la richesse collective, notamment par le travail rémunéré. Peu stimulés, n'ayant pas accès à la culture commune, des groupes sociaux sont marginalisés en même temps qu'ils se frappent à une société centrée sur l'individualisme et la consommation. À l'opposé de ces valeurs, la PCM met l'accent sur la communauté, la solidarité et la capacité d'auto-produire une partie des services dont les personnes ont besoin.

Les politiques sociales mises en place depuis la grande crise des années trente devaient assurer une meilleure répartition sociale de la richesse collective. En fait, pourtant, elles redistribuent le revenu plutôt que la richesse. Et comme elles n'imposent pas également toutes les formes de revenus et qu'elles multiplient les échappatoires, leur effet est aujourd'hui renversé. Il ne faut donc pas s'étonner que l'appauvrissement des milieux populaires se poursuive.

Tous ceux qui travaillent dans les services sociaux et de santé mentale savent bien à quel point les problèmes socio-économiques engendrent tensions et difficultés. Et ils reconnaissent également leur impuissance à intervenir efficacement sur les effets de problèmes qu'ils sont individuellement incapables de corriger. Il manque encore une véritable volonté collective de redistribuer plus équitablement les revenus. Si les citoyens naissent égaux devant la loi, leur espérance de vie variera sensiblement selon leur appartenance de classe et le milieu où ils vivent. La PCM pourrait, en améliorant le cadre de vie, réduire ces inégalités devant la mort.

La reconnaissance des diverses formes d'entraide et de solidarité

L'entraide est une vieille pratique culturelle qui a perdu une partie de son sens avec l'industrialisation. Elle a cours entre gens proches physiquement et socialement, entre personnes à l'aise pour se dire leurs besoins et capables de réagir à la détresse momentanée, au manque ou aux difficultés de l'autre. Dans ce sens, l'entraide est une forme d'identification à un milieu donné en même temps qu'elle manifeste une volonté et une capacité de se prendre en charge collectivement. Or, l'industrialisation a modifié les habitudes de vie, déraciné les gens et fait naître une nouvelle organisation sociale. Elle a permis l'amélioration quantitative du niveau de vie, mais en isolant les individus et en exacerbant la concurrence interindividuelle.

L'entraide et la solidarité permettent de briser une partie des habitudes foncièrement individualistes qui se sont développées avec la société de consommation, et de raviver les dynamismes fondamentaux. On en a une preuve dans l'attachement que les citoyens manifestent à la vie de quartier particulièrement lorsque leur situation se détériore, qu'ils manquent d'équipements sociaux ou qu'ils rencontrent des problèmes environnementaux. Au cours des années 1960, dépassant les références traditionnelles aux paroisses, un mouvement social centré sur la participation des citoyens et l'animation sociale a pris forme dans la plupart des villes québécoises. Il fut l'expression même de l'apprentissage d'une solidarité locale, forme non négligeable de reprise en main d'éléments constitutifs de leur vécu quotidien par de simples citoyens.

Depuis les années 1970, une foule d'initiatives concrétisent dans des organisations et services de toutes sortes le dynamisme des milieux populaires: garderies, coopératives d'habitation, camps familiaux, comptoirs alimentaires, centres d'éducation des adultes, médias communautaires, etc. D'autres structures se font les porte-parole des besoins collectifs et exercent sur l'État et les mécanismes politiques les pressions nécessaires pour que les besoins des milieux populaires ne soient pas négligés ni aggravés par les inégalités socio-économiques. Les milieux ruraux participent au même courant.

La solidarité et l'entraide qui s'expriment dans ces différentes structures formelles tout autant que par l'intermédiaire des multiples réseaux informels d'entraide sont des éléments fondamentaux du type de rapports sociaux susceptibles de favoriser une prise en charge par le milieu. Toute approche qui vise un tel objectif doit non seulement les valoriser, mais elle doit aussi les considérer comme l'un des jalons même de la PCM.

La valorisation du changement qui permet aux personnes, aux groupes et aux sociétés de s'adapter tout en évoluant

La société est en constant changement, sous des apparences de continuité et de permanence. Les valeurs, l'organisation sociale et les besoins évoluent sensiblement, selon des phases plus ou moins longues. Des phénomènes sociaux d'envergure mondiale émergent, comme le féminisme et l'écologisme, qui remettent en cause, chacun dans ses sphères respectives, maintes attitudes antérieures. Que ces mouvements s'imposent à la faveur de crises ou par la prise de conscience d'une oppression particulière, ils remettent en question des rapports sociaux, notre environnement collectif, nos besoins individuels et communautaires tout autant que des situations plus criantes qu'auparavant.

Cela se traduit par des mutations dans la vie quotidienne de ceux qui choisissent de réorienter leur existence en fonction d'objectifs nouveaux ou différents. La qualité de la vie ne se mesure plus en termes de consommation mais plutôt par la recherche d'un nouvel équilibre conciliant besoins personnels et besoins collectifs, possibilité d'être soi-même et opportunité de s'intégrer significativement dans des réseaux, des groupes et des organismes ancrés dans le milieu auquel on s'identifie.

De même, tous ces groupes qui naissent, se développent, s'institutionnalisent parfois et meurent reflètent des besoins sociaux qui évoluent, témoignent de solutions temporaires ou permanentes que l'on trouve dans les différents milieux pour y faire face, ou encore manifestent une volonté nouvelle de modifier des situations dont on a acquis une conscience nouvelle. Il faut voir dans ce bouillonnement constant, cette apparente spontanéité, cette fragilité même, la marque d'une société en perpétuelle évolution. L'ouverture au changement est une autre condition pour qu'on puisse passer de la traditionnelle prise en charge institutionnelle à l'expérimentation d'un modèle favorisant des pratiques de prise en charge par le milieu.

Les objectifs de la prise en charge par le milieu

L'équipe du GRARSPI a identifié un certain nombre d'objectifs qu'il est possible d'associer aux pratiques de prise en charge par le milieu. Tout d'abord, la prise en charge par le milieu contribue à *créer un tissu social fondé sur des réseaux sociaux permettant l'intégration différenciée des personnes et l'expression d'une solidarité et d'une autonomie collective face à l'État et à ses institutions.*

L'intervention professionnelle ne peut résoudre seule les problèmes qui mènent aux difficultés d'adaptation, aux crises et à la détérioration de la vie des personnes. L'intervention professionnelle est certes importante; elle fournit un savoir-faire, au moment opportun, aux fins d'interpréter avec les personnes concernées une situation donnée et de chercher avec elles une solution satisfaisante. Mais le rapport de l'usager au professionnel est temporaire alors que le vécu dans le milieu naturel est continu.

C'est donc dans ce milieu que la personne a le plus de possibilités de trouver le support approprié, le plus naturel, le plus près de sa réalité sociale et culturelle. C'est en mobilisant les ressources du milieu que l'intervention parviendra à dépasser une perspective clinique: en socialisant la demande et l'intervention, on reconnaît explicitement qu'elles s'inscrivent dans une situation sociale et socio-économique et que la solution d'un problème donné peut et doit être trouvée dans le milieu. Supporter l'autre veut dire à la fois accepter qu'il ait besoin de nous et assumer les désagréments que sa conduite ou son état peuvent nous occasionner. Une telle relation est naturelle à l'intérieur de relations proches: famille, voisins, amis, compagnons de travail, groupe ethnique, etc. Ces réseaux sont dits naturels parce que c'est par eux que commence le processus de la socialisation.

Même si la relation entre la personne aidée et l'aidant naturel, ou les pairs d'un réseau, n'est pas rigoureusement encadrée, elle constitue pourtant la première forme d'auto-organisation des rapports sociaux. Peu de manifestations de PCM revêtent d'ailleurs une apparence formelle, détectable et visible, surtout si on les regarde avec les yeux de l'institution professionnelle. Bien entendu, ce n'est pas parce que la PCM n'est pas visible de ce point de vue qu'elle est inexistante.

Au-delà des réseaux sociaux naturels dont nous devons reconnaître le caractère fondamental, il existe une multitude de groupes d'entraide plus formels qui regroupent justement ceux et celles qui ont pris conscience que leur état ou leur besoin demandait des énergies particulières et un support approprié, toujours entre pairs. Encore là, il s'agit d'une structure importante d'action sociale qui permet l'intégration différenciée des personnes, l'expression d'une identité et d'une solidarité active.

Celles-ci s'expriment aussi largement à travers les différentes formes d'organisations, de revendications et de services que les citoyens de divers milieux se donnent, dans un esprit de participation sociale, par la détermination de leur cadre de vie. Il faut y voir une volonté certaine de limiter les déterminismes extérieurs, qu'ils soient le produit des contraintes d'une économie de marché ou de l'intervention étatique. Ces différentes formes d'action sociale intègrent chaque personne dans de multiples rapports sociaux qui renforcent le tissu socio-communautaire, mêlent problèmes personnels et problèmes collectifs, font interagir les différents réseaux sociaux et permettent d'ancrer la solidarité dans une réalité plus concrète.

Ces organisations contrôlées par leurs membres sont l'expression de besoins sociaux variés. Certains y cherchent tout simplement un lieu de socialisation, d'autres des formes d'entraide ou des services concrets, d'autres encore un canal pour leurs revendications. Il s'agit là, le plus souvent, de fonctions complémentaires et également nécessaires pour parvenir à une véritable PCM. De même, ces groupes doivent lutter contre les pressions des institutions qui voudraient qu'ils s'institutionnalisent à leur tour par la recherche d'un financement adéquat, par leur incorporation, etc.

Ainsi, lorsqu'une personne s'adresse au Mouvement Action-Chômage ou à un comité Logement, c'est pour obtenir un service individuel, qui concerne rarement un ensemble de personnes (bien que cela demeure possible dans le cas d'un groupe de locataires menacés d'éviction ou d'une mise à pied massive par un même employeur), même si le geste peut conduire à l'insertion dans un groupe ou dans un lieu physique et géographique comme un quartier. Par contre, en devenant membre d'une coopérative alimentaire, on s'engage à participer à des rencontres régulières. La socialisation, l'intégration au tissu communautaire est dans ce cas plus importante. Le type d'échanges peut conduire, par exemple, à organiser des activités communes qui vont faire que les liens se resserrent et permettent de nouvelles formes de PCM.

Sur un plan plus large encore, au-delà de l'enracinement géographique dans un milieu donné et les frontières artificielles des nations et des langues, les mouvements sociaux permettent également l'expression du dynamisme du tissu social: remise en question des attitudes sociales, recherche de nouveaux rapports, etc. Encore là, et même si les États sont tentés de domestiquer cette énergie, les mouvements sociaux se définissent dans la société civile, hors de l'État, comme forme d'expression privilégiée de citoyens qui veulent définir et organiser leur cadre de vie à partir de valeurs qui leur sont propres.

La prise en charge par le milieu permet, ensuite, d'*améliorer la qualité de la vie individuelle et collective dans chaque milieu, notamment en y créant ou en y développant des ressources favorisant l'entraide et d'autres formes de support qui transcendent la compartimentation des «clientèles» et réduisent le recours aux institutions.* Ce n'est pas seulement en investissant massivement dans un réseau d'établissements plus ou moins spécialisés, confiés à des ressources professionnelles, que l'État va améliorer la qualité de la vie d'un milieu. Ce réseau tend plutôt à accaparer pour son propre fonctionnement bureaucratique des énergies humaines et matérielles qui auraient pu être mieux employées à améliorer la qualité de la vie d'un milieu, sans parler des effets malsains de l'institutionnalisation sur les personnes traitées dans ce contexte.

Évidemment, améliorer la qualité de la vie est un objectif qu'on peut tenter d'atteindre par différentes voies. L'avantage de l'auto-développement de services reste toutefois de permettre des apprentissages qui ne se produisent pas lorsqu'on passe par une institution où le professionnel doit respecter des contraintes formelles.

Pour mieux mesurer l'importance des changements apportés par la pratique de la PCM, peut-être faudrait-il concevoir de nouveaux indicateurs de la qualité de la vie. Ainsi, il ne faudrait pas établir une équivalence entre besoin individuel et demande. La perspective devrait être beaucoup plus globale, communautaire et préventive. Nous croyons en effet que, si un milieu donné présente un tissu social dynamique et dispose de ressources communautaires polyvalentes et pas nécessairement professionnelles, la consommation de services socio-sanitaires devrait diminuer à mesure que la reprise en main des besoins sera assumée par et dans le milieu même. Cela présuppose évidemment que la société valorise le développement de telles ressources communautaires et mette à la disposition des milieux et des groupes qui veulent se prendre en charge une partie significative des fonds actuellement consacrés à la construction, à l'entretien et au fonctionnement d'institutions.

S'il est normal qu'une ressource, si communautaire soit-elle, doive répondre des fonds qu'elle reçoit de sources extérieures, publiques ou privées, il faut par ailleurs, si elle vise à être véritablement communautaire, qu'elle ne soit formée que de gens du milieu désireux de se regrouper et de se donner collectivement des services qu'ils jugent utiles et proches de leurs besoins. La formule d'une coopérative de services (Coopérative d'éducation populaire d'Olier, Coopérative de services multiples Lanaudière, Clinique populaire des citoyens de la Pointe-Sainte-Charles, par exemple) contrôlée localement, de petite ou moyenne dimension, polyvalente, brisant les rapports traditionnels entre professionnels et non professionnels, peut ainsi être privilégiée.

Dernier objectif, la PCM vise à *développer chez les professionnels des attitudes différentes en vue de modifier la demande, opter pour une approche plus collective de celle-ci, favoriser le recours à des ressources du milieu et créer ou aider le développement d'alternatives à l'institutionnalisation.* En accueillant la demande, fonction pour laquelle ils sont d'ailleurs engagés, les professionnels encouragent explicitement la consommation de services socio-sanitaires. Non pas qu'il s'agisse de refuser aux personnes qui en ont besoin l'accès à un lieu spécifique d'écoute et de décantation. Tout au contraire, l'une des caractéristiques bien affirmée du réseau public de services socio-sanitaires est sa visibilité, même si cela se traduit rarement par une disponibilité réelle d'accueil. Une fois que sont connus la situation qui fait problème, l'état, les ressources et le milieu de la personne concernée, l'institution peut tenter de recentrer cette demande en cherchant de préférence une réponse dans le milieu même de la personne.

Cela suppose que, comme l'institution, le professionnel qui y travaille croit que le milieu puisse se donner les ressources communautaires dont il a socialement besoin et accepte que son rôle soit proprement temporaire et accessoire. Il s'agit là d'un renversement assez complet des rôles appris et ritualisés par les intervenants professionnels.

Car si la PCM passe d'abord par le milieu et les intervenants naturels, elle comporte également nombre d'implications pour les institutions qui se doivent de la favoriser sans quoi elle ne connaîtra jamais son développement optimal.

Par ailleurs, les professionnels et les institutions ont l'habitude d'exprimer leurs résistances en formulant des doutes sur la capacité («les gens arrivent à l'institution justement après avoir vécu des tentatives de régler leurs problèmes dans le milieu qui ont échoué») ou la volonté réelle des personnes de se prendre en charge («on attribue aux gens une motivation de s'engager dans un processus qu'une bonne partie de la population ne possède pas. Tout ce qu'ils cherchent c'est un service concret, une réponse pratique à un besoin, un dépannage. Pourquoi vouloir les embarquer dans des structures de participation?»).

Ils oublient, par là, que les problèmes sociaux traduisent une résistance à la mal-vie, une insatisfaction à l'endroit de la façon dont la vie sociale est organisée, et l'impuissance des ressources professionnelles et institutionnelles à résoudre les problèmes vécus par les citoyens. Or, en réalité, c'est la perception que les citoyens ont des professionnels et des institutions qui compte beaucoup plus que l'inverse puisqu'en définitive ce sont bien les citoyens qui financent ce réseau. Malheureusement, les professionnels semblent l'oublier. Ils seraient fort étonnés de s'entendre dire: «Cette orientation, cette approche ou ce type de service n'est pas approprié, ce n'est pas ce qu'on souhaite.» Cela se traduit par la distance qui s'est instaurée entre les besoins du milieu et les services offerts par des institutions qui influent ainsi sur leurs professionnels. Par exemple, les praticiens ne sont guère encouragés à intervenir hors de leur bureau parce qu'on évalue comme une forme de rentabilisation le fait qu'ils puissent recevoir deux ou trois bénéficiaires en une demi-journée de travail.

Les caractéristiques d'une intervention de PCM

Après les valeurs qui fondent la PCM et les objectifs qu'elle vise, l'équipe du GRARSPI a relevé quatorze caractéristiques qu'il est possible d'associer aux pratiques de PCM.

1. L'intervention doit être minimale, ce qui ne l'empêche pas d'être intense et adaptée au besoin. Cela signifie qu'elle doit être ponctuelle et limitée à ce qui est immédiatement nécessaire pour encourager la personne en situation de besoin (effet de levier) plutôt que continue et permanente. Elle doit également respecter le rythme particulier de chaque personne, et peut fort bien être progressive et passer par différentes étapes et différents niveaux permettant à la personne d'activer son propre potentiel et de se reprendre en main.

2. L'intervention sera à la fois préventive et curative. Une présence éclairée (affective et cognitive) suffit souvent pour permettre à la personne en situation de besoin de se ressaisir. On cherchera d'abord à établir la confiance, à informer, à sensibiliser (faire prendre conscience de ses ressources), à susciter le rapprochement de personnes vivant des situations similaires et même l'adhésion à des regroupements constitués dans le milieu.

3. L'intervention se déroulera le plus possible dans le milieu naturel de la personne. C'est dans ce milieu que se vit la situation qui fait problème et c'est là qu'on y fait face tous les jours. Le recours à un milieu protégé extérieur peut permettre un soulagement temporaire de la souffrance, mais il réduit également les appuis naturels sur lesquels la personne peut

habituellement compter, avec une fréquence et une disponibilité que les ressources professionnelles ne peuvent lui offrir.

4. L'intervention s'appuiera d'abord sur les ressources de la personne (*self-help*), celle-ci étant généralement la plus en mesure d'identifier ses besoins et les solutions qui pourraient lui convenir. Le recours à des ressources complémentaires ou supplétives sera gradué: aide mutuelle (groupes d'entraide, réseaux d'amis, de parents ou de voisins), ressources communautaires (exprimant la solidarité du milieu), puis ressources professionnelles de type institutionnel. On réaffirme ainsi que la personne est la première responsable de la solution de son problème. Ce principe ne peut toutefois être respecté que si la recherche d'une solution est considérée comme une situation d'apprentissage et de renforcement des ressources de la personne.

5. L'intervention s'appuiera sur un support relationnel plutôt que sur un savoir technique (diagnostic, thérapie, etc.). Il s'agit là d'une autre forme de savoir fondée sur une présence éclairée, à la fois rassurante et stimulante. La relation sera d'autant plus facile à établir que la ressource-support aura vécu des besoins semblables ou similaires, dans un même milieu ou dans une perspective identique. De plus, comme c'est dans le vécu personnel et quotidien que les effets du problème se manifestent, la disponibilité et l'habileté de l'intervenant compteront davantage que les connaissances professionnelles ou les techniques élaborées d'intervention.

6. L'intervention sera fondée sur l'acceptation de l'autre et la recherche de rapports égalitaires, contrairement à la relation traditionnelle entre le professionnel et ses clients qui est centrée sur la compétence de l'intervenant à résoudre le problème. Le contrôle des comportements dérangeants ne sera plus une fin en soi mais bien l'occasion de mêler chacun des usagers à la formulation de règles partagées. L'égalitarisme est la base du mutualisme (Kleiber, Light, 1978).

7. L'intervention doit s'appuyer sur la collectivisation de la demande parce que le besoin est souvent le résultat d'un rapport aliénant entre la personne et la société, parce que c'est le réseau social de la personne qui prend souvent (ou, à l'inverse, refuse de prendre) en charge le besoin exprimé, parce que d'autres personnes dans la collectivité vivent le même problème

et parce que c'est fréquemment dans la solidarité assurée par la communauté qu'une solution peut être trouvée. En ce sens, la sensibilisation aux dimensions collectives des situations individuelles précédera l'intervention, fondée non pas sur la prise en charge des plus faibles par les plus forts mais bien sur la prise en charge des problèmes collectifs par la collectivité concernée.

8. L'intervention doit respecter le point de vue de l'usager et procéder naturellement (Collins, Pancoast, 1976). L'analyse des besoins et des problèmes se fait par ceux-là mêmes qui sont concernés plutôt que par des experts externes; ils seront cependant soutenus dans leurs efforts. Dans ce nouveau cadre, des «clients», peu motivés selon le point de vue des professionnels, parviennent généralement à formuler des objectifs qu'ils cherchent ensuite à atteindre.

9. L'intervention communautaire issue du milieu ne doit pas être désorganisée, surchargée et laissée sans ressourcement. S'il est vrai que, dans certains contextes, donner c'est recevoir, la répétition d'interventions sans occasion d'évaluer celles-ci et de découvrir de nouvelles façons d'intervenir conduira à l'épuisement des ressources. L'intervenant naturel gagne à se sentir supporté et à pouvoir disposer de ressources de formation non orientée vers la perspective de faire de lui un «professionnel». Par ailleurs, il importe d'éviter que les femmes (déjà défavorisées économiquement) soient davantage mises à contribution que les hommes dans l'action bénévole.

10. L'intervention ne saurait répondre également à chaque type possible de besoin (handicapés physiques, santé mentale, vieillissement, délinquance, etc.). De façon générale toutefois, employée judicieusement, elle devrait prévenir ou retarder une plus grande détérioration de la situation vécue et de la dépendance qui en découle, ou inversement améliorer la capacité de la personne supportée de prendre en charge une partie ou la totalité de ses besoins.

11. L'intervention doit aussi favoriser le dépassement des besoins immédiats, en termes de support ou de services, et conduire les collectivités vivant des situations aliénantes ou dérangeantes à formuler des revendications et à exercer des pressions.

12. Le plus souvent, l'intervention repose sur des ressources dites alternatives utilisées ou développées de façon différente

selon le point de vue de l'intervenant. L'aidant naturel cherche à se donner les moyens d'agir à partir du niveau de conscience qu'il a d'un problème ou d'un besoin commun. La singularité de chaque situation influera sur le mode d'organisation de la ressource; elle revêtira cependant toujours la forme générale d'une structure d'entraide. Il s'agit donc d'une approche relativement spontanée et souple, issue du milieu, provenant des premiers intéressés, fondée sur une structure minimale. La structure d'entraide saura au besoin chercher un support (ressources matérielles, conseils) dans les institutions où œuvrent les professionnels.

L'aidant professionnel, de son côté, favorisera soit l'ouverture de son institution à une plus grande insertion dans le milieu, soit à l'inverse, le recours aux ressources du milieu par l'institution, soit encore le développement de structures intermédiaires plus ou moins autonomes par rapport au réseau institutionnalisé. C'est ainsi qu'il peut témoigner de sa préoccupation de se rapprocher du milieu dans lequel il intervient, de travailler dans un contexte différent de celui auquel est habituellement associée la prise en charge institutionnelle, d'intégrer la créativité de la clientèle et d'éviter que celle-ci soit traitée par morcellement.

13. L'intervention fondée sur l'utilisation des ressources du milieu mène à une redéfinition des pratiques professionnelles, permettant notamment aux professionnels de travailler avec les cas les plus complexes. Le professionnel dégagé d'une partie de sa clientèle doit être capable de soutenir ceux qui se substituent à son intervention, sans les écraser sous son savoir, acceptant de passer d'un rôle de pouvoir à celui de personne-ressource éclairant au besoin les aidants naturels qui soutiennent les usagers dans leurs démarches.

14. Finalement, ce type d'intervention demande que l'autonomie recherchée des personnes trouve un équivalent dans l'autonomie des ressources que le milieu se donne à l'égard de l'État. Il faut donc éviter d'utiliser les ressources bénévoles comme s'il s'agissait d'une solution économique aux ressources professionnelles en contexte de crise et de compression budgétaire. Les professionnels et les institutions qui recourent aux structures d'entraide doivent quant à eux éviter de les assommer en détournant vers elles leur trop-plein de clientèle ou leurs cas

les plus détériorés. Par ailleurs, l'État ou les organismes de financement doivent à la fois reconnaître les besoins particuliers des structures d'entraide et leur venir en aide sans leur imposer des conditions qui modifient sensiblement leurs pratiques ou constituent des formes déguisées de tutelle ou de récupération. Le Conseil des affaires sociales et de la famille a déjà formulé les règles de conduite qui devraient être observées à cet égard (1978).

Les caractéristiques qu'on vient d'énumérer renvoient aux principes méthodologiques qui peuvent guider une intervention visant à favoriser la PCM. Ainsi, la première traite de l'intensité ou du degré de l'intervention; la deuxième se rapporte davantage à l'orientation; la troisième détermine le lieu de la pratique; la quatrième précise la base de l'intervention; la cinquième et la septième se réfèrent à la forme et aux moyens de l'intervention; la sixième formule les attitudes de l'intervenant; la huitième et la neuvième se réfèrent à une intervention participative et à l'utilisation des aidants naturels; la dixième diversifie les modalités en fonction du type de clientèle; la onzième distingue les besoins individuels des besoins collectifs; la douzième présente l'idée d'une structure légère; la treizième tente de préciser le rôle du professionnel; et la quatorzième présente le principe de l'intervention dans son rapport à l'État.

L'intervention visant la PCM doit aussi reposer sur une évaluation du potentiel d'autosuffisance des personnes en cause et tenir compte des rapports que la PCM doit nécessairement entretenir avec les institutions. Mais quels rapports? De complémentarité ou de contestation? Chose certaine, il ne saurait s'agir de rapports où l'institution dominerait. La PCM apparaît en ce sens comme une pratique d'équilibre ou de contre-pouvoir. Pour reprendre le langage de Rosanvallon, si l'État légitime l'institution, la PCM trouve son fondement dans la société civile.

Il nous faut reconnaître que, dans la mesure où la PCM repose sur une attitude naturelle, elle doit logiquement être très présente dans la vie quotidienne. Plutôt qu'une pratique organisée, elle prend alors la forme de pratiques spontanées dans le cadre d'une volonté personnelle ou collective d'améliorer l'environnement ou le vécu. Évidemment, on peut se demander où commence et où s'arrête la PCM. Plutôt que de se limiter à des actes caractéristiques, elle débouche effectivement sur une conception particulière de la société et des rapports sociaux qui s'y vivent ainsi que du rôle que chacun peut et doit y assumer.

Le rapport entre curatif et préventif mérite aussi d'être précisé. Si les institutions font essentiellement des interventions curatives, les ressources alternatives se consacrent surtout à des interventions de nature préventive. Mais, dans les faits, les deux objectifs peuvent aller de pair. Ainsi, une intervention ayant une visée curative peut permettre aux membres d'un groupe d'acquérir des connaissances et de développer des habiletés qui auront indirectement pour effet de les renforcer et de leur permettre ensuite de mobiliser leurs ressources accrues pour résoudre leurs autres difficultés.

Les limites de la PCM

La prise en charge par et dans le milieu comporte également un ensemble de limites qu'il importe de ne pas oublier. Nous en avons formulé neuf.

1. Les ressources varient: il faut reconnaître que les ressources existantes tout comme celles éventuellement mobilisables varient énormément selon les besoins et les milieux. Il est clair, par exemple, que des individus relativement ou complètement isolés ne sont pas dans une situation qui leur permettrait de repérer les ressources de leur propre milieu. C'est alors à celles-ci de faire connaître leur action.

Il est aussi certain que l'attitude du milieu à l'égard de la personne en situation de besoin variera selon qu'il s'agit de personnes plus ou moins proches (comme le milieu restreint constitué par ceux avec qui on vit, travaille ou habite) ou d'un milieu élargi (les gens de la même rue, du même quartier, de la même classe sociale, du même groupe ethnique, etc.). Il va de soi que plus le milieu est étendu, moins l'identité propre et la cohésion sociale qui en découlent seront fortes, à moins qu'on ait affaire à une catastrophe majeure (glissement de terrain, incendie majeur, écrasement d'un avion, etc.).

De même, comme le soulignait Madeleine Leduc (1983), certaines clientèles sont elles-mêmes très défavorisées et, en ce sens, il peut apparaître que la prise en charge par le milieu soit alors plus lourde et difficile à assumer. Dans la mesure où le transfert de ressources personnelles (temps, énergie, travail) s'effectue au sein d'un même milieu socio-économique, il peut se heurter aux limites mêmes de ce milieu (logements insalubres, absence de parcs, insuffisance du revenu, etc.). En ce sens, l'entraide ne suffit pas: la prise en charge par le milieu appelle à des transferts socio-économiques des milieux les plus pourvus vers les milieux désavantagés (tranferts fiscaux, développement de ressources publiques, support aux ressources communautaires, privé ou public).

2. Problème de la continuité: les structures d'entraide sont relativement fragiles, parfois instables et, s'il en naît beaucoup, plusieurs disparaissent rapidement, vivotent ou encore sont progressivement ou brutalement intégrées par des institutions. Cependant, les structures d'entraide ne devraient pas être vues comme des organisations à institutionnaliser ou à perpétuer. Nées d'un besoin, elles s'adaptent à l'évolution de celui-ci tout autant qu'à la personnalité et à l'évolution des aidants naturels concernés.

3. Problème du fonctionnement respectueux des besoins de chacun: corollaire de la précédente, cette limite est tout aussi réelle, particulièrement dans les structures d'entraide suscitées par une personnalité charismatique, souvent peu attentive aux besoins des autres, à la grande circulation des personnes et à l'absence d'une relève. Tous les phénomènes observés dans les groupes risquent ici de se reproduire.

4. Question du financement et de la gestion des ressources: si plusieurs structures d'entraide parviennent à fonctionner sans support gouvernemental et sans se doter d'un statut juridique, leur développement demeure limité. En général, passé un certain seuil d'activités, le milieu lui-même peut difficilement supporter une ou de multiples structures d'entraide plus formelles. Le support de l'État comporte évidemment le danger de passer par des formules démobilisantes (quelques anciens bénévoles, moyennant salaire, y effectuent la même tâche) et/ou intégratrices (évaluation de la rentabilité de la ressource par rapport à son équivalent institutionnel). Sans oublier le problème non négligeable de la gestion de ces organismes.

5. La formation des aidants naturels est un autre problème important, mais trop souvent ignoré. S'il ne faut pas chercher

à faire de ceux-ci des professionnels, il faut toutefois leur fournir les connaissances appropriées pour une compréhension adéquate des besoins et une intervention judicieuse selon les circonstances. Leur besoin de renouvellement et d'utilisation de toute leur créativité doit également être satisfait.

6. Problème des biais idéologiques: certaines structures d'entraide sont inspirées d'une conception religieuse ou politique des rapports sociaux et des problèmes. Cela constitue fréquemment un obstacle à l'établissement de relations entre ressources, qu'il s'agisse de structures d'entraide ou d'institutions.

7. Nécessité de certains types de coordination: sans en arriver à des structures qui consomment du temps et des ressources humaines, les structures d'entraide souffrent, en raison même de leur nature, d'un éparpillement qui les empêche bien souvent de pouvoir utiliser des expériences et des acquis précieux. D'où la nécessité de prévoir des regroupements souples, à la fois lieux d'échanges et d'apprentissages, et moyens d'élargissement de la solidarité vécue localement, pour affronter des besoins ou des revendications communes.

8. Modes d'évaluation de ces ressources: il est difficile d'utiliser des mécanismes d'évaluation conçus pour des institutions pour évaluer des ressources dont le résultat premier se mesure en termes de mieux-être et de croissance personnelle. La possibilité d'échecs ne doit pas moins être envisagée; ceux-ci risquent toutefois de revêtir une signification différente de ceux rencontrés par les institutions.

9. Biais particuliers aux professionnels: souvent, lorsque des professionnels mettent sur pied des projets, ils les bâtissent autour des gens leur offrant le plus de chance de réussir. Il y a également une tendance des professionnels à renforcer le leadership des gens du milieu dont les valeurs ou les façons de travailler sont les plus proches des leurs. Enfin, lorsque des professionnels tentent d'encadrer des formes naturelles d'entraide, en leur imposant des normes administratives et professionnelles, ils ont tendance à étouffer les éléments qui rendaient cette aide efficace (Chapman, Froland, Kimboko, Pancoast, 1981).

Les échanges entre les membres de l'équipe du GRARSPI font ressortir que les limites que nous venons d'énoncer sont fortement centrées sur celles des structures d'entraide elles-mêmes, à l'exception peut-être de celle qui porte sur les relations avec l'État (le financement). Quant aux limites aux initiatives que les professionnels rattachés à des institutions peuvent prendre pour favoriser une plus grande PCM, elles se confondent avec les limites mêmes des interventions professionnelles et institutionnelles.

Le problème de la continuité des initiatives et des efforts de PCM paraît central. Théoriquement, un milieu qui se prend véritablement en main ne devrait pas connaître ce problème puisqu'il devrait prévoir dans les organisations qu'il se donne une place pour sa relève. Mais dans la réalité quotidienne les actions et les changements sociaux ne sont jamais définitivement acquis et les conditions objectives dans lesquelles se développent les ressources alternatives font que la continuité n'est jamais entièrement assurée.

La constitution de ghettos mérite également d'être questionnée: l'homogénéité d'un groupe donné (jeunes délinquants, ex-psychiatrisés, ex-toxicomanes, homosexuels, etc.) peut constituer une limite, soit dans le sens où ce groupe réunit des personnes ayant le même problème, ce qui peut conduire à un renforcement des difficultés ou des faiblesses vécues en cas de crise, soit dans le sens où, en se retrouvant ensemble, ces personnes contribuent à s'isoler encore davantage dans la société. Ces groupes apparaissent comme une étape dans un processus de PCM où des individus marginalisés par les valeurs dominantes ou en réaction contre celles-ci éprouvent le besoin de se retrouver entre eux (excluant souvent, à leur tour, les autres) pour mieux se connaître et se reprendre en main. Cette situation doit être vue comme une étape dans leur cheminement; ces groupes et ces personnes éprouvent souvent, en effet, le besoin d'une reconnaissance sociale avant de pouvoir réintégrer des ensembles plus larges.

Deux autres obstacles furent abordés sans que l'équipe les retienne spécifiquement comme des limites de la PCM; il s'agit de la lourdeur des cas qui ne favorise certes pas une PCM et des habitudes développées par les personnes qui recourent déjà à des formes de prise en charge institutionnelle.

Les formes de la PCM

De manière à préciser et à relier entre elles les notions que nous avons rencontrées dans ce qui précède, il nous semble opportun de reprendre ici les différentes formes que prend la prise en charge:

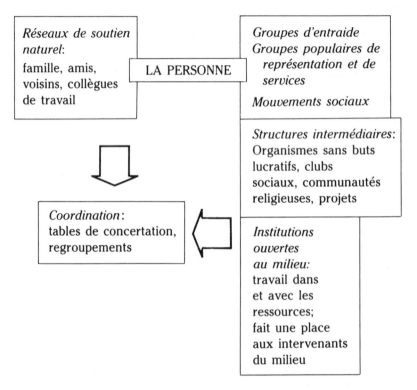

La première forme, et d'ailleurs la plus importante et la plus répandue, est la prise en charge par la personne elle-même. Elle repose sur la capacité fondamentale pour un individu de conserver ou de développer une marge de fonctionnement autonome en société. Cette marge variera selon l'état de l'individu et la nature du problème. On peut penser qu'elle sera inversement proportionnelle à l'ampleur des autres types de prise en charge. C'est d'ailleurs sur elle que s'appuieront ces derniers.

La deuxième forme de prise en charge est celle des *réseaux de soutien* auxquels recourent spontanément les personnes en situation de besoin: famille immédiate et élargie, amis, voisins, collègues de travail. Le «réseau primaire» appartient à cette catégorie.

La troisième forme est celle des *groupes d'entraide*: y avoir recours demande à la fois une identification de son besoin problématique et l'acceptation de pairs jusqu'alors inconnus comme ressources aidantes. Le groupe d'entraide se présente donc à la fois comme un lieu d'écoute, d'échange et de valorisation et comme une structure souple, relativement continue et ouverte (dont les membres changent), dont l'effet thérapeutique est fondé sur la disponibilité chaleureuse d'aidants bénévoles plutôt que sur le recours à des ressources professionnelles, et qui débouche occasionnellement sur la revendication de droits. Le groupe peut être mis sur pied par des gens éprouvant le même besoin ou par des professionnels liés à une institution, et qui s'en retireront par la suite. Dans le cas de personnes ayant vécu de longues périodes d'institutionnalisation, il se présente comme un mode possible de réinsertion sociale.

Vient ensuite la prise en charge des *groupes populaires de représentation et de services*: le plus souvent créés à l'initiative de gens du milieu pour répondre à des besoins concrets ou à la nécessité de mener des luttes pour changer des situations, ces groupes n'ont pas a priori d'objectifs thérapeutiques. Toutefois, par les services qu'ils rendent, par le caractère généralement chaleureux des rapports qui existent entre les membres, leur capacité d'écoute et de valorisation des attentes exprimées et par le fait que beaucoup de besoins et de problèmes sont les conséquences de la situation globale du milieu sur laquelle ils interviennent, ces groupes constituent des lieux privilégiés de solidarité, d'apprentissage, de développement personnel et de prise de conscience.

Dans les *mouvements sociaux*, la personne en situation de besoin n'adhère pas directement à un mouvement social mais elle en prend conscience à travers les groupes qui s'y identifient (par exemple, le féminisme à travers un cours Transition-Travail, l'auto-santé, le wendo, etc.). Le mouvement social lui offre alors une vision élargie de sa situation objective et subjective et lui fournit l'encadrement permettant de lier luttes concrètes et perspectives d'un changement social désaliénant. Ajoutons que les projets portés par les mouvements sociaux peuvent aussi s'incarner dans des groupes d'entraide et des structures intermédiaires.

La sixième forme de prise en charge est celle des *structures intermédiaires*: celles-ci sont des institutions de petite taille qui se présentent comme des alternatives (d'où l'appellation «ressources alternatives» quelquefois utilisée à tort parce qu'elle désigne aussi les réseaux de soutien naturel, les groupes d'entraide et les groupes populaires de représentation et de services). Au nombre des structures intermédiaires, il faut compter tous les organismes socio-communautaires sans but lucratif, les clubs sociaux, les communautés religieuses offrant des ressources, les projets ad hoc de création d'emplois communautaires, ainsi que les ressources liées au réseau public mais sans y être légalement rattachées (c'est-à-dire ne relevant pas explicitement de la Loi sur les services de santé et les services sociaux, comme c'est le cas pour les CLSC, les CSS, les CH, les CA, et les centres de réadaptation qui reçoivent un permis d'opération). On y retrouve les familles d'accueil, les appartements supervisés, certaines ressources spécifiques d'hébergement (de femmes, de transition carcérale ou en santé mentale, de foyers de groupe, etc.) ou d'activités (ateliers, centres communautaires, de jour, etc.).

Les *institutions formellement mandatées par l'État* acceptant de travailler dans le milieu, c'est-à-dire de façon déconcentrée, à domicile ou dans différents points de services. Cette orientation signifie que les ressources du milieu peuvent participer à la définition de la mission et de l'organisation des services de l'établissement, et non pas seulement lui fournir une main-d'œuvre bénévole. Cela appelle également une redéfinition du rôle des professionnels.

Autre forme de prise en charge, la *coordination des ressources*. Comme dans le cas des mouvements sociaux, la personne en situation de besoin n'aura pas de contacts personnels et directs avec ce type de prise en charge qui vise plutôt à offrir un lieu de collaboration en vue d'éviter la duplication des efforts et des ressources et une articulation souple en réseau. L'expérience démontre que l'institution traditionnelle collabore très peu à ce genre de démarche et que lorsque sa présence est assurée, il s'agit le plus souvent d'une attitude défensive ou protectrice de son autonomie.

Les pratiques professionnelles et la PCM

Comme on l'a vu précédemment, les pratiques de prise en charge qui sont susceptibles de se développer dans les milieux «naturels» peuvent contribuer à résoudre un grand nombre de problèmes individuels et sociaux. Tout en ayant, elles aussi, des limites, elles échappent cependant à un certain nombre de problèmes qui entravent l'efficacité de l'aide professionnelle ou institutionnelle. En outre, leur développement s'inscrit bien dans le contexte d'une société démocratique et participative, surtout avec les courants actuels de valorisation de l'autonomie et de contestation de l'emprise étatique sur les milieux locaux et les individus. Enfin, la remise aux communautés ou aux individus d'un certain nombre de problèmes traditionnellement confiés aux institutions peut être vue comme un moyen d'alléger le fardeau des institutions et de réserver les services des professionnels aux situations qui exigent vraiment une compétence spécialisée. Pour toutes ces raisons, avec les nuances qui s'imposent selon les cas, un nombre croissant de spécialistes du travail social cherchent des moyens de favoriser la prise en charge par le milieu dans le cadre de leur pratique professionnelle ou, à tout le moins, se disent d'avis qu'une collaboration est nécessaire entre l'aide professionnelle ou institutionnelle et l'aide dite «naturelle». Par exemple, Gartner et Riessman (1977) suggèrent de combiner ces deux types d'aide dans une approche globale qui tiendrait compte de la relation dialectique qui doit exister entre les deux; selon Froland et ses collaborateurs (1981), les professionnels peuvent et doivent joindre leurs habiletés à la force des aidants naturels pour former un système de soins communautaires; Raiff (1984) note que les écoles de service social devraient former les futurs professionnels à travailler avec les systèmes de support naturel; Gottlieb (1982), Whittaker et Garbarino (1981), Warren (1981), Pancoast *et al.* (1983), d'autres encore défendent également la thèse d'une plus grande utilisation des systèmes de support sociaux naturels dans la solution des problèmes confiés habituellement aux spécialistes de l'aide sociale. Au Québec, Guay (1981, 1984), Langlois (1981, 1984), Lavoie (1983, 1984), de même que les membres du

GRARSPI (1985) partagent le même point de vue, parfois teinté d'une préoccupation idéologique comme c'est le cas dans le modèle proposé par Brodeur (1984). Toutefois, les choses ne sont pas aussi simples qu'elles le paraissent, et on comprend que certains, comme Spect (1986), trouvent un peu prématuré cet enthousiasme de leurs collègues pour une modification de leur pratique professionnelle en fonction des systèmes de support naturels, ou que d'autres, comme Katz (1979), prédisent que la relation entre l'aide naturelle et l'aide professionnelle obéira à une dynamique conflictuelle. En fait, si les arguments avancés en faveur d'une collaboration entre les professionnels ou les institutions d'une part, et les acteurs de la prise en charge par le milieu d'autre part, paraissent relativement convaincants, les problèmes liés à cette collaboration ne doivent pas être négligés. Et en fin de compte, on peut se demander s'il est vraiment possible, comme le souhaitaient les participants du GRARSPI lorsqu'ils ont commencé leurs travaux (Larivière, 1985; Boucher, 1985; Mayer, 1985), d'envisager une pratique institutionnelle axée sur le développement de la prise en charge par le milieu.

Après avoir clarifié les perspectives selon lesquelles peut être vue la collaboration entre aide naturelle et aide professionnelle, nous aborderons les difficultés que pose cette collaboration et terminerons par l'examen de quelques solutions possibles.

Les perspectives d'une collaboration

La manière d'envisager le rapport entre l'aidant professionnel et l'aidant «naturel», dans la perspective d'apporter des solutions plus complètes et plus appropriées aux personnes en difficulté, donne lieu à une variété de prises de position. De façon générale, on s'accorde pour reconnaître qu'il peut exister une certaine complémentarité entre l'aide fournie par les professionnels et les institutions, d'une part, et celle que l'on peut trouver dans les milieux naturels, en mettant à contribution les ressources de leurs membres, d'autre part. Toutefois, l'unanimité n'est pas faite sur les modalités de cette complémentarité, encore moins sur le partage des responsabilités qu'elle pourrait entraîner.

Pour plusieurs auteurs, l'aide professionnelle et la prise en charge par le milieu sont de nature différente, ne répondent pas tout à fait aux mêmes besoins et présentent, chacune, des avantages et des limites spécifiques. Ainsi, l'aide professionnelle se caractériserait surtout par un apport sur le plan des connaissances techniques, des compétences et de l'expertise spécialisée, ainsi que par une approche objective et généralisante. L'aide naturelle inhérente aux pratiques de prise en charge par le milieu serait plus indiquée pour répondre à des besoins de support à long terme, surtout de nature affective, pour apporter des solutions particulières à des problèmes locaux selon une démarche subjective (Gartner et Riessman, 1977, 1984; Dewar, 1976; Froland *et al.*, 1981). Par ailleurs, l'aide naturelle a aussi ses limites: inégalité dans la qualité et la distribution des services rendus, fragilité du support fourni, liée aux conditions parfois précaires dans lesquelles il se donne (manque de ressources financières ou de personnes disponibles, etc.) et impossibilité, par définition, d'offrir les services à grande échelle que les institutions, elles, peuvent (ou doivent) mettre en place (Rapport du comité Wolfenden, 1981; Johnson, 1982). Celles-ci, en revanche, peuvent difficilement critiquer ou contester le système en place; les auteurs de la prise en charge par le milieu sont mieux placés pour jouer ce rôle (Johnson, 1982). En bref, la conjonction des ressources professionnelles et institutionnelles et des ressources des milieux naturels pourrait conduire à des solutions mieux adaptées aux besoins que ne le seraient celles des seules pratiques professionnelles et institutionnelles traditionnelles, fussent-elles beaucoup plus développées qu'elles ne le sont actuellement.

Tout en acceptant au moins implicitement la complémentarité entre aide professionnelle ou institutionnelle et ressources du milieu, certains auteurs estiment cependant que la prise en charge par le milieu devrait être beaucoup plus largement développée qu'elle ne l'est aujourd'hui, et que l'on a trop facilement recours aux institutions et aux professionnels. Selon ces auteurs, les professionnels et les institutions devraient cesser d'étendre leur juridiction, laisser une place plus importante aux pratiques de prise en charge par le milieu et limiter leur intervention aux situations qui exigent vraiment l'aide spécialisée qu'ils sont les seuls à pouvoir fournir. On retrouve ce point de vue, entre autres, dans les textes de Guay (1981, 1984), Langlois (1981, 1984) ainsi que dans les documents relatifs aux travaux du GRARSPI (1985). Complémentarité, donc, mais avec une préférence pour la prise en charge par le milieu et un souhait de voir diminuer l'emprise des professionnels et des institutions sur le secteur de l'aide sociale. Ce point de vue est poussé à l'extrême par certains qui, comme Brodeur (1984), laissent entendre que, dans une société où la majorité des problèmes sociaux et individuels seraient pris en charge par le milieu, l'aide professionnelle pourrait devenir subordonnée aux décisions collectives du milieu au lieu de dominer celui-ci. Notre contexte social est loin d'un tel renversement.

Par ailleurs, il faut mentionner que l'idée de complémentarité ne paraît acceptable que dans le cadre des besoins réels. Elle le serait moins s'il s'agissait simplement de fournir des services d'appoint aux services professionnels et institutionnels. Cette mise en garde a d'ailleurs déjà été formulée par les représentants de certaines ressources alternatives québécoises qui refusent que l'on considère leur contribution comme un ajout occasionnel et sans importance aux services traditionnels.

Quant au partage de responsabilités et aux rôles qui pourraient en découler pour les professionnels ou les institutions, par rapport aux aidants «naturels», ils font l'objet de toutes sortes de suggestions.

Et quand on examine les pratiques, fort nombreuses, qui sont décrites dans les textes traitant de l'engagement des professionnels dans les systèmes de support sociaux dits naturels, on ne peut qu'être frappé par leur diversité, tant en ce qui concerne les tâches qui sont dévolues aux professionnels qu'en ce qui concerne les conceptions qu'elles se font des relations entre l'aide professionnelle et l'aide naturelle. Pour les groupes d'entraide, par exemple, les rôles proposés au professionnel vont du participant bénévole comme personne ressource à celui d'instigateur du groupe (Wollert *et al.*, 1984) en passant par celui de consultant (Baker et Karel, 1983) ou d'expert en recherche-action (Lavoie, 1984). Les ouvrages de Gartner et Riessman (1977, 1984), Pancoast *et al.* (1983), Froland *et al.* (1981), Biegel et Naparstek (1982), Whittaker et Garbarino (1983) donneront un bon aperçu des différentes expériences qui ont été réalisées en matière de collaboration entre l'aide professionnelle ou institutionnelle et la prise en charge naturelle.

De façon générale, pour bon nombre d'auteurs, le rôle des professionnels ou des institutions est de diriger, d'encadrer et de stimuler des pratiques de prise en charge par le milieu, que ce soit par le recrutement ou la formation d'auxiliaires bénévoles issus d'un milieu donné, par la mise sur pied et la supervision d'un groupe d'entraide, par la reconstitution du réseau de soutien social de personnes en difficulté et isolées, etc. Dans ce type de rôles, le professionnel agit un peu comme un expert pour les aidants du milieu, tant du point de vue de l'identification des besoins à combler que du point de vue des moyens à prendre pour y parvenir, même si, par la suite, il délègue certaines tâches à ses partenaires du milieu. L'expérience rapportée par Edmunson *et al.* (1984) illustre bien le type de rapports hiérarchiques qui risquent alors de s'établir entre les professionnels et les aidants du milieu. Le programme de création d'un réseau d'entraide pour ex-psychiatrisés donné en exemple par ces auteurs est basé sur le principe selon lequel un tel réseau est plus efficace lorsqu'il est structuré et supervisé par des professionnels. Edmunson et ses collaborateurs présentent dès lors une structure de support social à plusieurs niveaux, constituée de professionnels qui, en tant que détenteurs de connaissances spécialisées, coordonnent et supervisent les activités d'aidants «informels», ceux-ci intervenant directement auprès des membres des réseaux de base. Certains des aidants informels reçoivent une petite rémunération (ceux qui font le lien entre les professionnels et le réseau de base). Le salaire des autres consiste en valorisation sociale. Tout en mettant à contribution les ressources du milieu, ce genre d'approche laisse, comme on peut le voir, un grand pouvoir de contrôle aux professionnels.

D'autres auteurs préfèrent un partage plus équitable des tâches et limitent la contribution des professionnels ou des institutions, auprès des aidants «naturels», à des rôles de facilitateurs ou de consultants, avec un rôle d'intervention directe restreint à des cas précis. Wollert *et al.* (1984), par exemple, dans un texte relatif aux groupes d'entraide, mettent en garde les professionnels contre le danger d'imposer un modèle professionnel aux aidants naturels. Selon eux, les premiers doivent respecter la compétence des seconds, n'offrir de l'assistance que lorsqu'elle est demandée, ne pas étaler leur supériorité ni prendre le contrôle des opérations. Guay (1984) expose un peu le même point de vue lorsqu'il énumère les fonctions que le professionnel devrait exercer auprès de l'aidant naturel: fournir support et encouragement, superviser et encadrer d'une façon qui respecte le savoir-faire des non-professionnels, apporter une expertise et des connaissances particulières, offrir un cadre de compréhension élargissant la perspective de l'intervention ponctuelle...

Selon ce point de vue, le professionnel doit respecter le plus possible les approches adoptées par les aidants naturels et laisser à ceux-ci la direction des opérations. Les aidants naturels ne sont plus au service des professionnels. C'est plutôt ceux-ci qui devraient offrir leur aide au milieu pour faciliter la mise en place ou le fonctionnement de mécanismes de support efficaces dans le milieu.

Entre les deux positions qui viennent d'être présentées, tout un éventail de propositions, certaines très partielles, précisent la façon dont le professionnel pourrait contribuer au développement de la prise en charge par le milieu, ou à tout le moins, en tenir compte dans sa propre pratique. Cassel (1976), par exemple, envisage une répartition des tâches selon laquelle les professionnels auraient surtout la responsabilité d'établir le diagnostic des ressources à mettre sur pied ou des moyens à utiliser pour aider des personnes en difficulté, l'intervention proprement dite étant laissée aux soins d'aidants naturels auxquels on fournirait les directives nécessaires. En bref, l'accord semble se faire sur la nécessité de modifier les rôles traditionnels des spécialistes de l'aide sociale pour faire une plus grande place aux pratiques de prise en charge naturelle. Là où les problèmes commencent, c'est lorsqu'il s'agit de préciser, d'abord, *comment* les professionnels peuvent favoriser cette prise en charge naturelle pour ensuite décider dans quel sens et jusqu'où ils doivent modifier leurs rôles.

Le débat sur ces points peut être très long. Mais il semble bien qu'il se ramène en fait à une seule question: dans quelle mesure les professionnels et les institutions doivent-ils ou peuvent-ils contrôler la façon dont s'effectue la prise en charge naturelle? Nous reviendrons plus loin sur cette question fondamentale.

Les aléas de la collaboration

Tout en souhaitant que se développe une collaboration soutenue entre l'aide naturelle et l'aide professionnelle, de nombreux auteurs en reconnaissent cependant les difficultés. Plusieurs rappellent que l'histoire de cette collaboration est faite de tensions et de conflits (Silverman, 1982, par exemple) qui proviennent notamment de la méfiance réciproque entre professionnels et aidants naturels, à des approches et à des valeurs différentes, etc. Selon Whittaker (1983), les problèmes qui existent à ce sujet peuvent se ramener pour la plupart à des problèmes d'organisation qui pourraient trouver leur solution dans certaines modifications de structure des services institutionnels. Pour Pancoast et ses collaborateurs (1983), les choses ne sont pourtant pas aussi simples, pas plus que pour Froland *et al.* (1981) qui notent que, pour le moment, si on fait exception de quelques expériences réussies, la collaboration entre aidants naturels et professionnels se fait surtout selon des modes de conflit, de compétition, d'assimilation, ou de coexistence parallèle.

Les obstacles à cette collaboration sont nombreux. Il y a tout d'abord des problèmes pratiques comme la difficulté de faire travailler ensemble des professionnels payés et des aidants naturels bénévoles, le problème de la confidentialité concernant la situation des personnes à aider, les problèmes liés à la formation que certains professionnels aimeraient voir fournie à leurs auxiliaires bénévoles, etc. En fait, ces problèmes surgissent surtout lorsque ce sont des professionnels qui assument la coordination ou l'encadrement des systèmes de support mis en place dans le milieu. Il leur faut alors recruter des partenaires du milieu, lesquels seraient justifiés de demander une rémunération pour leur travail ou, à tout le moins, de l'envisager. Mais en leur accordant une rémunération, on les place dans une position privilégiée par rapport au reste du milieu. On court un risque analogue en leur donnant un complément de formation: celui de détruire les rapports égalitaires qu'ils sont censés entretenir avec leur milieu, et qui font d'ailleurs toute la valeur de leur contribution. Quant au problème de la confidentialité, il ne se pose pas si ce sont les personnes concernées qui décident elles-mêmes de faire appel à l'aide de leurs pairs. Mais il se présente lorsque c'est quelqu'un d'autre, par exemple le professionnel chargé du cas, qui décide d'avoir recours aux systèmes de support du milieu et doit, pour ce faire, divulguer certains éléments de la situation des personnes à aider. À notre avis, cette divulgation de faits confidentiels propres à une personne ne devrait se faire qu'avec l'approbation de l'intéressée, en respectant les choix que fait celle-ci des autres personnes à mettre dans la confidence (Blythe, 1983).

Plusieurs auteurs font aussi remarquer les différences de styles et de valeur qui existent entre l'aide naturelle et l'aide professionnelle. Comme on l'a vu plus haut, les deux types d'aide ne semblent pas tout à fait de même nature, ni ne se préoccupent des mêmes aspects des problèmes à traiter, ni n'utilisent les mêmes mécanismes pour y faire face. Les priorités ne sont pas les mêmes, les critères d'efficacité non plus, de sorte que la coopération est parfois ardue. Par exemple, selon Wowrer (1984), les professionnels ne peuvent pas travailler de façon satisfaisante dans un contexte d'entraide si leurs partenaires du milieu n'ont pas un minimum de formation académique, c'est-à-dire la possibilité d'utiliser le même langage et des références communes. Froland *et al.* (1981) vont jusqu'à parler de différence de culture entre les deux systèmes.

Par ailleurs, dans beaucoup de cas, on fait mention des tiraillements vécus par les professionnels rattachés à une institution qui essaient de s'engager dans des modes de pratiques qui n'ont pas été prévus dans leur cadre de travail. C'est d'ailleurs après avoir constaté les problèmes de ce genre rencontrés par Brodeur et ses collaborateurs (1984), qui tentaient d'expérimenter l'intervention de réseaux dans un contexte institutionnel, que le GRARSPI a été mis sur pied. Sa mission originale était justement de définir les conditions organisationnelles nécessaires pour que des praticiens rattachés à une institution puissent travailler au développement de pratiques de prise en charge par le milieu. Les travaux du groupe ont donné lieu à d'intéressantes réflexions sur le sujet, mais le problème n'a pas reçu de solution globale pour autant. Parmi les difficultés pratiques rencontrées par les praticiens désireux de s'engager davantage dans la prise en charge par le milieu, on peut mentionner les problèmes de charge de cas (la mise sur pied de systèmes de support dans le milieu exige un investissement en temps assez considérable), d'évaluation des résultats obtenus (difficile à apprécier quand les résultats sont lointains et ne concernent plus un individu, mais tout un milieu), d'horaires et de déplacements (le praticien peut être appelé à travailler en dehors du 9 à 5 traditionnel, et va voir ses «clients» dans leur milieu plutôt que de les convoquer à son bureau), etc. Les différences entre l'idéologie de la prise en charge par le milieu et la conception du fonctionnement traditionnel des institutions mettent en outre le praticien dans une situation de conflit délicate à résoudre. Ce qui en a amené certains à déclarer qu'il était pratiquement impossible de favoriser la prise en charge par le milieu à partir d'une institution, qui est plutôt vouée à l'inverse. Enfin, il y a aussi un problème de responsabilité légale en ce qui concerne les soins à fournir, lorsque ceux-ci sont confiés à d'autres que le professionnel qui est tenu d'en assumer la charge.

Mais la difficulté la plus fréquemment relevée quant aux possibilités de collaboration entre professionnels et aidants naturels reste le danger de voir l'aide dite «naturelle» déformée par l'intrusion ou l'influence des professionnels. Beaucoup d'auteurs soulignent en effet le risque que les aidants naturels qui travaillent avec des professionnels ne soient assimilés par ceux-ci, ou que les professionnels exercent une certaine domination sur les aidants naturels, imposent des modifications à leurs façons de fonctionner et à leurs normes, les privent de leur autonomie et en fassent des appendices des services institutionnels traditionnels (Guay, 1984; Gartner et Riessman, 1977, 1984; Lavoie, 1983; Romeder, 1984). Comme le fait remarquer Guay (1984), «l'aidant naturel perd toute efficacité si ses comportements d'aide cessent de faire partie de ses activités normales et quotidiennes pour devenir des activités spéciales et formalisées», à l'image de celles du professionnel. Et au lieu d'avoir des pratiques de prise en charge par le milieu, spécifiques et adaptées aux problèmes particuliers qu'elles doivent contribuer à résoudre et fonctionnant de façon relativement autonome, on risque d'aboutir à de pâles copies des pratiques professionnelles, qui n'auront plus la valeur et la spontanéité des premières et n'atteindront pas non plus l'efficacité que peuvent avoir les secondes, puisque leurs auteurs n'auront pas la formation et l'expérience requise pour pouvoir les maîtriser vraiment.

Cette question du danger d'assimilation des pratiques de prise en charge «naturelle» par les pratiques professionnelles ou institutionnelles nous amène à en soulever une autre, plus fondamentale, qui va au-delà des difficultés techniques mentionnées précédemment: celle de la contradiction interne qui semble exister dans tout modèle de pratique professionnelle voulant intégrer au rôle des professionnels, ou au mandat des institutions, le développement des pratiques de prise en charge par le milieu.

Il semble en effet y avoir une incompatibilité fondamentale entre, d'une part, l'autonomie ou le pouvoir que l'on veut reconnaître au milieu dans la mise en place de ses propres mécanismes de prise en charge et, d'autre part, le rôle que l'on voudrait aussi faire jouer aux professionnels (ou aux institutions), dans le développement de ces mécanismes, qui devraient avoir pourtant comme caractéristique essentielle le fait de *ne pas* être du ressort des professionnels ou des institutions. Les systèmes de support sociaux dits «naturels» sont-ils encore vraiment naturels lorsqu'un professionnel y introduit sa marque? Les pratiques de prise en charge par le milieu restent-elles vraiment de la prise en charge par le milieu lorsqu'elles sont soutenues ou encadrées par une institution? Ne devrait-on pas plutôt parler de prise en charge *du* milieu par les professionnels? C'est la question que pose Boucher (1985) après une analyse des réflexions poursuivies par les membres du GRARSPI, dont l'objectif, rappelons-le, consistait à étudier les conditions organisationnelles nécessaires au développement des pratiques de prise en charge par le milieu *à partir des institutions*. On pourrait voir dans cette contradiction un simple problème de vocabulaire. Mais il y a plus que cela: l'impossibilité de faire se rejoindre dans un cadre unique deux conceptions opposées du traitement à accorder aux problèmes sociaux. Il ne semble pas que les professionnels puissent, en tant que professionnels, se mêler directement du développement des pratiques de prise en charge par le milieu. Ou alors, ce n'est plus de la «vraie» prise en charge par le milieu, qui relève, par définition, du milieu. Le professionnel qui irait contre la définition se trouverait enfermé dans une double obligation contradictoire: d'une part, celle d'intervenir dans le milieu en fonction de son expertise professionnelle, d'autre part, celle de *ne pas* intervenir pour laisser le milieu libre de créer des mécanismes de prise en charge qui lui soient vraiment propres. On conviendra qu'il s'agit là d'un dilemme difficile à résoudre.

Des avenues possibles

Il ressort des considérations qui précèdent que les systèmes de prise en charge par le milieu, si l'on veut que ce soit vraiment de la prise en charge par le milieu, ne peuvent être de la juridiction des professionnels ou des institutions. Toutefois, cela ne signifie pas pour autant que ces derniers n'ont d'autre choix que de rester dans leurs bureaux à attendre les demandes d'assistance du milieu ou à regarder celui-ci évoluer sans intervenir. Il y a, à notre avis, plusieurs solutions au dilemme qu'on vient d'exposer. En voici quelques-unes.

Une première solution consisterait à reformuler le problème. Le professionnel ne devrait plus parler de s'engager dans le développement des pratiques de prise en charge par le milieu, mais plutôt dans celui des «systèmes de support non institutionnels», de manière à faire ressortir sans ambiguïté sa position en faveur de l'emprise du professionnel sur le milieu. Ce changement de vocabulaire a son importance puisqu'il dit clairement le rôle que peut jouer le professionnel à l'égard du milieu: ce rôle peut être très directif sans entrer en contradiction avec les objectifs fondamentaux du professionnel. Celui-ci est alors vu un peu comme l'expert qui diagnostique les carences du milieu et qui aide celui-ci à s'organiser pour avoir de moins en moins besoin de ses services, améliorer ses capacités de support et devenir plus efficace dans la prévention et la solution des problèmes rencontrés par ses membres. Son rôle peut alors être très actif et prendre toutes sortes de formes, pour autant qu'il s'agisse de travailler dans, sur, et avec le milieu plutôt que dans un cadre institutionnel et dans une optique individuelle: repérage, recrutement et formation d'aidants bénévoles, reconstruction d'un réseau de soutien autour d'une personne en difficulté, constitution d'un groupe d'entraide, incitation des résidents d'un quartier à des démarches collectives, assistance à des organismes communautaires, etc. Dans une telle perspective, l'aide informelle ou naturelle peut être encadrée ou supervisée par des professionnels; ceux-ci exercent une fonction d'experts, même si c'est dans une mesure variable selon les circonstances et les interventions entreprises, et même s'ils se servent de ce statut d'expert pour inciter les milieux à faire preuve d'une plus grande autonomie et à développer leurs propres ressources. Cette approche peut se justifier de plusieurs façons: volonté d'adopter une perspective écologique tenant compte du milieu dans les interventions, souci d'efficacité pour résoudre les problèmes individuels et sociaux dont une bonne partie sont liés aux déficiences des mécanismes de support dans le milieu, etc. En fait, la grande majorité des pratiques décrites dans la littérature sous l'appellation de «collaboration avec les systèmes d'entraide naturelle» paraissent se situer dans cette perspective. Cela peut aller jusqu'à confier à des professionnels particuliers la tâche de favoriser le développement de l'entraide et de la participation des citoyens aux organismes qui les concernent, sous de multiples aspects (Finlayson, 1983).

Une deuxième solution consisterait à laisser le milieu développer ses propres mécanismes de prise en charge, sans intervention directe des professionnels et parallèlement aux pratiques de ces derniers, mais avec des possibilités de concertation dans certains cas entre les deux systèmes. Les relations entre aidants du milieu et aidants professionnels se feraient donc dans un contexte égalitaire, chacun apportant une contribution propre à la solution des problèmes considérés.

Ces mécanismes de concertation peuvent être plus ou moins formels selon la nature des structures auxquelles on a affaire. Ainsi, ils le seront peut-être moins s'il s'agit de travailler avec des réseaux sociaux primaires que s'il s'agit d'établir une stratégie globale d'intervention en collaboration avec des organismes communautaires. Mais dans tous les cas, il reste essentiel que cette collaboration se fasse dans le respect de l'autonomie et des caractéristiques particulières de tous les partenaires en cause. Signalons en passant que ceux-ci peuvent retirer certains avantages de ce genre de collaboration, en plus de contribuer plus efficacement à la solution de problèmes d'intérêt commun: les aidants du milieu pourront profiter de l'expertise des professionnels en ce qui touche aussi bien l'organisation et la systématisation de leur action que l'assistance et la consultation dans le cas de situations exigeant des compétences spécialisées. Les professionnels pourront tirer profit, eux, des avancées ou des expériences nouvelles qui se font parfois plus facilement dans le contexte de la prise en charge par le milieu que dans le cadre institutionnel, qu'elles concernent les clientèles cibles ou les approches utilisées pour aider celles-ci. Le souci de concertation entre différents intervenants concernés par les mêmes problématiques, qui se manifeste depuis un certain temps dans le milieu québécois (Gendreau, 1984), s'inscrit dans cette ligne de pensée.

Une troisième solution serait d'améliorer la façon dont les services rendus par les professionnels ou les institutions répondent aux besoins du milieu en les plaçant plus directement et plus explicitement sous la responsabilité des collectivités locales. Celles-ci devraient alors définir leurs priorités en matière de services de même que le type d'aide spécialisée dont elles peuvent avoir besoin en collaboration avec les ressources dont elles disposent déjà. Ici, ce serait vraiment de la prise en charge, par le milieu, des solutions à apporter aux problèmes locaux, et cette prise en charge irait jusqu'à englober les services spécialisés fournis par les professionnels. Uttley (1983) rapporte une expérience de ce type faite avec succès dans une communauté de Nouvelle-Zélande. Le mode d'organisation de services élaboré par Hadley (1984) n'est pas loin de cette approche. C'est aussi dans une certaine mesure l'idéologie qui est à la base de l'intervention de réseaux expérimentée par Brodeur et ses collaborateurs (1984) lorsqu'il est question de récupération, par le collectif des réseaux primaires, du pouvoir de régler ses problèmes et de formuler son propre projet de vie. Enfin, on retrouve aussi une préoccupation de ce genre, même si elle ne débouche pas sur des propositions de solutions concrètes, dans les réflexions entreprises par le GRARSPI. Il faut noter que la mise en œuvre de cette approche dans une société comme la nôtre exigerait des transformations assez importantes du fonctionnement de certains de ses éléments: plus grande décentralisation des services institutionnels, meilleure organisation des collectivités locales et création de mécanismes de gestion différents pour faciliter les échanges d'information au sujet des problèmes existant dans le milieu et des ressources disponibles, véritable participation des citoyens aux décisions relatives aux services qui leur seraient offerts, et collaboration réelle entre aide naturelle et aide professionnelle. La philosophie qui a présidé à la création des CLSC allait un peu dans ce sens.

Selon la quatrième possibilité que l'on peut entrevoir, l'apport du professionnel ne résiderait pas dans une action directe sur les systèmes de prise en charge par le milieu, mais plutôt dans la mise en place des conditions qui sont nécessaires pour que ces systèmes puissent émerger et se développer. On peut faire à ce sujet un parallèle avec l'autonomie individuelle. S'il est impossible, par définition, d'aider quelqu'un à être autonome, on peut lui faciliter les choses en l'aidant à acquérir ce qui lui est nécessaire pour se comporter de façon autonome: compétences, connaissances, assurance, etc. D'une façon analogue, les professionnels peuvent outiller les collectivités locales et faire en sorte qu'elles soient éventuellement en mesure de développer les mécanismes requis pour la prise en charge de leurs problèmes. Il s'agirait ici d'un travail de prévention qui devrait s'appuyer sur l'identification préalable des conditions requises pour l'apparition et la consolidation de pratiques de prise en charge dans un milieu donné, en tenant compte des caractéristiques particulières de ce milieu: type de tissu social, nature des interactions, infrastructure démographique, géographique et physique, etc. Il reste à faire beaucoup de recherches sur cette question, même si des études comme celles de Warren et de ses collaborateurs (1981) sur les réseaux sociaux apportent déjà un peu de lumière sur les comportements d'entraide dans différents types de milieu. On peut cependant faire certaines hypothèses quant aux dimensions qui pourraient alors retenir l'attention des professionnels: qualité des communications et circulation de l'information, motivation à développer ses propres ressources, confiance en soi, connaissances des problèmes des individus et des solutions possibles, par exemple. L'assistance des professionnels pourrait aussi prendre la forme de services ponctuels bien concrets: locaux pour des rassemblements, diffusion d'informations écrites, etc. Sous certains aspects, cette approche toucherait un peu à l'organisation communautaire.

En conclusion, vouloir que les professionnels ou les institutions prennent l'initiative de favoriser le développement des pratiques de prise en charge par le milieu crée un paradoxe auquel on ne peut échapper. Ou bien il faut cesser de croire qu'il s'agit de «prise en charge par le milieu» dans le sens strict de cette appellation et admettre que l'on fait de la «prise en charge *du* milieu», ou bien il faut que les professionnels acceptent, d'une façon ou d'une autre, de ne jouer qu'un rôle marginal par rapport à ces pratiques, en laissant au milieu l'initiative et la responsabilité de ses propres modes de prise en charge. La plus grande contribution que les professionnels peuvent faire à ce sujet nous semble résider dans l'ouverture qu'ils peuvent manifester aux initiatives du milieu, ainsi que dans la collaboration dont ils peuvent faire preuve dans le développement et l'utilisation de mécanismes de concertation avec leurs partenaires du milieu.

III

LA RECHERCHE-ACTION-FORMATION: UN OUTIL DE PRISE EN CHARGE PAR LE MILIEU

Qu'on voit en elle une philosophie ou une méthodologie d'action, la PCM n'a de sens que dans le cadre de l'intervention auprès d'une population. Les chapitres précédents ont montré comment les courants de pensée sociale tout aussi bien que les faiblesses du réseau étatique des établissements ont favorisé la résurgence des initiatives communautaires et des réseaux de soutien naturel. Mais qu'en est-il du développement des organisations qui servent de support et d'encadrement à la PCM? Il semble bien que, depuis quelques décennies, la recherche et la formation en soient devenues des instruments privilégiés. La question qui se pose alors est de savoir dans quelle mesure la recherche et la formation favorisent la prise en charge par le milieu.

Partons d'abord d'un constat. Fortement influencée par les pratiques qui ont cours dans les universités et les entreprises, la recherche dans les organisations sociales et communautaires en a adopté les méthodes et les modes de fonctionnement. À l'aide d'un appareillage technique sophistiqué — échantillonnage, questionnaires, analyses statistiques et informatisées — des chercheurs spécialisés fixent les objectifs de la recherche, formulent les hypothèses à partir de la littérature sur le sujet, choisissent les variables, déterminent la procédure de cueillette de données, analysent les résultats et dégagent les conclusions. Ces conclusions sont remises entre les mains des gestionnaires qui en arrêtent l'usage. Là comme ailleurs, le personnel des établissements ne joue que deux rôles principaux: servir de sujet ou d'objet de recherche et adapter son travail aux changements introduits par les gestionnaires supérieurs ou intermédiaires à partir des résultats de la recherche. Il y aurait beaucoup à dire sur l'impact et l'utilité de ces recherches. Mentionnons simplement quelques effets que l'expérience nous a permis d'observer. Nombre d'intervenants se désintéressent souvent des résultats de la recherche, même si on prend soin de les leur remettre, ce qui est loin d'être toujours le cas. De plus, un certain nombre de recherches, surtout évaluatives, demeurent inachevées, d'autres demeurent inappliquées, d'autres encore sont implantées malgré la résistance plus ou moins forte de ceux qui ont servi de matière brute à défaut d'avoir pu contribuer de leur «matière grise».

Quant au perfectionnement du personnel, contrairement à la recherche, il n'a pas été la prérogative des seuls spécialistes et gestionnaires. L'initiative s'est manifestée à tous les paliers des organismes du réseau de la santé et des affaires sociales. Le développement des cours de perfectionnement a pris une ampleur considérable et le financement en est largement assuré. Dans les organismes communautaires à but non lucratif, par contre, le budget de formation est souvent inclus dans les frais généraux d'administration et il devient un des premiers postes sacrifiés lorsque surviennent des difficultés financières. Dans l'ensemble, la formation en milieu de travail a pour caractéristiques principales de s'adresser aux individus plutôt que de mobiliser l'organisme tout entier (une institution ne va pas à l'école); d'être morcelée tant dans ses formes (formation sur le tas, formation scolaire créditée, perfectionnement interne non crédité) que dans ses contenus (cours nombreux sur des sujets divers et laissés au libre choix des personnes); d'être souvent mal intégrée aux objectifs tant de l'organisme que du plan de carrière personnel; et enfin, de demeurer partielle, en donnant nettement la priorité à l'acquisition de connaissances et en reléguant au second plan le développement des aptitudes, le changement des attitudes et des mentalités par la prise de conscience.

Dans les organismes qui pratiquent la gestion participative, ce portrait général doit être retouché: l'implantation des résultats de la recherche et l'organisation des programmes de formation y sont généralement plus efficaces. De plus, la reconnaissance de l'autonomie professionnelle dans certains organismes sociaux permet au personnel de disposer d'une marge d'initiative et d'utiliser son jugement dans son travail courant. Pourtant, là aussi, les questions qui relèvent habituellement de la recherche sont loin d'avoir leur juste place.

Ce sont les lacunes de cette situation où la recherche est centralisée, spécialisée et, en bonne part, bureaucratisée, et où la formation est trop morcelée et individualisée, que la recherche-action-formation cherche à combler. Pour notre part, nous croyons que «dans tout être humain sommeille un chercheur» et que ce dernier, dans le cadre de son action quotidienne, en vient à se poser des questions qui sont des sujets de recherche tout à fait valables. Ainsi, plusieurs intervenants et même des bénéficiaires dans le secteur de la santé mentale se posent des questions: comment définir la santé mentale? d'où vient la folie? quel rôle devrait jouer chaque organisme dans la chaîne des interventions? La recherche-action-formation permet de transformer ces acteurs en chercheurs qui s'interrogent sur leur propre action et leur propre environnement. Ils peuvent devenir des maîtres d'œuvre et des partenaires de recherche dans la mesure où les universitaires qui collaborent avec eux acceptent de partager les fonctions à accomplir et de se définir comme formateurs et agents de support et d'encadrement.

C'est ce qu'illustrent cinq projets de recherche-action-formation qui, de 1980 à 1986, ont donné corps à la question de la prise en charge par le milieu. Ces projets ont été réalisés grâce à la collaboration de collègues universitaires qui ont joué le rôle de directeurs de projets, d'analystes ou d'auxiliaires de recherche, et également d'un certain nombre d'intervenants et de gestionnaires appartenant à des établissements du réseau de la santé et des services sociaux, à des ressources alternatives en santé mentale ainsi qu'à des organismes communautaires œuvrant à la réintégration au marché du travail. Deux de ces projets ont été complétés; les trois autres n'ont été qu'amorcés.

L'analyse du processus de recherche-action-formation qui s'est-élaboré dans chacun des deux projets complétés a donné lieu à deux rapports particuliers qui en présentent une première articulation (GRARSPI, 1985; Beausoleil, 1986 et Viens, 1987; École de service social de l'Université de Montréal). La méthode de travail utilisée dans ces projets a constitué un outil de prise en charge par le milieu et a favorisé l'intégration de la recherche et de la formation à l'action menée par les intervenants eux-mêmes. Précisons pour éviter toute ambiguïté que, dans le cas présent, les projets se référaient à la prise en charge par le milieu tant au plan du contenu qu'à celui de la méthodologie de travail. Mais cette méthodologie vaut, selon nous, pour l'exploration de n'importe quelle autre dimension sociale. C'est ce dernier aspect seul qui nous intéresse ici.

Dans le présent chapitre, nous ferons d'abord une brève présentation des projets en question et nous en analyserons ensuite les dimensions principales en suivant les étapes du processus général de la recherche-action-formation: la gestation du projet, qui correspond dans l'ensemble à la phase de la planification; les objectifs spécifiques et la structure du projet; le déroulement du projet et sa dynamique interne; les résultats obtenus ainsi que les perspectives d'avenir.

Les projets

Formé de trois chercheurs universitaires et de neuf gestionnaires de la base dans des organismes du champ de la santé mentale et des services sociaux, le GRARSPI s'était donné comme mandat initial d'étudier les conditions qui pourraient favoriser l'implantation de la pratique de réseaux dans des établissements de nature institutionnelle. Caractérisée par une prise en charge collective et autonome des problèmes par les individus concernés, la pratique de réseaux se présentait comme une alternative aux pratiques de prise en charge professionnelles et institutionnelles et elle remettait en question les modes d'organisation et de gestion dans les établissements (Brodeur et Rousseau, 1984). Son implantation dans les milieux institutionnels intéressait donc les membres du GRARSPI qui voulaient en expérimenter la diffusion par la méthode de la recherche-action, c'est-à-dire en y mêlant les gestionnaires chargés d'assurer l'encadrement de cette nouvelle pratique.

Devant le peu d'équipes de praticiens formés et intéressés à l'exercice de cette nouvelle pratique, le GRARSPI opta alors pour un élargissement de son champ d'étude et s'intéressa à l'analyse du développement de différentes formes de pratiques axées sur la prise en charge par le milieu, la pratique de réseaux en étant une forme particulière. C'est ainsi que neuf projets d'intervention, caractérisés par une tentative commune d'expérimenter une approche centrée sur la PCM et encadrés par des gestionnaires membres du GRARSPI, firent l'objet d'un projet de recherche-action qui allait se poursuivre sur une période de quatre ans.

Durant ces années, le GRARSPI va explorer, au cours de rencontres continues, la nature des pratiques de prise en charge par le milieu, les courants de pensée qui en ont favorisé l'éclosion ainsi que les conditions organisationnelles propices à leur implantation dans les établissements du réseau des affaires sociales. En fait, le groupe allait chercher à répondre à la question suivante: dans quelle mesure les services sociaux étatisés pouvaient-ils se réformer de l'intérieur pour favoriser l'usage chez les intervenants de pratiques axées sur la prise en charge par le milieu comme alternative à l'intervention individuelle de nature clinique? En d'autres mots, les services sociaux pouvaient-ils s'orienter vers une forme de désinstitutionnalisation similaire à celle déjà amorcée par le secteur psychiatrique au Québec? Ces travaux feront l'objet d'un rapport de recherche en trois volumes sous le titre générique de *Les pratiques de prise en charge par le milieu* (Mayer, Larivière, Boucher, 1985).

À mesure que la réflexion du GRARSPI progressait, il devenait de plus en plus évident que la réforme des services sociaux serait lente et difficile, mais que, en revanche, elle serait favorisée, sinon inspirée, comme en psychiatrie, par l'émergence graduelle de groupes d'entraide, de groupes d'intervention communautaire et de ressources alternatives, et ce pour l'ensemble des problèmes en cause dans les services sociaux. Déjà en 1982, cette constatation prenait forme dans la démarche du GRARSPI. C'est alors que certains directeurs et certaines directrices des Ressources alternatives en santé mentale de la Montérégie — Rive-Sud de Montréal — s'adressèrent au GRARSPI pour lui demander de faire avec eux une démarche semblable de recherche-action-formation pour les aider à se définir en tant que ressources alternatives et à mieux se situer par rapport aux organismes de planification gouvernementale. Une telle demande arrivait à point nommé: elle apparaissait au GRARSPI comme un net prolongement des travaux de recherche déjà en cours.

La gestation de ce deuxième projet exigera deux années complètes, de janvier 1983 à janvier 1985, date à laquelle vont débuter les rencontres des groupes analyseurs pour se terminer en août 1986. Un premier rapport sur la méthodologie de la recherche-action-formation utilisée au cours de ce projet paraîtra en août 1986, et le rapport du contenu analytique en mai 1987 (Beausoleil, 1986, et Viens, 1987).

Deux autres projets furent mis sur pied d'une façon autonome par les intervenants du milieu en même temps que se déroulait le projet précédent dont ils constituaient, à leur tour, un prolongement direct. Au cours de colloques sur la santé mentale et de rencontres dans le cadre du Regroupement provincial des ressources alternatives en santé mentale, l'expérience qui se poursuivait en Montérégie devenait de plus en plus connue. La nature régionale de celle-ci intéressa les organismes de base en santé mentale des régions connexes — la Mauricie-Bois-Francs ainsi que l'Estrie — qui adressèrent eux aussi une demande à la même équipe universitaire. Dans chacune de ces deux régions, les organismes de base issus de la communauté se regroupèrent, en décembre 1985. Mais le retard dans la production du rapport du projet RASM ainsi que le changement de gouvernement à Québec allaient interrompre les deux projets, qui ont fait l'objet d'un rapport d'étape et d'une nouvelle demande de subvention.

Le cinquième projet concerne les organismes œuvrant à la réintégration au marché du travail (RMT). Il a une histoire fort différente, caractérisée par un renversement de méthodologie. Le Groupe d'analyse des politiques sociales de l'École de service social de l'Université de Montréal (le GAPS) avait réalisé de 1982 à 1985 un projet de recherche, à l'aide de récits de vie, sur les modes de débrouillardise sociale des jeunes en période de sous-emploi. À la suite de la publication de ses travaux, le GAPS obtint une subvention du ministère de la Santé et du Bien-être du Canada pour diffuser les résultats de la recherche sous forme de textes, de vidéos, etc., auprès des intervenants dans le même secteur. Pour mener à bien cette tâche, le professeur qui avait dirigé les quatre projets mentionnés plus haut et qui était responsable de celui-ci décida de recourir à la méthode de recherche-action-formation. Le projet fut proposé à divers organismes communautaires et parapublics (les services externes de main-d'œuvre: SEMO) travaillant à la réintégration sur le marché du travail des sans-emploi. Neuf organismes du milieu y participèrent. La planification débuta en mai 1985 et les rencontres se terminèrent en mars 1986. Le projet fut également interrompu par l'élection d'un nouveau gouvernement provincial. Des démarches sont toujours en cours au sujet de sa survie.

La gestation du projet

La gestation est la première phase de tout projet d'action, son lent mûrissement. Dans le cas des deux projets principaux qui nous occupent, il s'est passé deux ans entre la demande initiale et le début des rencontres. D'aucuns seraient tentés de croire pourtant que cette étape est secondaire et qu'il n'est pas besoin d'en faire une longue description. À notre sens, cependant, tous les acteurs doivent considérer qu'un projet de recherche-action-formation débute au moment précis où l'intervenant du milieu ou l'universitaire formule le désir d'entreprendre en collaboration avec l'autre une réflexion qu'ils veulent continue et systématique sur un phénomène dans lequel l'un et l'autre se sentent directement engagés. En ce qui concerne nos deux principaux exemples, la phase de planification s'est révélée capitale. Dans le premier cas, en effet, des modifications importantes furent apportées à la demande initiale dès cette étape (GRARSPI); la survie du projet des ressources alternatives (RASM), pour sa part, fut menacée à deux reprises au cours de sa phase initiale.

La phase de planification a un caractère dynamique et mouvant qui la rend peu saisissable. Il est pourtant essentiel de rendre compte de ses principaux aspects. Nous le ferons en suivant les tâches essentielles qui doivent s'accomplir pendant cette phase: clarification des objectifs généraux des projets et de la motivation des partenaires; recrutement des organismes et des participants individuels; et financement du projet.

Objectifs généraux et motivation des partenaires

En général, on considère que la recherche fondamentale et, jusqu'à un certain point, la recherche appliquée sont du ressort des universitaires tandis que la recherche-action-formation relève de l'initiative des praticiens. Dans une telle perspective, le choix du type de recherche ne pose pas de problème majeur. La réalité a été tout autre dans notre cas: c'est l'équipe universitaire qui opta pour la méthode de recherche-action-formation et, chose curieuse, on découvrit que celle-ci comportait des risques pour chacune des deux parties.

Du côté de l'équipe universitaire, les risques étaient les suivants: ne pas être en mesure de contribuer au développement de connaissances nouvelles de nature fondamentale sur la prise en charge par le milieu, ne pas obtenir de reconnaissance de la part de la communauté scientifique qui valorise davantage la recherche quantitative calquée sur le modèle des sciences naturelles, ne pas satisfaire aux critères d'évaluation utilisés par les organismes de promotion de l'université et, enfin, s'imposer des difficultés dans l'obtention des subventions. Pour les praticiens, les risques étaient ceux-ci: la difficulté de surmonter la dichotomie opposant chercheurs universitaires et praticiens du terrain, la crainte d'être accusés tant par la communauté scientifique que par la communauté professionnelle d'un manque de rigueur et d'objectivité, le danger qu'une démarche de nature collective soit perçue comme une menace par les organismes de planification et, enfin, le risque que les résultats soient récupérés par les organismes gouvernementaux pour imposer rapidement des normes rigides d'évaluation. Ces craintes n'étaient pas totalement dépourvues de fondement puisque, comme nous le verrons plus loin dans ce texte, il y eut, d'une part, les problèmes de subventions, et, d'autre part, des complications entre les directeurs de ressources et le CSSS-Montérégie.

Lorsque le choix initial est fait par l'équipe universitaire, on voit qu'il oriente la démarche générale. Il est donc important d'identifier ceux qui sont à l'origine du projet, car ce sont eux qui proposent les orientations de départ et la méthode de travail qui orientera le choix des collaborateurs et le rôle qu'ils joueront dans le projet. Bien qu'en général la demande qui donne lieu à une recherche-action naisse des organismes du milieu, nous avons connu pour notre part trois situations différentes: le projet est mis sur pied par l'équipe universitaire, ce qui fut le cas pour le GRARSPI et la RMT; le projet fait suite à une demande explicite d'organismes du milieu, telles les RASM; le projet découle d'un intérêt réciproque et concomitant des deux parties, ce qui fut le cas des OBSM. Mais quelle que soit la source du projet, les mêmes étapes devront être franchies par la suite. Le cheminement pourra toutefois être fort différent tout autant que la nature des rapports qui s'établiront entre les partenaires. Ainsi, dans le cas du GRARSPI, l'équipe universitaire disposait d'une subvention de recherche pour cinq ans, ce qui lui donnait automatiquement le pouvoir de fixer les orientations du projet, de choisir la méthode de travail ainsi que les collaborateurs utiles à sa réalisation, bref, d'exercer le leadership. Cependant, elle décidait assez rapidement d'entrer en contact avec certains organismes de services sociaux et de santé pour vérifier si ses préoccupations rejoignaient les leurs et voir quel type de collaboration ces organismes étaient prêts à apporter, prenant ainsi le risque d'avoir à introduire des modifications importantes dans ses formulations initiales.

C'est effectivement ce qui se produisit. Des contacts et une rencontre avec des représentants de la direction générale des établissements du réseau des affaires sociales — CH, CLSC et CSS — amenèrent l'équipe universitaire à élargir son champ de recherche pour se centrer sur les pratiques de prise en charge par le milieu. Or, elle constata que certains interlocuteurs n'étaient pas prêts à faire équipe avec des universitaires pour entreprendre une recherche-action-formation sur les conditions organisationnelles propices au développement des pratiques de prise en charge par le milieu. Cela, tant en raison des divergences sur la désinstitutionnalisation que du désir de ne pas mêler des agents extérieurs, en l'occurrence l'équipe universitaire, aux problèmes complexes de la gestion.

L'équipe universitaire décida alors de vérifier ses orientations auprès des cadres de la base. À nouveau, elle constata que le sens donné à «l'intervention de réseaux» était si large qu'il rejoignait la vision des cadres supérieurs concernant la prise en charge par le milieu. Par contre, à la base, les gestionnaires préféraient nettement participer à un projet de recherche-action-formation plutôt qu'à une étude empirique traditionnelle. Ce processus donna naissance au GRARSPI. Ce fut l'équipe universitaire qui, dès lors, dégagea les lignes générales de la problématique, fixa les critères de choix des organismes et des individus participants et en assura le recrutement.

Il en fut tout autrement dans le cas des RASM. Cette fois, ce furent quelques directeurs qui déposèrent la demande auprès de l'équipe universitaire. Porte-parole des autres organismes, ils se rendaient responsables d'établir le contact avec d'autres maisons de même nature, d'expliciter les objectifs qu'ensemble ils désiraient réaliser et de vérifier leur intérêt pour travailler avec l'équipe universitaire. De son côté, l'équipe universitaire qui en était à mi-chemin du projet GRARSPI, devait vérifier auprès de ses premiers partenaires leur intérêt pour cette nouvelle demande ainsi que le rôle qu'ils désiraient jouer dans la poursuite de tels projets. Une autre différence majeure distinguait les RASM du GRARSPI: dans le premier cas, aucune subvention de recherche ne préexistait à la demande. Il fallait donc que les deux parties unissent leurs efforts pour assurer le financement du projet. Au départ, le leadership se trouvait donc déjà partagé et, par la suite, toutes les décisions furent prises après négociation entre deux groupes de partenaires ayant chacun son autonomie.

Le choix de la recherche-action-formation comme méthode de travail aussi bien que les démarches entreprises par le groupe initiateur amènent les partenaires à formuler les objectifs généraux et les motifs qui les poussent à travailler ensemble. Plus ou moins forte du côté de la partie sollicitée au départ, la motivation généralement s'intensifie chez les deux parties à mesure que le projet avance. Par contre, certaines motivations ne deviennent explicites qu'en cours de réalisation du projet. Enfin, il n'est pas toujours facile de nourrir et de maintenir chez les divers partenaires une motivation suffisante pour que le projet se rende à terme.

Nous pouvons résumer ainsi les objectifs généraux recherchés par l'équipe universitaire: tout d'abord, en collaboration avec des praticiens du milieu considérés comme des partenaires, élaborer un modèle de pratique axée sur la prise en charge par le milieu et définir les conditions organisationnelles favorables à son implantation et à sa diffusion dans les services sociaux et communautaires; ensuite, développer et valider la recherche-action comme outil de formation collective dans le champ de l'intervention sociale; et, enfin, contribuer directement au changement dans les pratiques d'intervention et de gestion dans le secteur de la santé et des services sociaux. Du côté des praticiens, les motivations semblent plus diversifiées et plus complexes selon le contexte qui caractérise chaque projet et selon les rapports qui s'établissent entre les organismes et les personnes choisies pour participer au projet. Évidemment, plus ces rapports sont étroits et coordonnés, plus les objectifs généraux et la motivation des établissements pour participer à de tels projets coïncident avec ceux des individus eux-mêmes, mais tel n'est pas toujours le cas. Certains organismes retirèrent leur représentant du projet, contre le désir de ce dernier, parce qu'ils considéraient que le projet ne répondait plus à leurs attentes. D'une façon plus précise, les praticiens et les organismes du milieu évoquaient les objectifs généraux suivants: d'une part, poursuivre une réflexion critique sur leurs pratiques d'intervention et tracer les lignes directrices de changements à introduire sinon à court terme, du moins à moyen et long termes. Quelques organismes désiraient que le projet élabore rapidement des plans opérationnels de réorganisation tant des pratiques que de la gestion. D'autre part, ils souhaitaient mieux se définir en tant qu'organismes communautaires et alternatifs pour résister aux visées uniformatrices des organismes de planification.

Comme on peut le constater, il s'agit là des deux axes fondamentaux du développement organisationnel. Dans chacun des projets, en effet, les groupes sentaient le besoin de réviser leurs pratiques et de mieux se définir, c'est-à-dire de préciser leur mission, de faire ressortir les caractéristiques propres de leur intervention et de leur gestion ainsi que les résultats de leur action. Pour ce qui est des participants eux-mêmes, ils ajoutaient, premièrement, le désir de sortir de leur isolement et de vérifier leur propre philosophie d'intervention et de gestion en la comparant à celle d'autres personnes œuvrant dans le même secteur; et, deuxièmement, leur souhait d'acquérir des connaissances nouvelles, des moyens d'action neufs et une perspective plus large de leur travail. Engagés au plan de l'action, ces individus cherchaient à demeurer alertes au plan de la pensée. La formation représentait alors un motif important.

La motivation des individus ainsi que leur efficacité tenaient en partie au support donné par l'établissement. Lors du premier projet, cet aspect fut plus ou moins escamoté. Par la suite, il devint une priorité dans la phase de planification: chaque individu, de quelque échelon que ce soit dans l'organisation, était encouragé fortement à obtenir le support tant de ses supérieurs que de ses collègues ou de ses employés pour assurer une participation stable et continue aux rencontres ainsi que l'accès aux informations nécessaires à des interventions efficaces au sein du groupe.

L'expérience nous permet de distinguer trois formes d'appui donné par la direction des établissements aux individus qui participaient aux rencontres: l'approbation d'une initiative personnelle, le support au projet ou la remise d'un mandat. Quatre critères peuvent être utilisés pour vérifier chacune de ces formes d'appui: l'objectif de la direction, le paiement des frais de déplacement et de séjour, l'accessibilité de l'information et la diffusion des résultats.

Dans le cas d'une initiative personnelle, la direction n'intervient pas. L'individu, soit de son propre chef, soit après entente avec son supérieur immédiat, accepte, selon l'autonomie relative que lui laissent son travail et l'attitude de l'établissement, de participer aux travaux surtout par intérêt personnel, quitte à remettre son temps et à assumer ses frais. Il apporte au groupe ses connaissances et est en mesure de diffuser dans son entourage immédiat les acquis de sa participation à la recherche. S'il y a support, la direction se montre favorable au projet et accepte qu'un de ses employés y participe à titre personnel, soit dans le cadre de la marge d'autonomie qu'exige la définition de la tâche, soit dans le cadre d'une politique de formation. L'établissement assume les frais inhérents à cette participation, sans pour autant s'engager à intégrer formellement les résultats de la recherche dans son fonctionnement. La direction peut, cependant, demander périodiquement des renseignements sur la marche des travaux afin d'évaluer l'à-propos de cette participation. L'individu garde quand même l'entière responsabilité de l'intégration des acquis à son travail et de leur diffusion dans l'établissement, en sachant qu'elle ne sera pas contrecarrée par la direction.

Lorsqu'il y a un mandat émis par la direction, l'individu peut faire profiter le groupe de RAF de sa propre expérience, mais il doit également apporter à l'établissement les résultats de l'expérience dans le but de les intégrer à ses propres politiques. Le temps et les frais sont assumés par l'organisme. Une telle situation favorise grandement l'accès à l'information interne pour l'individu et, en retour, la diffusion des résultats dans l'établissement lui-même.

Le type de mandat peut exclure la participation de la direction supérieure des rencontres, comme dans la plupart des projets, ou ne pas l'exclure, comme dans le cas des RASM, où les représentants des conseils d'administration des organismes formèrent un groupe. Évidemment, ce dernier mode assure une plus grande stabilité au projet.

Mentionnons en terminant que chaque individu et chaque organisme ne s'engageaient définitivement à faire partie du projet qu'après avoir participé à la phase de planification, généralement de trois mois.

Le choix des organismes et des individus

Le choix des organismes et des individus constitue une opération importante de la phase de planification, tout comme probablement le choix de l'équipe universitaire pour les organismes du milieu. Des facteurs qui déterminent ce choix, nous retiendrons les suivants: la taille optimale souhaitée pour le groupe, le promoteur du projet, l'homogénéité ou l'hétérogénéité recherchée.

Dans le cas des projets qui nous occupent ici, le nombre de participants ne devait être ni trop petit, pour assurer la richesse et la diversité des échanges, ni trop grand, pour favoriser une participation raisonnable de tous. Le nombre idéal fut fixé à environ douze participants. Par la suite, le projet de RMT réussit à regrouper seulement huit organismes pour la phase d'élaboration de la problématique, sans conséquences néfastes.

En ce qui concerne la mise sur pied du projet, le recrutement des organismes est nettement différent selon que l'initiative est prise par des organismes du milieu ou par l'équipe universitaire. Dans ce second cas, l'équipe doit fixer les critères du choix des participants en fonction de ses objectifs généraux, quitte à les ajuster à mesure que le recrutement avance. Tel fut le cas pour le projet GRARSPI. Dans le cas où la demande vient du milieu, celui-ci garde la responsabilité du recrutement des organismes. L'équipe universitaire devient alors personne-ressource. Mais quelle que soit la situation, les promoteurs doivent fixer leurs propres critères et les faire connaître.

Le cas de Mauricie-Bois-Francs est intéressant à cet égard.

Le recrutement des organismes s'était fait d'une façon «improvisée et spontanée» auprès de tout organisme en contact avec la détresse émotionnelle, qu'il s'agisse d'écoute téléphonique, de prévention du suicide, de réintégration au marché du travail, de groupes d'entraide pour les ex-psychiatrisés, de certains centres de bénévolat, d'un collectif pour femmes, d'un centre de réadaptation au travail pour handicapés, d'une association de familles d'accueil et d'un bureau régional de l'Office des personnes handicapées du Québec (OPHQ). Cette hétérogénéité était susceptible de créer certains problèmes au moment de définir les objectifs du projet et de soulever plus tard des protestations de la part de groupes oubliés qui ne peuvent plus s'intégrer une fois le projet en marche. Le groupe développa alors un cadre plus systématique de recrutement basé sur certains critères. Cette opération se révéla fructueuse: elle objectiva la démarche et élargit le champ du recrutement.

L'hétérogénéité des groupes, ensuite, peut présenter l'avantage d'une plus grande richesse dans les interventions, mais elle rend l'analyse nettement plus complexe, compte tenu de la diversité des pratiques et des contextes où elles s'exercent. Dans le cas du GRARSPI, cette hétérogénéité était recherchée mais, par la suite, on a pu constater, dans le cadre du projet des RASM, qu'une plus grande homogénéité présentait de nets avantages. C'est ainsi que, en collaborant avec des maisons dont la mission était semblable, toutes situées dans une même région géographique et administrative (La Montérégie, région 6c) et représentées par des personnes toutes situées à un même palier de gestion pour chaque groupe de participants, l'équipe universitaire constata une plus grande facilité dans la fixation des objectifs spécifiques, une plus grande maîtrise des facteurs en jeu, une plus grande rapidité dans la réalisation du projet et une plus grande cohésion du groupe, du moins sur le plan interinstitutionnel. Il faut noter également que, dans le cas du GRARSPI, la taille des institutions ainsi que la disparité dans le pouvoir d'influence des individus sur leur organisme, bien que leur titre les situât approximativement au même palier de gestion, amenuisèrent l'impact d'un tel projet dans l'action.

Enfin, un critère demeura constant au cours de tous ces projets: deux personnes en relation d'autorité au sein d'un même organisme ne pouvaient participer aux rencontres d'un même groupe puisque l'approche utilisée dans le projet ne permettait pas de traiter ni de résoudre les conflits latents ou réels internes à l'organisme. De plus, comme l'analyse allait porter sur la gestion de l'organisme et qu'elle se voulait un outil de formation, il était important que chacun fût à l'aise pour intervenir dans les échanges.

Le financement du projet

Il arrive assez souvent que, dans les rapports de recherche-action ou de formation, on escamote la question du financement ou qu'on la traite très rapidement et d'un point de vue purement technique. Or, non seulement l'argent est évidemment nécessaire pour réaliser de tels projets, mais le processus employé pour obtenir les fonds fait partie intégrante de la démarche de recherche-action-formation car il affecte la motivation des partenaires, le partage des rôles ainsi que la continuité des projets.

La première question qui se pose à propos du financement est de savoir à qui il appartient de rechercher les fonds nécessaires. Dans le cas où l'équipe universitaire dispose d'un fonds de recherche au moment où elle entre en contact avec les organismes du milieu, on pourrait croire que ces derniers auraient mauvaise grâce de ne pas participer à de tels projets. Il leur faut quand même apprécier la valeur du temps investi tant en fonction des objectifs que des plans de formation de leur organisme. Lorsque les organismes du milieu doivent conjuguer leurs efforts pour obtenir des subventions, le partenariat s'en trouve d'autant intensifié, sans compter que la démarche permet d'emblée d'approfondir des questions fondamentales concernant la recherche-action-formation.

La question du financement met également à nu le rôle des partenaires. Dans tous les projets concernés, même ceux où la demande venait du milieu, c'est l'équipe universitaire qui prit la responsabilité de présenter de façon formelle les demandes auprès des organismes subventionnaires. La subvention étant par la suite attribuée à l'équipe universitaire, c'est le directeur du projet en collaboration avec les services administratifs de l'université qui était responsable de la gestion du budget. L'équipe universitaire n'a jamais présenté à ses divers partenaires des rapports périodiques sur la gestion de la subvention dans aucun des projets. On a plutôt répondu, à l'occasion, aux questions sur la disponibilité des fonds pour réaliser certaines opérations ou certaines activités. Cette façon de procéder n'a pas donné lieu à des difficultés majeures, mais une plus grande transparence aurait sans doute été préférable.

Par ailleurs, les difficultés rencontrées dans l'obtention des fonds paraissent principalement provenir du statut de la recherche-action-formation auprès des organismes subventionnaires ainsi qu'au morcellement des structures de financement de la recherche et de la formation. Certaines sources furent pratiquement éliminées. D'abord, les organismes communautaires eux-mêmes, car ils ne disposent d'aucun fonds réservé à la recherche. Pour ce qui est des budgets de formation, ils sont noyés dans le budget de l'administration générale et ils sont plutôt réservés à la formation des intervenants qu'à celle des gestionnaires.

Furent également éliminés les organismes subventionnaires de la recherche fondamentale en sciences humaines, tels que le Conseil québécois de la recherche sociale et le Conseil des recherches en sciences humaines du Canada, auprès de qui, selon notre perception, la recherche-action-formation a peu de crédibilité et de reconnaissance.

Pour le projet des RASM, le service de formation-réseau de la direction des relations de travail du MSSS apparut comme une source plausible de support mais le morcellement des structures où la recherche, la formation et le développement institutionnel relèvent d'unités administratives diverses conduisit à un refus lors de la première demande de subvention. Le service proposait en effet de scinder le projet en ses composantes, principalement recherche et formation, pour le rendre conforme aux politiques des diverses instances de subvention. On dut alors refuser cette proposition, car on en était encore au premier stade d'expérimentation d'une méthode qui repose justement sur l'intégration de ces éléments fondamentaux.

Deux ans plus tard, cependant, grâce aux efforts soutenus du service de formation-réseau et du service de santé mentale, le projet était accepté par le comité des priorités du MSSS. Un tel laps de temps a pour effet de miner la motivation des partenaires de même que la survie des équipes universitaires.

Les objectifs spécifiques et la structure des projets

La structure des projets constitue l'encadrement nécessaire à la réalisation des objectifs spécifiques. C'est pourquoi nous les traiterons dans la même section de ce chapitre.

Les objectifs spécifiques

Les objectifs spécifiques doivent exprimer les résultats concrets qu'on désire atteindre dans un délai donné. Tout en servant de schéma pour l'organisation des activités, la formulation des objectifs spécifiques par les partenaires joue un rôle majeur dans l'instauration du climat de confiance et de la relation de partenariat entre eux. Diverses embûches rendent cette opération difficile. Il faut d'abord expliciter les objectifs des individus et des organismes présents et intégrer le tout en des objectifs communs au groupe en formation. De plus, il faut distinguer les objectifs généraux des objectifs spécifiques, et ceux-ci des moyens pour les réaliser. Il faut rester également réaliste dans le choix des objectifs spécifiques au moment où les partenaires sont encore en train d'apprendre à se connaître. Le coordonnateur ne doit pas forcer le groupe à expliciter certains objectifs encore implicites plus ou moins difficiles à admettre ouvertement. Pour éviter des tensions inutiles et des confusions en cours de route, il faut également identifier le plus tôt possible les objectifs qu'on souhaite atteindre et ceux qu'on désire rejeter. Pour mieux illustrer ces divers aspects, nous ferons la distinction entre le GRARSPI et les autres projets de nature communautaire.

Malgré son désir d'être partie prenante à l'évolution des pratiques d'intervention sociale, l'équipe universitaire à la base du premier projet avait un mandat de recherche qu'elle partagea avec ses partenaires. Les objectifs visant le changement dans les pratiques elles-mêmes furent relégués au second plan dans ce projet où il n'était pas encore question d'introduire formellement un objectif de formation. Trois objectifs spécifiques furent fixés dès le début: élaborer un modèle de gestion des services sociaux qui serait favorable au développement de pratiques axées sur la prise en charge par le milieu; poursuivre une réflexion sur la recherche-action comme méthode de travail en développement organisationnel; et publier un texte sur les résultats de l'analyse et sur l'ensemble des conclusions auxquelles on parviendrait. Le premier de ces trois objectifs spécifiques présupposait que les membres du groupe partageaient une conception et une vision communes des pratiques de prise en charge par le milieu. Tel n'étant pas le cas, la définition de la PCM devint l'objectif spécifique prioritaire du projet. D'une façon plus implicite, certains participants s'étaient donné comme autre objectif spécifique d'influer sur la mentalité de leur établissement, sinon sur les pratiques elles-mêmes.

Les objectifs spécifiques des groupes communautaires et alternatifs se ressemblent passablement sans doute en raison de l'homogénéité de leur mission et de leur situation. Parmi les principaux objectifs spécifiques proposés par les participants de ces divers projets, retenons les suivants: apprendre à se connaître les uns les autres tant au plan personnel qu'institutionnel; définir le rôle et les caractéristiques des organismes présents tant au plan de l'intervention que de la gestion; collaborer à l'analyse et à la recherche de solutions aux problèmes que posent l'intervention et la gestion dans ce type d'organisme; mêler toutes les composantes de l'organisme au projet de RAF pour assurer une meilleure intégration des acquis. Ce dernier objectif permettait de pousser plus loin ce qui n'avait pu être qu'ébauché dans le cadre du GRARSPI: faire participer toutes les instances d'un même organisme au projet de façon à en accroître la portée en termes de changement.

Par contre, certains objectifs spécifiques furent d'emblée éliminés pour donner plus de cohérence à la démarche: utiliser le projet comme lieu pour analyser et résoudre des problèmes particuliers d'un organisme donné; profiter des rencontres pour arriver à des décisions concernant des interventions collectives face au milieu ou encore pour travailler à la création d'une association régionale.

Les structures du projet

Nous retiendrons trois aspects organisationnels du projet: l'articulation d'un projet collectif, l'organisation des divers modes de rencontre et le partage des rôles.

Même si un projet de RAF peut très bien être mené par un seul organisme, dans les cas dont il s'agit ici ils furent tous interinstitutionnels, tant en raison de la richesse qu'apporte l'analyse comparée de diverses expériences qu'afin de rentabiliser les investissements financiers que comportent de tels projets. La méthode de travail consiste essentiellement en des rencontres continues où les participants poursuivent une analyse plus ou moins systématique du fonctionnement et du développement global des organismes dans lesquels ils œuvrent. Deux types de structures ont caractérisé les projets: l'un était composé d'un seul groupe de participants, l'autre comprenait un groupe pivot et des groupes satellites.

La première structure est celle du GRARSPI. Ce projet étant centré davantage sur l'articulation des fondements théoriques et méthodologiques de la PCM, la participation des divers paliers de gestion était prévue mais à des étapes ultérieures et successives. Durant trois ans et demi, la même structure fut conservée, seuls les individus étant mobiles. Certaines personnes durent quitter en cours de projet et d'autres les remplacèrent, tant au sein de l'équipe universitaire que parmi les partenaires du terrain. Évidemment, l'apport de chacun variait considérablement selon son poste, son expérience, l'organisme auquel il appartenait, etc.

La seconde structure répondait au problème de l'intégration des résultats de la recherche et des acquis de la formation dans le fonctionnement des organismes engagés dans un projet. Le projet RASM allait en fournir la clé. La solution consistait à faire appel à tous les paliers de l'organisation, mais les choses étaient un peu plus compliquées. Car, à l'exception du palier de direction où on ne trouve qu'une seule personne, les autres paliers comprenaient plus d'un individu susceptibles de vouloir participer directement aux rencontres interinstitutionnelles, et ce tant pour les membres des conseils d'administration, que pour les intervenants, les bénéficiaires-résidents et les groupes de la communauté environnante. Pour résoudre ce problème, on adopta la solution selon laquelle des représentants de tous les paliers de gestion participeraient au projet dans le cadre de rencontres interorganismes. Restait alors à articuler les modes de formation des divers groupes et les rapports entre ces groupes.

La décision citée allait faire ressortir deux philosophies
d'organisation, que d'aucuns voulaient démocratique dans
chaque cas. Selon la première, de nature égalitaire, les représentants de chaque palier dans chaque maison formeraient un
groupe qui définirait ses propres objectifs, ses propres rythmes
ainsi que sa propre démarche de travail, le tout formant osmose
naturelle dans chaque maison, sans structure de responsabilité
entre les groupes. L'équipe universitaire, qui ne devait servir
que de personne-ressource pour chaque groupe, devenait, dans
les faits, le point d'appui de la coordination, ce qui donnait prise
à la manipulation. Selon la seconde, basée sur la présence d'une
structure de responsabilité avec participation, un groupe formé
de représentants de chaque organisme participant servirait de
groupe pivot. Il garderait la responsabilité de l'ensemble du
projet, fixant les objectifs généraux des groupes satellites et le
rythme des rencontres pour chacun d'eux. De plus, il assurerait
la synthèse de l'ensemble des données. C'est ce dernier scénario
qui fut adopté. Les responsables des maisons constitueraient le
groupe pivot, respectant la structure interne de chaque organisme et facilitant l'intégration interne du projet dans chaque
maison. Des quatre groupes satellites initialement prévus,
groupes communautaires, bénéficiaires, intervenants et
membres des conseils d'administration, seuls ces trois derniers
virent le jour.

Parallèlement aux rencontres de ces groupes qui réunis-
saient des représentants de chaque maison, un travail se faisait
dans chacune d'elles: les documents étaient utilisés comme
outils de discussion lors de l'analyse de certains problèmes
internes, tant au niveau des bénéficiaires et des intervenants,
que du conseil d'administration. Il y avait donc là un engagement global des ressources dans la démarche d'analyse, de
formation et d'action. La principale difficulté d'une telle structure
de travail tient au choix des participants pour les groupes
satellites. Le groupe pivot décida que chaque responsable de
maison choisirait les représentants pour chaque groupe satellite.
Là encore, le style de gestion interne de chaque responsable
joua. Dans certains cas, le responsable prit la décision en ma-
nœuvrant à travers les situations, d'autres firent de même après
consultation étroite des intervenants et quelques-uns laissèrent
carrément la décision aux intervenants. La disponibilité et l'inté-

rêt servirent de critères pour les membres des CA. Pour les bénéficiaires, ils étaient choisis et invités par les intervenants. Certains étaient de fait en résidence, tandis que d'autres maisons déléguèrent d'ex-résidents.

Mentionnons pour terminer que cette structure de travail nous paraît idéale, du moins pour les organismes communautaires, et qu'elle était prévue pour les trois autres projets déjà mis en marche.

L'organisation des rencontres

Cette méthode de RAF peut recourir à deux catégories de rencontres: les rencontres régulières mensuelles d'une journée complète pour assurer l'efficacité et réduire les déplacements; et les sessions intensives, d'une durée de deux jours, en résidence. Comme elles ont pour rôle de favoriser l'approfondissement et la synthèse des données accumulées au cours des rencontres régulières, celles-ci sont destinées au groupe pivot, lorsqu'il existe, et elles doivent avoir lieu environ tous les cinq ou six mois. Cette structure fut respectée aussi bien dans les projets que par le groupe pivot dans le cas des RASM.

Les difficultés surgirent lorsque, dans ce dernier projet, il s'est agi de fixer les rencontres des groupes satellites. Le groupe pivot avait non seulement tendance à retarder le démarrage des autres groupes, mais également à décider à la pièce, c'est-à-dire rencontre par rencontre, ce qui engendra certaines frustrations chez les autres groupes. Sur une période d'un an et demi, les intervenants se rencontrèrent quatre fois, ce qui constitue un nombre raisonnable pour faire l'analyse globale des interventions. Les bénéficiaires, eux, se rencontrèrent deux fois, à la toute fin du projet. Nous ne pouvons dire si cela est suffisant ou non. Enfin, deux rencontres seulement eurent lieu pour les représentants de CA. La rotation des membres de la première à la seconde rencontre fut élevée. Seule la seconde rencontre fut vraiment efficace.

Mentionnons, en terminant cette section, les avantages des sessions intensives. Elles jouent un rôle essentiel dans le processus de travail. Elles permettent d'abord de consacrer plus de temps à l'analyse des problèmes plus complexes d'organisation, et elles jouent un véritable rôle d'approfondissement et d'articu-

lation des échanges. On avait le sentiment qu'après une première période de tâtonnement venait un moment où les idées
s'articulaient davantage et où le contenu prenait une plus grande
densité. Enfin, un certain nombre d'échanges, de nature informelle, favorisaient la cohésion du groupe, la création de liens
d'amitié ainsi que l'approfondissement de certains aspects plus
difficiles à aborder dans le groupe.

Le partage des rôles

Une autre dimension structurale significative de tels projets
concerne le partage des rôles. Celui-ci sert de fondement à une
véritable relation de partenariat en plus d'augmenter, comme
il se doit, l'efficacité de chacun et même d'aider à la survie du
projet. La relation entre partenaires implique que les praticiens
autant que les universitaires aient une chance égale — sans
nier leurs différences — d'apporter au projet leurs compétences
respectives sans que chaque geste fasse l'objet d'une négociation
serrée. L'établissement d'un climat de confiance est fondamental.
En ce sens, chaque partenaire doit se considérer comme chercheur et intervenant à part entière, tout en respectant les
prédominances particulières. Tous doivent planifier ensemble
le projet, quel que soit celui qui l'a mis sur pied, en intégrant
le plus adéquatement possible les objectifs de chaque partie,
en partageant le leadership et en recourant à un langage qui
facilite la communication à tous les niveaux.

Au cours des divers projets, nous avons été amenés à
distinguer trois catégories de fonctions: les fonctions partagées
par l'ensemble des partenaires, les fonctions propres aux praticiens et les fonctions propres à l'équipe universitaire. C'est ainsi
que tous les membres participent à la planification, au développement et à l'évaluation de l'ensemble de la démarche: organisation du groupe et élaboration des contenus; tous participent à
l'analyse elle-même, selon l'expérience et les connaissances de
chacun; tous les organismes également collaborent à l'organisation matérielle des rencontres; enfin, tous participent à la diffusion de l'information concernant le projet. Les membres des
organismes du milieu, en particulier, apportent les expériences
vécues, les faits, les événements qui serviront de matière à
l'analyse et à l'autoformation; ils prennent charge de certaines

opérations dans l'élaboration des outils de travail; chaque participant, sous la direction du responsable de l'organisme, prend charge de la diffusion de l'information et des décisions internes ainsi que de l'implantation des changements désirés. L'équipe universitaire, enfin, remplit les fonctions d'encadrement et de support technique au travail des groupes. Certaines activités précises relèvent de sa responsabilité: diriger la démarche d'analyse et d'autoformation, assurer l'organisation technique des rencontres des groupes, fournir l'information scientifique, préparer les documents de travail, assurer l'animation des rencontres et accepter une part de consultation de nature plus informelle et plus individuelle.

Ce partage formel des fonctions a été largement respecté dans chacun des projets, sauf pour Mauricie-Bois-Francs-Estrie où l'animation et l'organisation des rencontres étaient prises en charge par les organismes eux-mêmes. L'équipe universitaire intervenait principalement comme personne-ressource pour informer, animer les discussions relatives au projet de RAF et élaborer les documents de travail. Cependant, à ce partage formel des rôles vient se greffer l'exercice du leadership qui, lui, a un caractère plus dynamique, plus mouvant et plus difficile à analyser. Nous y reviendrons dans la section suivante.

De son côté, l'équipe universitaire s'est toujours dotée d'une structure interne clairement définie, tout en adoptant un processus de décision basé sur les échanges réciproques. L'équipe du GRARSPI était formée originellement du directeur général du projet, d'un coordonnateur consultant et d'un agent de recherche. Le directeur général était professeur et administrateur à l'université. Il participait à chacune des rencontres des groupes, en en partageant parfois l'animation. Il voyait aux orientations générales du projet, au recrutement des ressources humaines ainsi qu'à la gestion financière. Le coordonnateur consultant sur le terrain servait de pivot à la planification de toutes les rencontres, à l'animation des groupes, aux communications ainsi qu'à la consultation. Il y a avantage à ce qu'une seule personne soit responsable de l'ensemble de l'organisation sur le terrain. Cette personne doit constamment avoir une vue d'ensemble de la dynamique interinstitutionnelle et intrainstitutionnelle, et planifier et gérer la démarche elle-même. Dans le cas présent, elle avait une formation de psychologue spécialisé en développement organisationnel et une longue expérience dans la formation des gestionnaires. L'agent de recherche (poste supprimé dans le projet des RASM de la Montérégie pour des raisons financières) servait en même temps d'analyste, de rédacteur des comptes rendus et des documents de travail.

En conclusion, pour que la méthode donne son maximum de rendement et d'efficacité, il importe que l'équipe universitaire assure la direction générale du projet et la coordination-consultation sur le terrain, et qu'elle comprenne un analyste, un auxiliaire de recherche et un secrétaire.

Le déroulement du projet

Abordons maintenant les aspects du projet qui ont un caractère plus dynamique, aspects donc plus difficiles à cerner et à décrire. Ils peuvent se rapporter à l'une ou à l'autre dimension des travaux de rencontres: il y a ceux qui touchent à l'organisation de la démarche elle-même et ceux qui concernent les travaux d'analyse. Car, dans tout projet, les partenaires doivent, d'une part, partager les décisions relatives à la planification, à l'organisation et à l'évaluation de la démarche elle-même. Mais, d'autre part, le déroulement du projet s'articule principalement autour du contenu même de la recherche, c'est-à-dire autour des questions auxquelles le groupe cherche à apporter des réponses.

Les étapes principales

On peut distinguer quatre étapes générales du processus d'analyse: la formulation de questions auxquelles le groupe veut apporter des réponses; la présentation d'un projet spécifique; l'analyse proprement dite; et l'évaluation de la démarche.

Les questions de départ, qui deviendront des thèmes à approfondir, peuvent être d'ordre plus général, comme dans le cas du GRARSPI, ou plus spécifique comme dans le cas des autres projets. Ces questions concernaient, par exemple, l'origine et le développement de l'organisme, sa mission, ses modes d'intervention et de gestion, etc.

En ce qui concerne la présentation d'un projet spécifique, tous les groupes ont considéré comme essentiel que l'analyse s'appuie sur leur expérience vécue et que, même lors des débats de nature plus générale et théorique, on y revienne constamment. Notons certaines différences selon la nature des projets. Dans le cas du GRARSPI, les participants, qui étaient pour la plupart employés d'organismes du réseau des affaires sociales, et qui avaient soit proposé, soit supporté ces projets, choisirent des projets de nature spécifique, réalisés à l'extérieur de l'établissement, sauf dans le cas d'un organisme de santé mentale dont les représentants présentèrent le fonctionnement de la maison comme projet global. Dans tous les autres projets, les participants présentaient d'une façon plus ou moins exhaustive une description globale de l'organisme et de ses origines. Selon le désir du participant principal, les autres membres du groupe procédaient surtout à des demandes de précision. Dans le cas de la Montérégie, seul le groupe pivot procéda à la présentation des organismes. Dans les groupes satellites, les intervenants se présentaient en précisant leur formation, la nature de leur travail ainsi que leurs préoccupations; les bénéficiaires, en explicitant le cheminement qui les avait conduits à la ressource ainsi que l'évaluation qu'ils faisaient de leur séjour; et les représentants des conseils d'administration, en identifiant eux aussi leurs principales préoccupations. Cette étape occupe généralement une période assez longue et ne doit pas être précipitée.

Passons maintenant à l'analyse proprement dite. Sans entrer dans les contenus abordés, puisque les rapports de recherche-action-formation font état de ces résultats, nous désirons traiter ici du processus d'analyse lui-même. Nous croyons que ce processus fort différent de l'analyse quantitative traditionnelle n'en a pas moins une valeur scientifique. La caractéristique principale en est le recours à une pensée non pas linéaire et logique mais en spirale que nous tenterons de décrire brièvement.

L'analyse part d'une vue globale de l'organisme-projet. Elle se met en mouvement non pas pour cerner les variables et les causes, mais pour dégager la dynamique interne et complexe du fonctionnement d'un tel organisme. Elle cherche à préciser les orientations et les enjeux en cause ainsi que les phénomènes qui paraissent significatifs (les «concepts»). Le discours est rationnel certes, mais également émotif, reflétant les valeurs et les convictions des individus. De réunion en réunion, le groupe aborde toujours l'ensemble des situations à travers différents thèmes, passe d'un aspect à l'autre et finit par dégager, en le cernant toujours davantage, dans une espèce de mouvement rotatif, ce qui lui apparaît un énoncé explicatif et intégrateur d'une série d'idées, d'événements, de faits vécus, d'échecs et de succès: l'analyse tourne alors sur sa pointe. De spirales en spirales, qui s'entrecroisent et se fondent, on peut parvenir, en un processus continu, à fournir une définition et une explication de plus en plus cohérente des phénomènes discutés, traduisant autant la nature des faits que les convictions et l'engagement des individus et des groupes.

Les échanges ne procèdent donc pas d'une pensée discursive, ni d'un plan strict. Le processus exige beaucoup de souplesse et comporte des répétitions aussi bien que du non-dit ou de l'interdit. Les interventions sont spontanées et souvent les participants élaborent leur pensée en l'exprimant. Dans l'ensemble, les échanges ont souvent pour but de préciser les différences entre les projets et de cerner les éléments du thème abordé, sans que les débats de fond ne s'engagent vraiment, du moins pas avant un certain temps. En bref, il s'agit d'un mode de réflexion global, toujours en mouvement comme l'action elle-même, cherchant à faire ressortir des activités quotidiennes les dimensions qui semblent fondamentales tant pour l'organisme que pour les individus eux-mêmes. La richesse, le développement et l'articulation d'une telle pensée ne se saisissent bien que de l'intérieur du groupe.

Ce processus demeure difficile à structurer comme nous avons pu le constater aussi bien dans le cas du GRARSPI que dans celui des RASM, où il se révéla très laborieux de passer de la description à l'analyse proprement dite.

Divers mécanismes furent instaurés pour favoriser la prise en charge de la démarche par les praticiens là où ils auraient eu tendance à en remettre la responsabilité à l'équipe universitaire. Ainsi, les textes écrits par l'analyste étaient discutés systématiquement par tous les participants. Il en fut de même pour la mise au point des outils d'analyse dans le cas des RASM. Au lieu de laisser à l'équipe universitaire la structuration des échanges et des questionnaires, les praticiens prirent charge de ces deux opérations — ce qui se révéla formateur. Enfin, l'ordre des thèmes prévu fut parfois modifié pour tenir compte des situations concrètes des praticiens.

Enfin, il y a nettement avantage à ce que l'évaluation de la démarche soit périodique. Dans les premiers temps, il est bon qu'elle ait lieu à la fin de chaque rencontre. Par la suite, les participants apprennent, plus ou moins rapidement selon les groupes, à faire état des frustrations ou à proposer des modifications au processus à mesure que les choses se produisent. Évidemment, une évaluation à la fin du projet demeure nécessaire. Le processus d'évaluation a fait l'objet d'une discussion formelle de la part du groupe pivot du projet RASM qui décida que celle-ci demeurerait subjective et de nature qualitative comme l'ensemble du projet. Nous pensons qu'il y aurait là des améliorations à apporter.

La préparation, le suivi
et le déroulement typique d'une rencontre

On a beaucoup écrit sur les groupes de tâche et la gestion des réunions. Il n'est donc pas nécessaire d'entrer ici dans le détail. Rappelons certains éléments caractéristiques de cette approche.

LA PRÉPARATION ET LE SUIVI DES RENCONTRES. Qu'il s'agisse des réunions régulières ou des sessions intensives, c'est l'équipe universitaire qui, dans nos projets, en assurait la préparation et le suivi, sous la direction du coordonnateur du terrain. Au cours de ses rencontres, l'équipe universitaire faisait l'évaluation de la rencontre précédente, discutait du fonctionnement du groupe, des contenus abordés, des problèmes rencontrés ainsi que des solutions apportées. Elle décidait ensuite de l'ordre du jour de la prochaine rencontre ainsi que de sa préparation: communications, documents, etc. Au début des projets, l'équipe ne doit pas négliger cette préparation et ce suivi avant et après chaque rencontre pour que la direction des travaux soit bien assurée. Lorsque le groupe a atteint sa vitesse de croisière, on peut être plus souple et laisser le coordonnateur agir seul.

LE DÉROULEMENT TYPIQUE DES RENCONTRES. En général, les rencontres commençaient par leur organisation matérielle et technique; on passait ensuite aux informations, à la planification du projet et, enfin, aux travaux d'analyse. Ces trois dernières parties étaient évidemment les plus importantes. Notons que dans le cas des groupes satellites les travaux d'analyse occupaient la très grande partie de la rencontre.

L'information fournie par les membres du groupe concernait principalement les événements significatifs survenus dans le secteur et touchant l'objet des rencontres. Cette partie informative était fort appréciée, car, en général, elle suscitait des discussions qui permettaient d'élargir le champ de vision des individus, de favoriser la prise de conscience ou d'orienter les décisions. Mais elle faisait aussi des mécontents en raison de son incontrôlable longueur.

La période de gestion du projet était consacrée aux décisions à prendre pour assurer la bonne marche des travaux. L'ensemble de ces décisions était soumis au groupe qui pouvait ainsi participer à la planification du projet. Cette période est toutefois de nature à créer des tensions dans le groupe qui la voit parfois comme une perte de temps. Et pourtant, lorsque l'équipe universitaire prenait certaines initiatives seule, les praticiens ne tardaient pas très souvent à demander des explications. La présence d'un groupe pivot est de nature à produire un meilleur partage des tâches. Ce groupe consacrera plus de temps à la période de gestion, quitte à voir son image d'intervenant un peu affaiblie.

La période des travaux d'analyse, enfin, occupe normalement le gros du temps disponible pour la rencontre.

L'EXERCICE DU LEADERSHIP. L'exercice du leadership demeure une opération difficile, sinon périlleuse, principalement dans le contexte d'un collectif où il n'existe aucune structure hiérarchique formelle. Parmi les ingrédients d'un sain leadership, mentionnons la confiance mutuelle, la clarté et le respect des rôles, le partage de l'influence sur le processus de décision, un système de communication le plus transparent possible, la capacité de prévenir et de réduire certains conflits et d'expliciter ceux qui sont nécessaires à la maturité du groupe, l'habileté à trouver des solutions de compromis sans nier ou renier des valeurs fondamentales, enfin le développement de techniques qui favorisent des consensus ou du moins le dégagement de larges majorités sans brimer les minorités. Toutes ces composantes furent mises à l'épreuve dans les divers projets et on ne peut dire qu'elles furent toujours parfaitement présentes. Pourtant, il n'y eut jamais de conflit majeur entre les personnes ou entre les groupes.

Notons, à ce sujet, l'importance de recourir à deux types d'animation selon l'objet des échanges. Lors des périodes de planification du projet, l'animation doit être plus structurée, plus précise, plus rapide et plus fonctionnelle. Par contre, lors de la période d'analyse, elle doit être moins directive, laissant place aux improvisations, aux hésitations, aux allers et retours, à la remise en question des techniques ou des processus de travail adoptés.

LA DURÉE DES PROJETS ET LA STABILITÉ DES GROUPES. Une fois la décision prise par les groupes de s'engager dans le projet, la participation doit demeurer stable ainsi que le taux de présence. Divers facteurs peuvent expliquer les départs en cours de route (durée du projet, crise interne des organismes, etc.). Les départs furent assez nombreux dans le projet GRARSPI. Les leçons qu'on en tira permirent d'éviter la répétition du phénomène dans les autres projets en réduisant le temps nécessaire pour les mener à bien. Nous pouvons dire, à présent, qu'une période d'un an et demi ou de deux ans demeure raisonnable pour la réalisation de tels projets, pour autant que les ressources d'encadrement soient bien formées et que l'équipe universitaire ait une bonne stabilité.

LES OUTILS DE TRAVAIL ET DE PRODUCTION. Nous distinguons deux catégories d'outils: les outils de gestion et les outils d'analyse. Les outils de gestion peuvent différer évidemment d'un projet à l'autre et ils sont mis au point, la plupart du temps, par le coordonnateur, à mesure que le besoin s'en fait sentir. Mentionnons: une liste d'adresses, les convocations ainsi que les notes d'information, un document sur l'organisation et la planification des rencontres des groupes satellites, un guide d'organisation matérielle, un formulaire pour aider les organismes à évaluer les coûts que représente pour leur organisme leur présence aux rencontres, la liste des dimensions concernant la planification du projet.

La plupart des outils d'analyse peuvent, de leur côté, jouer deux rôles: celui de document de travail pour supporter l'analyse et celui d'outil de production ou d'enregistrement de l'information. Nous parlerons ici des ordres du jour, de l'enregistrement des rencontres, des comptes rendus, des questionnaires thématiques et de la documentation. En raison du caractère très local des outils, nous décrirons ce qui s'est fait dans nos projets sans chercher à généraliser.

La mise au point des ordres du jour illustra une fois de plus les différentes conceptions du fonctionnement présentes dans le groupe. Quelques-uns, par souci d'égalitarisme, voulaient que les ordres du jour soient élaborés sur place au début de la rencontre; d'autres, par souci d'efficacité, souhaitaient qu'ils soient préparés par le coordonnateur, envoyés d'avance et pratiquement inchangeables. Par souci d'encadrement et de souplesse, on convint que le coordonnateur préparât un ordre du jour provisoire contenant l'ensemble des opérations à planifier pour la suite du projet, et remis sur place au groupe qui choisissait l'ordre et le nombre de points à aborder pendant la rencontre, les autres étant reportés.

Toutes les rencontres de tous les groupes faisaient l'objet d'un enregistrement sur cassettes. Un certain nombre de règles, les unes techniques les autres éthiques, furent adoptées afin que l'usage du magnétophone ne nuise pas à la qualité des interventions.

Le compte rendu de la rencontre a fait l'objet de longues discussions et d'essais avant de trouver sa forme définitive. Ainsi, la formule du procès-verbal fut rejetée car elle ne convenait pas à la préparation d'un rapport de recherche. La formule du récit *verbatim*, caractéristique du GRARSPI, constitua la première forme de compte rendu qui rapportait les interventions de chaque personne dans l'ordre chronologique et précédées des initiales du nom de l'individu. Cette formule fut abandonnée par la suite, car elle n'était pas requise pour les objectifs visés et elle rendait la lecture plus fastidieuse.

Dans le second projet, la discussion permit de préciser les objectifs recherchés par le groupe. Ce dernier voulait que le compte rendu soit le reflet fidèle de ce qui aurait été dit par les individus lors des rencontres, qu'il soit un moyen pour aider chaque participant(e) à structurer sa pensée d'une rencontre à l'autre, qu'il permette de suivre l'évolution du groupe, que sa lecture ne devienne pas trop fastidieuse et qu'il comporte une partie qui serve de synthèse.

Finalement, après plusieurs discussions et quelques propositions, on établit que deux documents seraient produits après chaque rencontre: un compte rendu exhaustif et un résumé. Le compte rendu des responsables demeurerait confidentiel et serait la propriété de chacun d'eux, de telle sorte que, si l'individu quittait le projet, il gardait ce document, sans en transmettre une copie à son remplaçant. Cela rendait le maintien de la continuité plus difficile et signifiait, en quelque sorte, que la présence aux rencontres avait plus pour objectif la formation personnelle que la représentation institutionnelle. Le résumé restait toutefois un instrument public. En outre, à chaque rencontre, les participants pourraient introduire les corrections qu'ils jugeraient nécessaires au compte rendu de la rencontre précédente; les sections comportant la présentation d'un organisme particulier pouvaient faire l'objet de tirés à part dans l'organisme lui-même et être utilisées comme documents de travail. Finalement, les comptes rendus des groupes formés de résidents, d'intervenants et des membres du CA iraient aux responsables des maisons formant le groupe pivot pour assurer la synthèse des données; les rapports des responsables n'allaient cependant pas aux autres groupes. En résumé, les comptes rendus doivent à la fois assurer la diffusion des échanges et ne pas empêcher la liberté d'expression.

En ce qui concerne maintenant les questionnaires thématiques, ceux qui ont été mis au point dans le projet de la Montérégie concernaient la mission des organismes, les pratiques d'intervention, la gestion des ressources humaines, la gestion financière ainsi que les rapports avec le milieu. Trois points de vue s'affrontaient à propos du rôle des questionnaires: soit en faire un outil pour une cueillette rigoureuse d'informations sur chaque organisme afin d'en tracer un portrait fidèle et partiellement quantitatif («scientifique», disaient certains), soit en faire un instrument de formation à la recherche pour les participants, soit simplement en faire un outil de préparation et d'encadrement des débats. C'est ce troisième rôle que le groupe retint tout en cherchant à y intégrer le second, ce qui rejetait à court terme le premier. Dès lors, au lieu de demander à l'équipe universitaire de préparer les questionnaires, ce fut chaque équipe de deux participants qui eut la responsabilité de les élaborer pour chaque thème d'analyse, de recueillir les données, de les compiler et de les analyser.

Enfin, à propos de la documentation, la question qui se pose est la suivante: jusqu'à quel point les participants doivent-ils recourir à la littérature sur un sujet donné pour encadrer et étoffer l'analyse entreprise par le groupe? Dans le cas du GRARSPI, c'est l'analyste du groupe qui fit une vaste revue de la littérature relative à la prise en charge par le milieu. Les données firent l'objet d'un texte qui fut discuté par le groupe, tranche par tranche. Lors de l'évaluation, les praticiens conclurent que cette démarche avait fait «dévier» leur propre mode d'analyse et leur avait donné le sentiment d'être devenus des objets pour satisfaire des objectifs de nature universitaire. Voilà pourquoi, lors du projet de la Montérégie, l'équipe universitaire modifia la procédure: le coordonnateur remettait une liste documentaire périodique aux participants, les laissant libres de les utiliser à leur guise.

Résultats et perspectives

L'évaluation du processus de la recherche-action-formation est très difficile à faire, d'abord en raison de la méthode d'évaluation elle-même. Du point de vue de l'évaluation classique, les résultats devraient être mesurables; l'évaluation devrait faire ressortir non seulement les résultats acquis, mais établir la comparaison entre la situation au début et la situation à fin du projet, la différence constituant le véritable indice soit d'apprentissage soit de changement. Ce même indice devrait être soumis à une autre épreuve, le groupe contrôle, qui permettrait de vérifier si l'apprentissage ou le changement proviennent bien de la démarche elle-même et non d'autres facteurs.

Dans chacun des projets principaux, ce problème a été abordé dès le départ. Dans chaque cas, les groupes ont opté pour une évaluation de nature impressionniste et qualitative, à l'image même de la méthode de travail. En conséquence, les groupes proposaient des bilans périodiques au cours de la démarche elle-même; ce qui eut lieu dans chaque cas. Il peut sembler dès lors relativement facile de traiter de la question de l'évaluation puisque cette opération consiste essentiellement à vérifier si les objectifs de départ sont atteints. Cependant, certains résultats surviennent qui, après coup, nous apparaissent comme des acquis valables sans qu'ils aient été formulés explicitement comme des objectifs.

D'autre part, la distinction entre les trois volets de la méthode, la recherche, la formation et l'action, ainsi qu'entre l'objectif général et les objectifs spécifiques constitue, au début des projets, un cadre assez clair pour classer et évaluer les résultats de ceux-ci. Au moment de classer les événements, cependant, on prend à nouveau conscience du caractère dynamique de la réalité, de telle sorte que le classement se révèle plus difficile que prévu. Ainsi, les connaissances que l'individu acquiert relèvent-elles de la recherche ou de la formation? Les mécanismes que développe un responsable d'organisme pour améliorer la gestion sont-ils liés davantage à la formation ou à l'action?

Il est en outre difficile de procéder à l'évaluation de la RAF dans la mesure où certains objectifs généraux formulés comme cadre de travail du projet initial ont servi de cadre de référence aux autres projets, et certains objectifs spécifiques à un projet ont été repris par les partenaires d'un projet à l'autre. Comment évaluer dès lors tous ces débordements?

Enfin, dans quel ordre doit-on traiter des divers aspects de l'évaluation? En donnant priorité à l'action ou à la recherche?

Devant ces difficultés, nous avons opté pour une présentation des résultats sous les trois thèmes généraux suivants: la RAF comme outil de prise en charge par le milieu, les acquis au plan individuel, et les acquis au plan institutionnel.

La prise en charge par le milieu

Un des objectifs d'emblée partagés par l'équipe universitaire et par les praticiens consistait à considérer la RAF comme un outil de prise en charge par le milieu, c'est-à-dire un instrument de développement. Nous avons atteint cet objectif, du moins partiellement, en remettant en question certaines dichotomies traditionnelles qui enlèvent aux praticiens une part des pouvoirs et des responsabilités qui leur reviennent.

La première de ces dichotomies concerne la recherche fondamentale, apanage des universitaires, et la recherche appliquée, propre aux praticiens. Dans nos projets, les praticiens, intervenants ou gestionnaires, étaient considérés comme des chercheurs à part entière. Tous les projets visaient à définir ce concept fondamental en intervention sociale qu'est la prise en charge par le milieu comme alternative à la prise en charge institutionnelle. Même si on n'est pas arrivé à mettre au point un véritable modèle de la prise en charge par le milieu, la compréhension du phénomène n'en a pas moins progressé. À cela, tout le monde a contribué. La réflexion sur les questions fondamentales ou la recherche de la vérité ne sont la propriété d'aucun groupe en particulier.

Une autre dichotomie concernant également le partage des rôles fut remise en question: l'universitaire vu comme expert de la recherche plutôt que comme support à la démarche des praticiens. L'équipe universitaire, se départit de son rôle de gardienne jalouse de la méthodologie. Tous les groupes purent mettre en avant leurs propres objectifs, faire appel aux expériences vécues, fixer les étapes du projet et le rythme des échanges, définir l'usage des outils et participer à leur construction, décider du mode d'expression, choisir les participants aux diverses rencontres. L'approche qualitative facilite d'ailleurs les choses puisqu'elle permet aux praticiens de se réapproprier un mode de réflexion — une pensée en spirale — qui est plus conforme à leur mode de perception et d'analyse de leur réalité.

Il ne s'agit pas là d'un abandon, de la part de l'équipe universitaire, de son rôle traditionnel de gardienne de la rigueur intellectuelle et de l'orthodoxie méthodologique. Au contraire, elle soutint la démarche des groupes en coordonnant le travail, en stimulant la réflexion par des questionnements, en confrontant ses perspectives et ses connaissances à celles du milieu. C'est probablement grâce à ce type de rapports entre partenaires que les projets ont pu se rendre à terme malgré les difficultés.

Tout morcellement d'un processus de RAF est de nature à affaiblir la capacité de prise en charge tant des individus que des organismes. L'intégration dynamique de trois outils importants du développement, la recherche, la formation et l'action, a mené chacun des groupes à mieux se définir et à éviter d'être à la merci des groupes extérieurs.

Une autre façon de respecter le milieu et de favoriser la pleine maîtrise de ses moyens de développement consiste à ne pas séparer les individus de leur institution. Nombreux sont les projets de recherche-action et les programmes de formation qui s'adressent aux individus sans se soucier de l'organisation qui les encadre. Il y avait là un véritable défi que le projet des RASM a pour une bonne part relevé.

Les acquis au plan individuel

Praticiens, gestionnaires, bénéficiaires et membres de l'équipe universitaire ont tous tiré profit des projets de RAF, tant au plan des connaissances que des habiletés et des attitudes. Dès la planification, les intervenants de chaque projet ont insisté à maintes reprises sur la nécessité de mieux se connaître autant comme personnes que comme intervenants partageant une tâche et des convictions communes. La continuité des rencontres ainsi que la nature des échanges ont permis de satisfaire cette attente. Les participants ont en même temps été en mesure de mieux connaître les autres organismes œuvrant dans le même champ d'intervention ou d'autres projets grâce à une information directe, élaguée des rumeurs ou des partis pris qui avaient pu se répandre antérieurement. Ils ont également profité d'une information plus large et plus récente sur le champ d'investigation qui les concernait plus particulièrement. À travers les discussions, chaque groupe a pu mieux se définir et développer une compréhension plus globale et mieux articulée de sa pratique.

Sur le plan du savoir-faire, on a pu comparer des modes de fonctionnement et des outils (de gestion, d'intervention ou de recherche). En ce qui concerne les attitudes, plusieurs ont pris conscience de leur engagement social, de leur situation d'employés dans un organisme ou de leurs rapports avec les autres organismes. Les bénéficiaires ou les résidents qui ont participé aux rencontres du projet RASM ont souligné que, par-delà leur surprise d'être intégrés à un tel projet, ils avaient pris conscience de leur dignité et de leur normalité et compris qu'ils pouvaient être utiles à d'autres.

Pour ce qui est des membres de l'équipe universitaire, leur intérêt et leur engagement à l'égard des diverses pratiques de prise en charge par le milieu se sont intensifiés. L'étude et la valorisation des groupes d'entraide et des initiatives communautaires et alternatives ont pris plus de place dans leur travail personnel, qu'il s'agisse de l'enseignement, de la recherche ou des services aux collectivités. On a même vu des réorientations de carrière.

Les acquis au plan institutionnel

Sur le plan institutionnel, les acquis ont pris la forme de changements organisationnels internes ou de changements dans les rapports avec le milieu. Évidemment, l'impact a pu varier selon la motivation des participants, la taille des organismes, l'importance du poste occupé, la crédibilité de l'individu au sein de son groupe, le support de la direction, les mécanismes de communication existants ou le nombre de paliers de gestion représentés dans le projet.

Ainsi, les participants ont maintes fois signalé que, lors de discussions sur les politiques internes ou les décisions courantes de leur organisme, ils se référaient aux données du groupe de recherche-action-formation. Certains recouraient même à des extraits des comptes rendus qu'ils faisaient circuler pour nourrir les discussions sur les décisions en cours. À certains problèmes spécifiques qui avaient fait l'objet de discussions dans le projet, on trouva des solutions nouvelles, qu'il s'agisse d'une meilleure structure du programme d'activités, de mécanismes pour éviter l'épuisement professionnel, de la gestion des réunions, des rapports entre le conseil d'administration et la direction ou de l'élaboration d'une politique plus efficace des relations avec les autres organismes. Un autre acquis concerne l'intensification de la concertation entre les organismes du milieu pour une meilleure coordination de leurs activités et une meilleure promotion de leurs intérêts collectifs.

Certains partenaires se sont davantage intéressés à participer à des colloques et à des conférences et à prendre position sur des questions controversées en santé mentale. Il en fut de même pour la participation aux travaux de commissions d'enquête ou de tables de concertation: les interventions y furent plus rigoureuses intellectuellement. Certains signalèrent une amélioration dans les rapports avec les organismes de recherche et de planification tels les conseils régionaux de la santé et des services sociaux ou les départements de santé communautaire. Le projet a également favorisé la création d'une association régionale des ressources alternatives en santé mentale.

À l'École de service social, l'intérêt s'est accru pour la recherche-action-formation et la collaboration avec les collectivités. Il en est de même de l'intérêt pour certaines problématiques. La santé mentale est loin d'occuper la place que normalement elle devrait avoir dans une telle école. Des perspectives de développement sont envisagées à ce sujet.

Le développement de la méthode

Les conditions minimales sont présentes pour garantir l'usage efficace de la RAF, du moins de la part des ressources déjà formées. De nombreuses améliorations demeurent possibles et la méthode devrait s'affiner à l'usage surtout en ce qui a trait au mode de recrutement des partenaires, au financement, au passage de la description à l'analyse, à l'impact du non-dit, à l'intégration des organismes participants, aux modes d'écriture, etc. La poursuite d'une telle démarche dans le champ de la santé mentale permettrait d'approfondir des questions comme le rôle de la prévention, la différenciation des structures intermédiaires et des ressources alternatives, la pratique de l'intervention et la gestion dans l'optique de la philosophie du mouvement alternatif. La méthode devrait être utilisée chaque fois qu'on vise un développement organisationnel qui intègre étroitement la recherche, la formation et les changements. Elle est particulièrement bien adaptée au développement d'organismes homogènes de nature régionale ou sous-régionale, qu'il s'agisse d'établissements du réseau tels que les CLSC ou d'organismes communautaires. Elle pourrait aussi être utilisée dans les cas où la population doit contribuer à l'analyse de ses besoins, lors de la mise sur pied ou la consolidation de tables de concertation, et lors de la mise au point d'un processus d'auto-évaluation par des organismes.

De nombreuses difficultés vont, cependant, ralentir le développement d'une telle approche: le mode actuel de financement séparé pour la recherche et la formation, la tendance à privilégier les études quantitatives et les recherches évaluatives, le manque de cohésion des groupes communautaires lorsqu'il s'agit de réclamer certains outils de développement, la difficulté des gestionnaires à s'engager dans un processus continu et collectif d'analyse préférant les rapports des maisons d'experts qui contiennent des recommandations précises et immédiatement applicables, la mentalité de nombreux univertaires qui ne sont pas prêts à modifier leur rôle.

La terrible question de l'écriture

Le chercheur traditionnel estime que c'est le contenu de ce qui est écrit qui témoigne de la valeur d'un projet. Le tenant de la recherche-action-formation s'attachera également au processus de production du texte. Le «qui écrit?» a autant d'importance que le «qu'est-ce qui est écrit?» Mais il ne s'agit pas de dramatiser la situation. La question s'est en tout cas souvent posée au cours des projets. Qui doit assurer l'écriture des résultats d'un tel processus? Quelle forme doit-elle prendre? Les rédacteurs des textes peuvent-ils ou doivent-ils être extérieurs au groupe de recherche-action-formation?

À ce sujet, nous avons essayé des formules diverses et complexes. Une première formule est particulière au GRARSPI. L'analyste faisait partie du groupe et, en plus des comptes rendus, il rédigeait les documents de production qui permettaient d'articuler de plus en plus le contenu des échanges. Même si cet analyste quitta le groupe avant la fin du projet, il accepta de rédiger le document final qui comprenait trois parties principales: les courants de pensée qui ont influé sur la prise en charge par le milieu, la définition des concepts fondamentaux, et les éléments d'un «modèle» de PCM comprenant les orientations normatives, le cadre de référence analytique et les principes méthodologiques.

À propos de ce document, les praticiens disaient qu'ils s'y reconnaissaient mais que la partie traitant des «racines du discours» leur apparaissait plutôt comme un hors-d'œuvre issu des exigences d'une pensée typiquement et strictement universitaire, même si la rétrospective des courants de pensée faisait clairement ressortir les liens avec la prise en charge par le milieu. Quoique cette partie ait été discutée par tous au cours des rencontres, ce n'était pas là la forme d'écriture qui rendait compte complètement du cheminement de leur pensée. Il faut noter qu'au cours de leurs interventions, les praticiens aussi bien que les universitaires citaient rarement des auteurs, tandis que les textes sont bourrés de références bibliographiques.

Pour ce qui est de la partie portant sur l'analyse critique et rédigée par une personne extérieure au groupe, on en loua la valeur d'ensemble et surtout certaines perspectives nouvelles, mais le texte parut «étranger» à la dynamique intellectuelle du groupe. Enfin, pour ce qui est du texte sur la recherche-action-formation, le groupe proposa que le document débutât d'abord par une description de la démarche adoptée par le groupe suivie d'un texte d'analyse critique. Dans les faits, ces deux parties furent conservées, mais, au moment d'écrire le texte final, l'auteur décidait de les inverser. Les praticiens adoptèrent ce texte avec le sentiment que l'intégration des aspects théoriques et pratiques demeurait difficile.

Une seconde formule fut expérimentée dans le projet RASM. Rappelons, d'abord, que les coupures budgétaires faites dans la demande initiale ne permirent pas d'embaucher un analyste de même expérience que dans le projet précédent. Ce fut l'universitaire qui avait assuré l'animation des rencontres et la coordination des opérations sur le terrain qui accepta de rédiger le texte. Il opta alors clairement pour une description analytique du processus, en tirant du vécu lui-même l'articulation des concepts, sans référence aux débats ou aux théories extérieures. Le groupe confirma la fidélité du texte au cheminement vécu dans l'expérience.

Il restait alors à présenter deux contenus: le compte rendu des rencontres avec les résidents des Ressources et les travaux d'analyse proprement dits. Une fois de plus, il fallut recourir à une analyste extérieure au groupe pour assurer la rédaction du texte portant sur les travaux d'analyse faits par le groupe sur le fonctionnement et le développement des RASM. Le texte préparé par l'analyste extérieure au groupe fit l'objet d'une critique serrée, mais sympathique. La principale difficulté tenait à ce que le texte vidait la réflexion du groupe «de son âme et de son esprit», pour employer l'expression d'une praticienne. Le contenu était juste, mais il ne rendait compte ni du dynamisme interne des débats, ni des émotions qu'il avait suscitées, ni des apprentissages faits, ni des limites de cette réflexion. L'équipe universitaire reprit le texte et en confia la rédaction à l'auxiliaire de recherche sous la supervision des deux autres membres de l'équipe universitaire.

L'évaluation par l'ensemble du groupe se révéla, cette fois, nettement positive. Le texte fut perçu comme un fidèle reflet de la démarche du groupe, une articulation intelligente et cohérente des échanges, un compte rendu vivant et dynamique — «J'avais la sensation de lire un roman» —, un portrait juste de ce qu'étaient les Ressources alternatives, ainsi qu'un tracé des apprentissages. On souligna également la richesse de l'information descriptive ainsi que la profondeur de certaines analyses. De plus, on nota que le document permettait maintenant de déceler les limites de la réflexion et la nécessité de poursuivre la démarche pour approfondir certains débats de fond.

Seul le directeur du projet se montra critique à l'égard de ce texte. Il considérait qu'un certain nombre d'expressions n'étaient pas assez précises, et surtout que des affirmations avaient un caractère naïf et qu'elles apparaîtraient superficielles aux yeux de ceux qui adoptaient une attitude peu favorable au développement des Ressources alternatives. De plus, selon lui, le texte ne rendait pas justice à la richesse de la pensée du groupe ni à la complexité de la réalité qui avait été analysée.

Il s'ensuivit un débat vigoureux, balayé par certains vents d'émotivité, mais qui se révéla fort positif: une fois de plus, l'action — la diffusion du rapport — faisait ressortir des questions et des sentiments importants, tels que les attentes des universitaires à l'égard de leur milieu, l'importance qu'il fallait attacher aux interlocuteurs en présence, la place de la stratégie dans les rapports avec ceux qui voudraient exploiter les faiblesses des Ressources alternatives, des attitudes face à l'évaluation. Le groupe forma alors un comité composé du directeur du projet, du rédacteur principal du texte et de trois responsables des

Ressources pour réviser le texte final de cette partie du rapport. Ce qui se présentait comme une simple révision pour resserrer l'écriture se révéla finalement être un travail considérable pour enrichir le fond et la forme du document. Nous croyons que la version finale rend davantage justice au travail d'analyse fait par le groupe sans dépasser la pensée des personnes qui y ont contribué.

Comme on le voit, l'écriture est un objet constant d'essais, et elle constitue une difficulté propre à la recherche-action-formation. Les chercheurs ont mis de nombreuses années à développer une forme d'écriture qui convienne à la nature des rapports de recherche et qui respecte les règles de l'art en matière de publications à caractère scientifique. Mais, répétons-le, la recherche-action-formation a également valeur scientifique; simplement, elle cherche encore son mode d'écriture. Le danger est de penser que les difficultés d'écriture ou les semi-échecs tiennent à la moindre aptitude des rédacteurs. Mais le problème n'est pas là: la difficulté d'écriture tient au processus lui-même et à la difficulté, pour les universitaires, de repartir à neuf, en abandonnant leurs habitudes, et, pour les praticiens, de prendre charge de l'expression écrite de leur pensée amalgamée à celle des universitaires.

Quels pourraient être les éléments clés de cette écriture? Elle devrait venir de l'intérieur du groupe, c'est-à-dire de quelqu'un qui a participé aux rencontres, qui a suivi les méandres des débats ainsi que les émotions qui les accompagnaient. Elle devrait consister en une «description analytique» et non en une description des faits suivie d'une analyse théorique qui emprunte aux modèles scientifiques connus. Elle devrait refléter les répétitions, les incohérences et même les contradictions inhérentes au caractère mouvant d'une pensée collective en pleine élaboration. Cette pensée collective est aussi scientifique, car ses imperfections sont une part de la vérité, celle qui est liée à la recherche dans son sens le plus pur: l'angoisse de la découverte lente et difficile d'une vérité qui intègre tout le vécu d'un être humain intelligent à la recherche de la maîtrise de lui-même et de son environnement. Elle devrait être davantage partagée par les praticiens et les universitaires.

La recherche-action-formation ne devrait certes pas supplanter les autres formes de recherche. Elle permet cependant d'atteindre des objectifs qui échappent aux autres formes de recherche. La pratique de la recherche-action commande, par ailleurs, des changements de perspective et d'attitude chez les chercheurs professionnels et également chez les intervenants du milieu, car au lieu d'hypothèses, nous parlons d'objectifs à réaliser et parfois d'utopies inspiratrices; au lieu de grilles d'observation et de méthodes quantitatives, nous parlons du désir de partenaires de mieux comprendre et articuler l'action vécue; au lieu de plans expérimentaux et de groupe contrôle, nous parlons d'analyse critique d'une action soutenue par des engagements marqués au coin du risque et de l'émotivité; enfin au lieu de résultats scientifiques, nous parlons de changements dans la pratique pour assurer un meilleur service à la population et pour atteindre une plus grande estime de soi.

IV

LA RECHERCHE-ACTION: DISCOURS ET PRATIQUE

La grande majorité des textes consacrés à la recherche-action portent sur des problèmes de définition, de spécificité méthodologique et d'explication épistémologique. Ces questions sont certes très importantes, mais elles sont nettement insuffisantes pour comprendre la recherche-action qui comporte en effet tout un ensemble de problèmes concrets liés à son exercice. Le processus de recherche-action est pourtant rarement décrit. Il est vrai que, comme l'a signalé R. Dubost (1984, 9), il y a actuellement beaucoup plus de discours sur la recherche-action que de pratique ou d'expériences concrètes. Mais, même lorsque celles-ci ont lieu, on se contente le plus souvent d'en préciser les résultats globaux et d'indiquer si les objectifs initiaux ont été atteints ou non, et de faire un récit de l'action plutôt qu'une véritable description du processus, avec ses forces et ses faiblesses, ses succès et ses échecs. La pratique de la recherche-action mérite pourtant d'être décrite et explicitée, expliquée et évaluée, au moins dans ses grandes lignes et dans ses principales étapes. Le chapitre précédent a voulu modestement corriger cette situation en décrivant nos expériences récentes. Il s'agit maintenant de comparer les enseignements de notre démarche avec ceux que l'on retrouve dans la littérature sur la recherche-action.

La réflexion qui suit a son point de départ dans le projet GRARSPI. Lors des discussions du groupe, on était convenu que le texte sur la recherche-action devait, d'une part, préciser la méthode suivie par le groupe (ce qui a été fait au chapitre précédent), et, d'autre part, aborder un certain nombre de questions et de problèmes, tant d'ordre théorique que méthodologique, que soulève l'usage de cette méthode de recherche. Tel est donc le propos du présent chapitre. Nous y précisons, dans un premier temps le concept de recherche-action, puis nous aborderons les principales étapes de celle-ci. Nous tenons à faire remarquer que, contrairement à ce que pourrait laisser croire cet ordre d'exposition, nous ne partageons pas la position de ceux qui ne voient dans l'empirie qu'un prétexte ou une illustration de la théorie. Nous croyons, au contraire, que la réflexion théorique doit intervenir essentiellement dans le but de supporter et rendre intelligible la présentation du matériel empirique.

Soulignons enfin, avec A. Haramein et P. Perrenoud, que «nous ne nous adressons pas ici aux adversaires inconditionnels de la recherche-action, peut-être parce que nous n'en sommes pas des partisans inconditionnels. Pour nous, c'est une démarche possible parmi d'autres, qui a sa fécondité et ses limites. C'est une réponse à certains problèmes et à certaines situations et non pas une panacée universelle. À ceux qui ont une idée bien arrêtée de ce que doit être la science, à ceux qui vous demandent d'emblée quelles sont vos hypothèses, vos grilles d'observation, vos méthodes d'analyse, vos échantillons, vos plans expérimentaux, vos premiers résultats significatifs, nous ne savons que dire. Non par agressivité, mais par désarroi» (1981: 175). Par désarroi devant ce qui est différent.

Définitions et caractéristiques de la recherche-action

Récemment encore, la recherche sociale était synonyme de questionnaires, de tests statistiques, de corrélations. Certes on admettait d'autres méthodes de recherche, mais comme autant de pis-aller, l'idéal demeurant toujours la recherche quantitative. Depuis quelques années, des brèches ont lézardé le socle de l'orthodoxie. D'autres courants de recherche se sont développés, parmi lesquels la recherche-action, qui s'est vite répandue dans plusieurs disciplines professionnelles.

À ce propos, D. Le Gall et C. Martin soulignent que «la séduction que cette démarche opère tant chez les décideurs et responsables d'institutions de l'action sociale, renvoie plus particulièrement à sa dimension collective et consultative». Elle permet également de dépasser «l'habituel placage d'une recherche traditionnelle et universitaire, souvent trop distanciée et trop théorique» (1983, 67). De même, R. Dubost (1984, 9) a noté le caractère un peu mystérieux de la recherche-action, «son côté miroitant, anti-conformiste, propre à éveiller l'espoir de réduire les oppositions entre les deux termes», ce qui a pour effet, précise-t-il, de faire «fantasmer facilement une partie des formateurs, des psychosociologues, des travailleurs sociaux, des militants mais aussi certains décideurs des appareils technocratiques qui souffrent du fossé qui s'est creusé entre chercheurs et praticiens et qui sentent leurs exigences de rationalité mises à mal par cette évolution» (1983, 17). Plusieurs auteurs se sont posé diverses questions au sujet de la recherche-action. Par exemple, D. Dind (1981, 63) s'est demandé de quelle recherche et de quels acteurs il s'agissait, si on avait affaire à une nouvelle méthode d'intervention, à une alternative de recherche fondamentale pour sociologue en mal de terrain, si c'était une nouvelle façon de mener une lutte contre l'enfermement intellectuel dans lequel le pouvoir universitaire les confine, ou une nouvelle légitimation de leur fonction de chercheur auprès des groupes populaires.

Quelle que soit la réponse qu'on choisisse, la vogue soudaine de la recherche-action semble poser divers problèmes. Un problème d'identité d'abord. Qu'est-ce que la recherche-action? À cette question, les réponses sont loin d'être satisfaisantes. On constate au contraire que l'expression «recherche-action» ne signifie plus rien à force de vouloir signifier trop de choses; les pratiques qu'on évoque pour illustrer la chose ne comportent pas vraiment de caractéristiques communes (Hess, 1983, 16). De même, comme l'a signalé D. Lambelet (1984, 121), définir la recherche-action autrement que de manière quasi tautologique ou en disant ce qu'elle n'est pas (ses manques, ses défauts actuels) apparaît comme un risque. Aussi, peu d'auteurs s'y aventurent. Il en résulte une impression de grand «flou sémantique» ou de «nébuleuse terminologique». En somme, le concept de recherche-action fait partie de ces concepts «fourre-tout» qui doivent leur popularité autant à leur pouvoir d'évocation qu'à leurs capacités descriptives ou à leurs qualités analytiques.

Malgré ces difficultés, essayons de définir, ne serait-ce que dans des termes généraux, la recherche-action. Pour la Commission d'étude sur les universités au Québec, la recherche-action, c'est essentiellement un travail d'équipe de chercheurs qui, «alliant la pensée théorique à l'intervention, travaillent avec des groupes extérieurs à leur institution, analysent avec ces derniers les problèmes de leur milieu, les aident à les percevoir plus nettement et à prendre eux-mêmes en charge les secteurs où se vivent les enjeux majeurs de leur vie collective» (1979, 38). Lors d'un colloque tenu à l'Université du Québec à Chicoutimi, en 1981, un groupe de professeurs de cette université ont défini la recherche-action de la façon suivante: «La recherche-action est un processus dans lequel les chercheurs et les acteurs, conjointement, investiguent systématiquement une donnée et posent des questions en vue de solutionner un problème immédiat vécu par les acteurs et d'enrichir le savoir cognitif, le savoir-faire et le savoir-être, dans un cadre éthique mutuellement accepté» (En collaboration, 1981, 2). Ce point de vue a été repris récemment par R. Charbonneau (1987, 82). De même, pour A. Bouvette, «il s'agit d'une sorte de dialectique de la connaissance et de l'action dont la finalité est la création de connaissances nouvelles qui deviendront provocatrices de changement» (1984, 30). Et, pour D. Bourque, la recherche-action «est un projet collectif alliant chercheurs et acteurs dans une démarche de production d'un savoir émergeant d'une pratique et renvoyé à elle dans un rapport inter-actif et progressif» (1985). Finalement, c'est à la conception de B. Gauthier que nous nous rallions, particulièrement lorsqu'il précise que «la recherche-action ne constitue pas tant une nouvelle technique de collecte d'information qu'une nouvelle approche de la recherche: c'est une modalité de recherche qui rend l'acteur chercheur et qui amène l'action vers des considérations de recherche. Elle est différente de la recherche fondamentale qui ne fonde pas sa dynamique sur l'action, et de la recherche appliquée qui ne considère encore les acteurs que comme des objets de recherche et non comme des sujets participants» (1984, 462).

Faute d'une définition précise, plusieurs auteurs ont tenté de saisir les principes de base qui doivent guider le processus de recherche-action. Ainsi P.Y. Troutot (1980, 197), A. Jacob (1984, 18) et H. Lamoureux et al. (1984, 88) ont relevé les caractéristiques suivantes de la recherche-action: 1) Il s'agit d'une démarche de longue durée et non pas d'une intervention ponctuelle; 2) Elle est entreprise en collaboration avec des groupes réels insérés dans un contexte et non pas avec des groupes composés d'individus socialement isolés; 3) Sa finalité, ses objectifs et ses orientations sont discutés et négociés entre les chercheurs; 4) La définition de la problématique spécifique et des objectifs de recherche ne se fait pas à partir de théories ou d'hypothèses préalables qu'il s'agit de confirmer ou d'infirmer, mais en fonction des besoins d'une situation et d'une pratique sociale concrète; 5) Les données recueillies au cours du travail n'ont pas de valeur ni de signification en soi; elles n'intéressent qu'en tant qu'éléments d'un processus de changement social; en ce sens, l'objet de la recherche-action est une situation sociale et non pas un ensemble de variables isolées que l'on pourrait analyser indépendamment du reste; 6) Le chercheur abandonne le rôle d'observateur extérieur au profit d'une attitude participative alliant l'observation empathique à l'interaction directe et instaurant une relation de sujet à sujet entre tous les partenaires sans exclure la distance critique.

Afin de baliser concrètement le concept, G. Goyette et M. Lessard-Hébert (1985) précisent que la recherche-action apparaît comme une stratégie de recherche, d'intervention et de formation à la fois. Elle est ainsi porteuse «d'un projet de construction et de formulation d'une connaissance nouvelle» qui peut se traduire par diverses fonctions d'investigation, de communication et de critique (1987, 36). Plus concrètement, les auteurs regroupent les caractéristiques de la recherche-action autour de trois éléments présents dans toute activité de recherche: un chercheur (le qui), une méthode (le comment) et un objet de recherche (le quoi) (1987, 133).

L'objet de la recherche-action sera défini en fonction d'une expérience, d'un problème concret, plus ou moins immédiat, vécu soit par le chercheur lui-même, soit par des acteurs, praticiens ou clients. Le besoin, d'ordre individuel, professionnel ou social, sert souvent de départ à une recherche-action. L'objet de la recherche-action est donc reconnu, situé dans son contexte spatio-temporel et relié au champ de la connaissance quotidienne et de l'expérience. Il ne s'agit pas simplement de recueillir des informations à partir d'une certaine problématique qui oriente la cueillette des données. Il s'agit de produire une théorie dite «provisoire». Ce qui ne dispense pas le savoir théorique de répondre aux exigences de pertinence et d'efficacité.

À partir du moment où on reconnaît le rôle du sujet dans la définition de l'objet de la recherche, il s'ensuit que le chercheur doit s'engager, à différents degrés et dans différentes phases, dans la recherche, ce qui peut aller de la participation partielle à la négociation et à la prise en charge du processus dans son ensemble. D'une façon générale, on s'entend pour dire que la définition de l'objet de la recherche résulte d'une négociation entre le chercheur et les personnes directement concernées. Le chercheur est donc un sujet engagé dans une action et préoccupé par un objet de recherche formulé à partir d'un problème vécu dans l'action. L'engagement du chercheur ne doit pas être uniquement accepté, il doit être également souhaité. Ce qui suppose chez le chercheur diverses qualités humaines: capacité d'écoute, de communication, d'empathie, d'animation. Il doit surtout être capable de vivre l'incertitude et de reconnaître le caractère unique de chaque situation. Une certaine unanimité semble se dégager autour de deux thèmes principaux: une opposition à toute fusion de la recherche et de l'action par l'identification intégrale des chercheurs et des acteurs; un souhait pour une interaction de la recherche et de l'action dans une distanciation des rôles et des acteurs.

En ce qui concerne la méthodologie, on s'entend pour dire qu'il n'est pas nécessaire que la recherche-action en développe une. Il s'agit surtout de mettre à l'épreuve une conception particulière du processus de connaissance. Cette ouverture sur le sujet, vivant et interprétant une situation problématique concrète, ne se traduit pas dans la pratique de recherche par une méthodologie particulière. La méthodologie peut d'ailleurs faire elle-même l'objet d'une «négociation». Finalement, Goyette et Lessard-Hébert concluent sur la «souplesse méthodologique» (1985, 158) qui caractérise la recherche-action.

La recherche-action a, ensuite, comme trait caractéristique de suivre un processus circulaire, de fonctionner selon une logique «en spirale» plutôt que strictement linéaire. On représente ainsi la démarche «comme un cercle ou une spirale où le retour des informations entre les différentes phases ou au niveau de l'ensemble de la démarche est recherché et accepté comme une source possible de modifications (choix) quant au déroulement de la recherche ou de l'action» (Goyette et Lessard, 1985, 160). Souligner le caractère cyclique de la recherche-action est une autre façon de dire la même chose: «Le cycle débute par l'exploration et l'analyse de l'expérience. Mais la réalisation d'un projet entraîne des changements dans la situation étudiée tout comme chez les participants. Un cycle se complète par une interprétation, une conclusion et une prise de décision qui entraîne généralement la poursuite d'un autre cycle dans lequel une expérience modifiée et enrichie est explorée et analysée» (1987, 161).

Autre aspect sur lequel nous avons déjà insisté, on ne peut penser la recherche-action sans la formation. Parmi les chercheurs québécois, G. Goyette et M. Lessard-Hébert par exemple, précisent ainsi l'importance de la formation dans le processus de recherche-action: «L'apprentissage est perçu d'abord comme une appropriation du savoir. Il s'agit d'apprendre à apprendre, d'intégrer une méthode de recherche... Autrement dit, la formation par la recherche-action ne chercherait pas tant à transmettre des connaissances en tant que produits, qu'à faire acquérir des processus, et ce, de façon systématique». De ce point de vue, «l'adulte est perçu en tant qu'agent principal de son propre apprentissage. Il est le premier responsable de son projet de recherche-action et de sa réalisation. Il est celui qui s'éduque, se transforme par la recherche-action (attitudes, habiletés). Il prend en charge son perfectionnement tout autant que sa pratique professionnelle» (1985, 104). Les chercheurs européens également estiment que toute participation à une recherche pluridisciplinaire est formatrice pour l'ensemble des participants (Inserm, 1985, 37). C'est dans ce sens que G. Lerbet (1979, 1980) décrit un programme de formation d'adultes qui permet à ceux-ci de progresser dans l'élaboration d'un projet de recherche-action.

Celle-ci ne prétend aucunement remplacer par ailleurs, les autres formes de recherche. Elle n'est pas, à vrai dire, une autre méthodologie de recherche, et, comme l'a signalé J. Rhéaume (1982), si elle peut quelquefois comporter des procédures nouvelles, elle s'appuie dans l'ensemble sur diverses méthodes de recherche d'utilisation assez générale en sciences sociales. La recherche-action insiste plutôt sur un nouveau rapport au savoir, sur une façon particulière de concevoir la recherche, que sur une nouvelle méthode de recherche ou encore une nouvelle technique de collecte de données. Elle représente donc le lieu d'une véritable remise en question de la division sociale du savoir et du pouvoir entre les divers partenaires en présence. Elle comporte un mode d'interaction entre les chercheurs, les praticiens et les diverses «clientèles» visées par le processus.

Sur un plan plus concret, des différents travaux qui lui sont consacrés, on peut dégager les caractéristiques suivantes de la recherche-action: il s'agit d'une démarche collective intégrant à la fois une stratégie de recherche et une stratégie

d'action; elle est réalisée par une équipe multidisciplinaire constituée de chercheurs et d'acteurs dans une relation de collaboration et de concertation; elle est centrée sur une situation problème concrète, insérée dans des rapports sociaux réels et liée
à une action de changement social; elle cherche à produire une
meilleure connaissance des conditions et des résultats de l'action
expérimentée pour en dégager des acquis susceptibles de généralisation; enfin, elle exige l'engagement intellectuel et affectif
de chaque participant, une ouverture à la critique et à la remise
en question, et la capacité de faire évoluer ses conceptions, sa
pratique et ses rapports interpersonnels en fonction du développement d'un projet.

Quelques enjeux de la recherche-action

Essayons maintenant de dégager les enjeux fondamentaux de
tout processus de recherche-action. Nous en retiendrons quatre:
le premier concerne le rapport entre théorie et pratique, le
deuxième le processus même de la recherche-action, le troisième le compte rendu d'un projet, et le dernier la validation.
     Selon D. Le Gall (1984) toute réflexion sur la recherche-
action renvoie au rapport entre la théorie et la pratique. Or,
le lien entre ces deux «mondes» lui apparaît «plaqué», artificiel.
On obtient ainsi cette image d'Épinal: «Les professionnels de la
recherche se retirent dans leur tour d'ivoire pour se livrer à
d'obscures spéculations théoriques et, quand ils vont sur le
terrain, ce n'est jamais que du haut de leur savoir»; les praticiens,
eux, «sont trop immergés dans leur pratique quotidienne pour
pouvoir s'en distancer; tout travail de réflexion sur leur propre
pratique ne peut les conduire qu'à conforter leurs propres repré-
sentations» (1984, 8). La rupture entre chercheurs et praticiens
semble de la sorte consommée; mais, estime Le Gall, elle peut
tout aussi bien tracer les voies possibles d'une association. Selon
Jacques Alary, directeur du GRARSPI, l'enjeu fondamental de
toute recherche-action est d'en arriver à produire des connaissances nouvelles tout en travaillant à une action, c'est-à-dire à
un changement dans une pratique ou dans une situation sociale.
Conjuguer la logique de la recherche et la logique de l'action

en passant par la logique de l'autoformation des participants serait la clef de cet enjeu.

Pour que le groupe de participants se transforme en groupe d'autoformation, il est nécessaire que le processus (deuxième objet de nos remarques) fasse évoluer le groupe du stade de groupe descripteur au stade de groupe analyseur de sa réalité. Le groupe qui analyse sa propre pratique met à jour la théorie qui la sous-tend et il fait aussi des apprentissages qu'il applique au fur et à mesure dans son action.

Au départ, il apparaît aux praticiens-gestionnaires que leur action est porteuse d'une nouvelle forme de pratique à découvrir, à mettre au jour, à décrypter. Ils veulent ou désirent s'engager dans un processus d'analyse qui va la leur révéler; bref, ils pensent comme des chercheurs. Il apparaît de même aux chercheurs universitaires qu'un modèle (ou une théorie) peut être construit à partir de certaines pratiques ou être extrait d'elles, ou encore qu'il est en voie de formation à travers les pratiques observées, et c'est précisément ce qu'ils désirent expliciter, articuler et valider. Leur objectif en est un d'élaboration de la connaissance dans des formes qui la rendent transmissible.

Le processus de la RAF est donc un processus d'analyse générative en ce sens qu'elle engendre découvertes et changements. L'enjeu au plan du processus consiste essentiellement à passer de la description à l'analyse, et ce sans perdre de vue l'applicabilité immédiate, sans opérer de réduction dans l'idéologie (c'est-à-dire les valeurs mobilisantes) ni détruire ce qui s'invente dans l'action, sans minimiser la valeur du jugement pratique des praticiens-gestionnaires qui savent par expérience ce qui marche et ce qui ne marche pas, et, finalement, sans perdre de vue l'étendue du champ et sa complexité, c'est-à-dire les facteurs critiques ou les variables clés.

Le compte rendu d'un projet doit fournir une représentation fidèle du cheminement par lequel le groupe est parvenu à la découverte et au changement. Il doit dire comment l'analyse a été conduite et comment le modèle a émergé de cette analyse. Mais comment rendre compte fidèlement de la pensée collective qui s'est élaborée sans tomber dans le discours de l'abstraction ni dans celui de la simple narration? Comment intégrer les contradictions paradoxales qui ont conduit à de nouvelles repré-

sentations de la réalité? Comment écrire pour que les participants se reconnaissent dans ce qui est dit tout en formulant les
choses de manière à faire comprendre qu'on est allé plus loin
dans la pensée que les paroles le laissaient entendre, sans pour
autant déformer la pensée et sans la dépasser? Voilà autant de
questions que les participants à une telle démarche rencontrent.
Chose certaine, on ne peut pas parler de pédagogie de la
recherche-action si le rapport lui-même ne dépasse pas la simple
mise en forme des idées du groupe pour montrer le modèle
qui en émerge comme une nouvelle germination.

Sur le plan de la validation, l'enjeu regroupe celui de
l'évaluation et du retour à l'action car il se rapporte à la
validation du processus (comment s'assurer qu'on est sur une
voie prometteuse ou féconde?) et à la validation du modèle
élaboré (comment vérifier la portée et l'efficacité de la pratique
inventée?). De plus, comme la RAF est aussi un processus
d'apprentissage, l'évaluation continue devrait permettre de vérifier ou de prendre conscience des découvertes, c'est-à-dire des
nouveaux apprentissages. C'est par l'évaluation continue, les
bilans, etc., qu'on peut obtenir progressivement des preuves,
ou plus modestement des indications que la nouvelle représentation de la réalité qui se construit et qui se substitue à la
représentation initiale est plus féconde, plus pratique, plus efficace, bref, qu'elle est un meilleur concept organisateur de l'action. On prend ainsi conscience progressivement qu'on est en
train de changer son modèle de pratique au fur et à mesure
qu'on le découvre. Et si dans le retour à l'action on se rend
compte que la RAF permet aussi de continuer à se poser des
questions, c'est qu'il y a eu autoformation. Dans ce sens, la
RAF n'est qu'un moment d'un processus de transformation auquel participent chercheurs et praticiens.

Les étapes de la recherche-action

Comme toute forme de recherche, la recherche-action comporte
cinq étapes essentielles: la phase préparatoire et l'établissement
des rapports entre les participants; la collecte des données et
l'analyse des résultats; la rédaction d'un rapport de recherche
et sa diffusion; l'évaluation; et, finalement, le retour à l'action.

Mais la recherche-action a des particularités propres qu'il importe maintenant d'examiner, et ce, tant à la lumière de la littérature que de notre expérience.

La phase préparatoire et les rapports entre participants

Selon L. Chambaud et G. Richard (1984, 47), la recherche-action doit partir d'une demande concrète, d'un «client» dirait R. Hess (1983), même si cela n'est pas toujours fait clairement. Le premier travail du chercheur sera donc d'aider le client à préciser sa demande, à mieux circonscrire son besoin. Les problèmes sur lesquels portera le projet de recherche-action doivent être réels et non posés par hypothèse ou par intérêt personnel ou professionnel.

Le chercheur ne travaille pas avec des groupes artificiels composés d'individus socialement isolés, mais avec des groupes naturels dans leur contexte habituel de vie et de travail. Le processus de la recherche-action est donc réalisé par toutes les personnes concernées par le problème. Le chercheur considère les participants comme des collaborateurs avec lesquels il importe donc de clarifier la situation de départ.

L. Chambaud et G. Richard (1984, 47) insistent sur la nécessité d'établir et de négocier un contrat clair. Pour sa part, R. Hess (1983) souligne que le travail de recherche commence dès la phase de négociation, dès que le «client» invite le chercheur à s'entendre avec lui sur les conditions de la recherche-action. Cette phase de négociation est très importante. C'est le passage d'une demande, encore vague, en commande, c'est-à-dire en cadre de référence. La commande, c'est l'acte par lequel le client donne à sa demande un cadre plus formel, et le contrat est la forme juridique que prend cette commande. Dans ce contrat, les deux parties formulent leurs engagements mutuels et c'est dans ce cadre que demande et commande vont pouvoir s'analyser. Deux dimensions sont alors fondamentales: la précision de l'objet de la recherche-action et son financement. C'est aussi au cours de cette première étape que l'on visera aussi bien à vérifier la faisabilité de la démarche et à mettre au point le protocole de recherche, qu'à tester les possibilités de collaboration entre les différents partenaires et à analyser les conflits susceptibles de survenir (Inserm, 1985). M. Autès (1982, 53) souligne pour sa part qu'il faut formuler des objectifs d'action.

Au cours de cette phase donc, les membres du groupe cherchent, dans un premier temps, à clarifier les enjeux majeurs du processus de recherche-action, à reconnaître leurs compétences mutuelles et complémentaires, et à expliciter leurs craintes, leurs intérêts et leurs expériences. Souvent, le groupe effectue certaines activités de formation, des visites, des consultations. C'est ce que Gauthier et Baribeau (1984) appellent la partie délimitative de la phase préparatoire.

Le souci de pertinence incite les personnes concernées tant par la situation problématique que par la recherche de solutions, à préciser leurs valeurs, la nature et les fondements de leur engagement. Chacun pondère le temps accordé et les énergies investies dans la recherche. À cette étape, les membres du groupe procèdent souvent à la description d'un projet idéal, ce qui permet de mieux situer les attentes de chacun et les résultats visés. L'exigence de crédibilité incite l'équipe de recherche à entreprendre les démarches afin d'assurer la reconnaissance sociale des activités de recherche: reconnaissance des tâches, rémunération, demande de subsides. Plus spécifiquement, ce souci mènera à l'établissement d'ententes formelles avec les instances éventuellement touchées par les opérations de recherche-action.

À l'étape suivante, dite descriptive (par les mêmes auteurs), «l'équipe de recherche illustre ou symbolise les situations qui font problème, les chercheurs décrivent aussi les changements que des actions déjà entreprises ont pu entraîner. Ils esquissent les grands paramètres des informations jugées nécessaires; ils déterminent les lieux et les sources d'information les plus accessibles; ils développent ou choisissent les moyens les plus appropriés pour recueillir les données.» Un lieu physique est parfois nécessaire pour inscrire dans l'espace les produits de ces échanges. Il s'agit, et davantage pour le chercheur universitaire, de se laisser imprégner par la situation, d'écouter, de se laisser influencer.

Le souci de crédibilité concerne le processus de recherche dans son aspect organisationnel: structuration d'un fonctionnement, calendrier flexible d'opérations, etc. Afin de maximiser ses interventions et d'assurer un lien avec des recherches antérieures, le groupe de recherche effectue souvent une recension écrite de celles-ci. Des rencontres ou des visites auprès d'organismes ayant déjà effectué des projets analogues constituent une autre façon d'effectuer cette recension.

On doit insister, comme l'a fait D. Bourque (1985), sur la nécessité de bien planifier tout projet de recherche-action. Cet effort de planification consiste en somme à bien identifier la question ou la situation-problème qui sera l'objet du projet. Cette étape d'analyse devrait être entreprise par l'ensemble des personnes qui composeront l'équipe de recherche-action afin d'en enrichir le contenu et surtout de faire partager à tous les participants la même information. Par la suite, il importe d'établir le cadre général du projet en précisant les résultats que l'on souhaite atteindre, les étapes que l'on prévoit devoir franchir, les mécanismes retenus pour assurer une rétroaction efficace du savoir sur l'agir au cours de la démarche, la meilleure composition de l'équipe du projet, le temps minimal à consacrer au projet et enfin le mode de fonctionnement (à tout le moins provisoire) que doit adopter l'équipe.

Le rapport entre les participants et le partage des rôles constituent une autre dimension significative du processus de recherche-action. L'expérience du GRARSPI a été déterminante à ce propos, d'où l'intérêt d'en faire un bref rappel.

Le fonctionnement du GRARSPI a reposé sur un partage des tâches entre ses deux composantes principales: le groupe des intervenants et l'équipe universitaire. Voyons rapidement les tâches pour chacune de ces composantes. Le rôle des intervenants était de planifier et d'élaborer en commun le projet à réaliser et, éventuellement, d'en assurer l'évaluation. Quant à l'équipe universitaire, son rôle consistait essentiellement à assurer l'encadrement nécessaire pour que les intervenants travaillent d'une façon unifiée et efficace, tout en assurant la planification et l'organisation du projet (convocations, direction des rencontres, communications, etc.)

Dès le début, on a identifié diverses activités reliées à l'organisation interne de la recherche (demandes de subventions, gestion de budgets, participation au comité consultatif, etc.) et à son infrastructure (documentation, informatique, diffusion des résultats, etc.). Mais en pratique, toutes ces tâches ont relevé, pour ainsi dire exclusivement, des membres de l'équipe universitaire. En somme, la gestion du projet de recherche a appartenu surtout aux universitaires.

La question du partage des rôles a surgi au moment où l'on cherchait à expliquer la difficulté d'en arriver à une analyse systématique des pratiques. Les intervenants ont d'abord exprimé certaines insatisfactions concernant la façon dont l'équipe universitaire avait joué son rôle. Selon eux, cette dernière n'avait pas planifié la démarche autant qu'on s'y attendait. Elle avait plutôt eu tendance à être à la remorque du discours des gestionnaires, sans chercher à devancer ou à ajouter aux échanges de vues. Elle n'avait pas non plus structuré le questionnement ni systématisé les analyses. Il semble qu'on aurait aimé, à certains moments, des exposés théoriques de la part des universitaires, principalement sur les modèles organisationnels. Selon les intervenants, l'équipe universitaire aurait dû pousser davantage l'analyse spontanée, la structurer et la systématiser d'une façon plus élaborée entre les rencontres.

De son côté, l'équipe universitaire a reconnu qu'elle avait cherché à se tenir près des gestionnaires, en cherchant à ne pas devancer, ni dépasser les contenus, le rythme ou les demandes qu'ils présentaient. Dans cette optique, les intervenants n'avaient pas été considérés comme de simples «praticiens», mais également comme des chercheurs à part entière dans le groupe. Ils avaient, eux aussi, à définir les orientations, les objectifs, les méthodes de travail, les outils et l'organisation du groupe et la diffusion des résultats. L'équipe universitaire entendait jouer surtout un rôle de «techniciens de support».

La discussion a permis par la suite, de préciser les attentes et les perceptions des uns et des autres. Certains gestionnaires ont rappelé qu'au début il y avait un double souhait plus ou moins explicite de leur part: on demandait du leadership, mais on ne voulait pas être manipulé, ni trop encadré par les universitaires.

Selon les participants au colloque de l'Inserm (1985), la collaboration des divers partenaires dans le processus de recherche-action n'est pas toujours facile. Le fondement de leurs rapports doit reposer sur leur complémentarité rendue possible grâce à la reconnaissance de la particularité de chacun et non pas sur une fusion qui tenterait d'éluder artificiellement la réalité de la division sociale du travail et la spécialisation professionnelle. Mais comment faire pour que les rapports, tout en étant conflictuels, puissent s'harmoniser? La réussite de ce «mariage» repose sur trois conditions: a) la reconnaissance par les partenaires eux-mêmes de leur complémentarité: les chercheurs apportent leur savoir et leur rigueur scientifique, les acteurs apportent leur connaissance du terrain et leur savoir-faire; b) la conservation de la fonction spécifique de chacun; c) la nécessité d'un consensus sur les objectifs et les moyens pour que la boucle «recherche-action» se ferme, même si les divers partenaires trouvent, à travers la recherche, des profits différents.

D'aucuns refusent cependant de partager cette façon de voir, la jugeant trop idéaliste pour ne pas dire trop simpliste. Par exemple, M. Autès (1984) condamne ce qu'il appelle l'illusion des apports réciproques. De quelle réciprocité peut-il s'agir ici? Et de quels apports? «Certes, dans un schéma idyllique, la recherche apporterait des outils, des connaissances au travailleur social, et celui-ci faciliterait au chercheur l'accès à des données, à des terrains. Qui ne voit pas que ce schéma idyllique est un rapport social, qu'il inclut une division du travail qui se traduit dans un rapport de domination? Par conséquent, puisque domination il y a — tout rapport social est inégal par définition —, les relations entre chercheurs et travailleurs sociaux sont des relations conflictuelles au moins potentiellement. Ce qui ne veut pas forcément dire qu'elles sont marquées de la lutte et de l'affrontement, mais qu'elles se construisent autour d'un enjeu, qui se donne comme celui de la connaissance, mais qui est fondamentalement une question de pouvoir. Qui dit le vrai?» (1984, 16). Il précise que dans le champ du travail social, les rapports à la recherche sont marqués au coin du malaise et du malentendu: «Ou bien les sciences humaines produisent des analyses globales, ressenties comme inutiles par les travailleurs sociaux, et c'est le malentendu. Ou bien il faut se livrer au savoir des experts qui savent évaluer, mesurer, dire le vrai et le bien de la pratique, et s'ouvre alors un rapport de conflit» (1984, 17). C'est pourquoi, estime-t-il, il faut renoncer à la vision simpliste des «apports réciproques» pour venir à une vision plus dialectique des rapports de la recherche et du travail social, qui intègre les dimensions du malentendu et du conflit.

Par ailleurs, soulignent Gauthier et Bouvette, vouloir «savoir, apprendre, reconnaître et théoriser les acquis populaires» comporte des exigences: «Il ne s'agit pas plus de vulgariser certains savoirs que de fournir une couverture officielle pour des intellectuels à la conscience malheureuse qui veulent se rapprocher des communautés populaires» (1981, 33). La pratique de la recherche-action n'est pas une sinécure et elle pose diverses difficultés. D. Hétu (1979) a identifié les exigences suivantes. Il faut que le chercheur abandonne sa position privilégiée qui lui assure un pouvoir politique et financier; qu'il renonce à se valoriser par la promotion des outils propres à sa discipline; qu'il s'efforce de trouver des réponses claires à des questions vitales pour les gens; qu'il soit capable de critiquer son savoir et sa pratique; qu'il soit capable de vivre avec la collectivité étudiée, de partager sa quotidienneté, ce qui implique de prendre son temps, car la recherche-action se fait à un rythme lent, etc. Des difficultés similaires ont été identifiées par Le Boterf (1983).

Pour sa part, R. Franck (1981) souligne le danger de manipulation. Il précise que même «avec les meilleures intentions du monde, le chercheur ne peut s'empêcher de faire valoir son point de vue et d'exercer des pressions dans le sens qui lui paraît le meilleur; ici comme là, il ne peut pas faire table rase des idées, des valeurs, des enjeux et aussi des intérêts qui collent à sa position sociale, à son statut professionnel et à sa qualité d'intellectuel.» Que faire alors? Selon l'auteur, il ne suffit pas de s'effacer ou de foncer. Il faut plutôt déterminer à quelles conditions les intérêts et les préoccupations du chercheur ne porteront pas préjudice à ceux qui ont affaire à lui; être «transparent»: tout doit être communiqué aux personnes concernées; ne rien laisser sortir à l'extérieur sans l'accord du groupe concerné; négocier un «contrat» entre le chercheur et le groupe. Il doit y avoir une surveillance démocratique du groupe à l'endroit du chercheur. Concrètement, ce dernier est responsable des initiatives et des décisions qu'il prendra au cours de son intervention devant le groupe qui, de son côté, doit avoir les moyens de révoquer celle-ci, et de contrôler la manière dont le chercheur s'en acquitte. Cette situation peut évidemment conduire à des conflits entre les partenaires de la recherche-action.

Le document de l'Inserm (1985) souligne que dans la mesure où la recherche-action vise à la transformation des institutions ou des individus au sein de ces institutions et en raison de la multiplicité des partenaires, les craintes et les conflits sont fréquents. Ils concernent le pouvoir, le savoir, le savoir-faire, les intérêts et les profits réciproques apportés par la recherche. Les raisons de ces conflits sont multiples: les différences de statut et de formation peuvent entraîner des blocages hiérarchiques et institutionnels; malgré un consensus de départ sur les objectifs et les moyens, les partenaires n'y trouvent, en cours de route, bien souvent, ni les mêmes intérêts, ni les mêmes objectifs; enfin, les difficultés de communication sont également source de conflits. Le discours des chercheurs n'est pas toujours compris par les acteurs; la demande des acteurs n'est pas souvent formulée clairement. Le chercheur devrait être capable de démêler, dans ce discours, les éléments pour une recherche.

Malgré toutes ces difficultés, l'Inserm (1985) estime que la collaboration peut réussir: «Si les conflits sont inévitables, ceux-ci peuvent être minimisés dans la mesure où les partenaires sont lucides et les assument de façon positive. Il ne doit y avoir ni fusion complète ni conflit irréductible mais une conscience des différences entre les diverses catégories professionnelles engagées qui doivent sauvegarder leur identité professionnelle. Ceci implique d'accepter les décloisonnements, les remises en cause, la mobilité des frontières entre disciplines, la reconnaissance de chaque compétence comme irremplaçable. Plus que d'une pluri-disciplinarité, il s'agit d'une trans-disciplinarité» (1985, 50). Cela suppose que chacun accepte de sortir de son champ professionnel habituel pour se transporter sur un terrain moins familier où, avec d'autres intervenants de disciplines très variées, il s'agira, tout en gardant son identité et sa spécificité professionnelles, de créer de nouveaux outils conceptuels, méthodologiques et de nouvelles pratiques.

Mais pour ce faire, il faut d'abord éviter certains pièges qui guettent les partenaires: «En ce qui concerne les acteurs, ceux-ci risquent, s'ils ne sont pas réellement partie prenante, d'être «pressés comme des citrons», c'est-à-dire considérés seulement comme des pourvoyeurs d'informations sans rien recevoir en retour... En ce qui concerne les chercheurs, ceux-ci risquent de se trouver impliqués dans une entreprise qui peut leur nuire: soit parce qu'ils répondent à une demande de recherche «piégée», «alibi» ou «perverse» de la part d'un acteur dont le but (même inconscient) est d'utiliser le chercheur afin de disposer d'arguments pour surmonter ses difficultés; soit parce qu'ils sont interpellés par des problèmes qui n'ont rien à voir avec la recherche (tout n'est pas scientifiquement évaluable)» (1985, 53). Dans les deux cas, ils servent alors de «tampon» scientifique et leur fonction est complètement dénaturée.

Les participants au séminaire de l'Inserm estiment qu'il faut dépasser à tout prix les a priori «efficacité/acteur» et «vérité/chercheur», car d'une part il n'y a pas d'efficacité sans vérité, d'autre part les chercheurs n'ont ni le droit ni les moyens de s'arroger le monopole de la vérité. Il faut tenter d'introduire un point de rupture dans la hiérarchisation existante des divers professionnels. Chaque partenaire a sa propre particularité et il est important qu'il la conserve tout au long de la recherche. Mais au fur et à mesure que se déroule la recherche-action se pose le problème du passage presque inévitable d'un rôle à l'autre: «Toutefois, même dans la situation idéale, où toutes les barrières hiérarchiques sont levées, il est indispensable que l'un des partenaires soit le maître d'œuvre de la recherche-action, qu'il ait le statut d'acteur ou de chercheur» (1985, 34).

Mais pour la majorité des auteurs, la nature des rapports entre acteurs et chercheurs est loin de faire consensus. Ainsi, selon M. Steffen (1981), la dimension politique de la recherche-action apparaît lorsqu'elle permet de faire une brèche dans la division sociale du travail, dans la mesure où elle fait participer activement des groupes situés différemment dans la structure sociale. L'enjeu des pratiques de recherche-action se situe dès lors dans la dynamique d'ensemble qu'elles déclenchent, en particulier en mettant en cause la séparation entre les activités intellectuelles et non intellectuelles. Le Boterf (1983) également pense qu'entre le chercheur et les acteurs doivent s'établir des relations de coopération, d'éducation mutuelle et surtout de négociation. Le chercheur apprend de l'expérience des acteurs et vice versa. Mais la recherche-action implique des relations de négociation: «En particulier, la majorité des décisions concernant la conduite d'un tel processus doit se référer simultanément à trois types de critères, souvent en tension les uns avec les autres et relevant des trois logiques de la formation, de l'action et de la recherche. Les points d'équilibre entre les trois types de critères ne sont pas faciles à trouver» (1983, 45). D'où l'importance d'une négociation permanente entre les divers partenaires de la recherche-action.

D'autres s'opposent, avec plus ou moins d'intensité, à la confusion des rôles. Par exemple, B. Jobert (1981, 79) estime que la fusion entre recherche et action est dangereuse et utopique, précise-t-il, car la logique de l'action collective et celle de la recherche scientifique ne sont pas identiques. De même, la position de J. Ardoino est très claire: «Ce serait une illusion dangereuse, par exemple, de croire que les rôles des chercheurs et des acteurs, tous impliqués dans une recherche-action, se métamorphosent au point de ne plus se distinguer les uns des autres. Il y a certes, une profonde transformation de ces rôles (en particulier une plus grande implication du chercheur par rapport à l'objet de sa recherche et un autre regard, parce que distancié et enrichi de nouveaux éléments de connaissance de l'acteur qui crée, mais aussi analyse la situation). Mais il n'en reste pas moins vrai que les différents protagonistes n'ont pas tous le même point de vue, le même statut. Il faut se méfier d'ailleurs de cette tendance, souvent bien intentionnée, de 'noyer' la reconnaissance des différences entre les gens... Au-delà de toute illusion de fusion, de permutation des rôles, qui ne peut qu'être déçue dans la recherche-action, il reste que si le travail de la recherche-action est sérieusement maîtrisé, un rapprochement, une communication de bien meilleure qualité se réalise entre chercheurs et praticiens» (1983, 25). En somme, selon L. Desnoyers et D. Mergler (1981), il doit y avoir interaction et non fusion entre des travailleurs et des scientifiques à toutes les étapes de la recherche; il s'agit d'une collaboration entre deux types d'expertise.

La cueillette et l'analyse des données

La méthode de travail du GRARSPI a consisté essentiellement en des rencontres périodiques au cours desquelles les participants ont procédé à une analyse plus ou moins systématique des projets dont ils faisaient partie. Ces rencontres régulières, où les partenaires venaient planifier, organiser et évaluer le projet collectif, ont en même temps constitué la méthode principale de cueillette d'informations. C'est donc le contenu même de ces discussions qui a constitué le matériel de notre recherche.

Contrairement à la technique du questionnaire ou d'entrevue structurée, la méthode des échanges, même avec un minimum d'encadrement, travaille le contenu sur deux dimensions. Horizontalement, d'abord, on aborde en même temps un certain nombre de paliers différents; verticalement, ensuite, d'une rencontre à l'autre, on approfondit certains points de vue. Cette méthode permet également le contact et l'exploration générale des attentes et des intérêts des participants, des expériences vécues, des objectifs et des valeurs recherchées. Finalement, la technique du compte rendu des discussions permet également une étape de reflet (*feed-back*) au groupe des échanges, des données brutes ainsi qu'une analyse préliminaire de ces données. Grâce à cette dernière on peut mieux cerner les questions auxquelles on désire apporter des réponses en cours de route, et élaborer un certain nombre d'éléments conceptuels. Ajoutons que, dans notre cas, c'est en général l'équipe de recherche qui a eu la responsabilité de fabriquer les outils de travail nécessaires à la cueillette de l'information et au bon fonctionnement de l'ensemble des rencontres.

La question du mode de cueillette de l'information et de son analyse a fait l'objet de réflexions dans la littérature sur la recherche-action. Par exemple, M. Autès a précisé que la cueillette des données doit évidemment se faire en fonction d'hypothèses de recherche: «Celles-ci ont pour fonction d'abord de permettre une connaissance du terrain de l'action, des rapports sociaux qui le constituent, qui en forment la réalité. À cette étape, c'est la logique théorique qui, pour un temps, domine la logique d'action. Mais ces deux étapes — formulation des objectifs, formulation des hypothèses — pour être distinctes, ne sont pas entièrement séparées; elles se recouvrent en partie, elles se fécondent l'une l'autre. La recherche interroge les objectifs, les réoriente. L'action indique ses objets concrets à la recherche qui les transforme en objets de connaissance» (1982, 53). Mais contrairement à ce que fait la recherche traditionnelle, l'objet de la recherche-action n'est pas défini à partir de la seule tradition théorique d'une discipline donnée ni selon le seul intérêt du chercheur: il est plutôt le résultat d'une négociation conduite entre le chercheur et le groupe intéressé. Pour M. Autès, il importe également de bien prendre le temps d'analyser les enjeux, étape qui constitue le cœur et l'aboutissement de l'action-recherche: «Les objectifs ayant fixé l'action, les hypothèses ayant produit la connaissance du terrain, l'analyse des enjeux est, sur des points précis, la production d'une pratique appropriée combinant action et recherche» (1982, 53). L'analyse des enjeux conduit à la définition et à l'élaboration de stratégies d'intervention.

C'est dire, comme le souligne N. Zay (1976), le caractère particulièrement «complexe» de la démarche de la recherche-action. De fait, l'origine des hypothèses de recherche se trouve principalement dans l'expérience personnelle des praticiens et dans l'observation des situations d'action plutôt que dans l'étude approfondie de la littérature comme pour le modèle de recherche fondamentale. Dans la pratique, il arrive aussi que l'hypothèse se traduise par la formulation d'un objectif et de moyens de l'atteindre et c'est en ce sens qu'on peut affirmer que la recherche-action ne s'intéresse pas à la connaissance pour elle-même, mais à son intégration à l'action. Les hypothèses sont généralement plus induites de l'observation que déduites d'un cadre théorique préalable. Par ailleurs, ce qui intéresse les chercheurs, c'est le processus global de changement qui est en cours, c'est une situation sociale et non pas des variables isolées, qu'on pourrait analyser indépendamment du reste.

Plutôt que de parler d'analyse, Gauthier et Baribeau (1984, 292) évoquent une phase délibérative au cours de laquelle les chercheurs «systématisent et interprètent les informations recueillies en fonction de leurs options et de leurs hypothèses initiales ainsi qu'en fonction de l'horizon que l'équipe s'est donné en commun». Le souci de pertinence entraîne le groupe à analyser l'adéquation entre la problématique initiale et les résultats visés et atteints. L'appréciation des choix réalistes est faite en fonction d'un impact maximal et de longue durée. Pour assurer la crédibilité du processus, il s'agit d'intégrer les jugements des personnes touchées par les stratégies. Gauthier et Baribeau concluent qu'une recherche sur le terrain qui se veut de qualité doit développer des méthodes assurant une collecte d'informations appropriée et pertinente pour le processus social examiné, pour les questions des participants et des décideurs immédiats.

De son côté, D. Bernier (1983) identifie une phase de conceptualisation, première étape de ce qui a été entrepris sur le terrain ou première mise en forme de ce qui a été discuté, au cours de laquelle on cherche «des mots pour le dire». Les mots sont souvent nouveaux. L'effort pour clarifier et identifier ce qui se produit sera habituellement suivi d'une recherche de concepts, soit nouveaux, soit empruntés, pour communiquer, expliquer, transmettre l'expérience ou encore conceptualiser les discussions. Cette tentative demande un certain recul. Elle sera faite à un moment et en un lieu appropriés, et souvent par des personnes différentes de celles engagées dans l'action ou la recherche. C'est le processus qu'ont suivi par exemple l'équipe du centre hospitalier Douglas pour élaborer un modèle d'intervention en réseau (R. Mayer, 1985), et la responsable d'expérience en relaxation qui s'est tournée vers la littérature sur le stress pour y puiser des concepts analytiques qui allaient fonder l'intervention anti-stress (D. Bernier, 1983). Dans le cas du GRARSPI, cette étape correspond à la phase où un chercheur universitaire va tirer des discussions les concepts nécessaires à l'élaboration d'un modèle de PCM. Cette réflexion théorique se fait habituellement de façon progressive, par touches successives, et souvent la nécessité d'un retour à l'action se fait sentir, notamment pour fins de précision et de vérification.

R.Y. Troutot (1980) résume ainsi les étapes de toute recherche-action: on doit d'abord établir et coordonner une procédure d'animation de la recherche (passage de l'action à la réflexion, travail de réflexion, retour à l'action) et d'animation technique du groupe; ensuite il faut procéder au choix et à la construction des outils d'analyse et finalement à la récolte du matériel sur lequel portera l'analyse.

Mais quelle que soit l'orientation théorique retenue, la recherche-action rencontre la nécessité de produire de nouvelles connaissances. Selon F. Gauthier, il s'agit là d'une exigence fondamentale: «Si nous ne réussissons pas à mener nos pratiques de recherche-action de façon à ce qu'elles résultent en une production de connaissances scientifiques, nous condamnons ces pratiques à demeurer de bonnes œuvres trop lourdement sophistiquées» (1981, 33). Mais c'est précisément à propos de ce nouveau savoir et des résultats scientifiques que les problèmes surgissent. Comme l'a signalé J. Ardoino (1983), il faut bien reconnaître que la contribution théorique du courant de recherche-action, en dehors d'un savoir-faire, apparaît plutôt mince. Trop souvent, l'effort de production et de systématisation de connaissances a été sacrifié au profit d'un souci de transformation immédiate.

En effet, plusieurs auteurs insistent sur l'exigence du travail théorique dans toute démarche de recherche-action. À ce propos, Goyette et Lessard (1985, 181) ont souligné la pauvreté des cadres théoriques de certaines recherches-actions qui tomberaient dans une sorte de «dataïsme» (accumulation de données descriptives) sans lien avec une formalisation théorique déjà faite ou à faire. Soumise à une conception technicienne des choses, la recherche se réduirait alors à la collecte et à l'analyse descriptive de données. Le jugement brutal de J. Ardoino a l'avantage de poser clairement le problème: «Nous devons bien reconnaître qu'en près d'un demi-siècle, la recherche-action qui a évidemment connu un notable essor, au point de devenir en certains milieux une sorte de 'panacée', n'a proportionnellement aux investissements qu'elle a suscités, produit que de fort maigres contributions dans le champ des sciences sociales... Trop souvent, le lourd matériel de données, de surcroît, parfois enregistré sans ordre ni pertinence, faute d'idées explicitement et légitimement préconçues, n'a pas été convenablement retraité» (1983, 24). Le même auteur souligne que si la recherche veut être aussi action, il lui est essentiel de ne pas se réduire à un questionnement: «Le questionnement pourra donner matière à une recherche ultérieure, mais il ne suffit pas à la constituer par lui-même... Faute d'une telle clarification, nombre de prétendues recherches ne sont pas autre chose que des études en quête de la justification des 'commandes' et des budgets qui les ont fait naître» (1983, 24).

Quant à la place respective de la théorie et de la pratique, on se trouve en présence, grosso modo, de deux conceptions de la recherche-action. «D'une part, il existe une certaine tendance à considérer que tout discours quelque peu systématisé produit par les acteurs des pratiques... peut être considéré comme un produit de recherche... On pourrait dire que l'on a affaire dans ce cas à des productions-jalons... L'autre pôle de la recherche-action s'organise autour de l'idée que le chercheur doit devenir le 'double' de l'acteur, avec un peu plus de conscience et de connaissance» (Y. Minvielle et F. Mornet, 1983, 62). Ces deux conceptions de la recherche-action paraissent l'une

et l'autre chargées de risques majeurs pour la mise en œuvre
de nouvelles manières de produire du savoir sur les pratiques
sociales. Le premier risque «tient à la liquidation pure et simple
du travail théorique et à son remplacement par des productions
spontanées directement articulées aux idéologies pratiques des
activités concernées. Rien de grave à cela, si ce n'est de donner
à ces productions un statut qu'elles n'ont pas. Le second risque
relève, lui, d'une falsification du rapport à la pratique. Au lieu
de s'engager dans l'action, de s'y impliquer effectivement, le
chercheur se constitue en 'doublure' de l'acteur, au mieux en
accoucheur du sens de son action, évitant en cela tout rapport
direct avec le faire» (*idem*). Or, il est de plus en plus manifeste
pour plusieurs auteurs que le problème majeur pour des chercheurs travaillant sur les pratiques sociales, c'est de conduire
de front le travail théorique et la confrontation au réel.

On n'en a pas moins la conviction que la recherche-action
peut produire une nouvelle connaissance de la pratique sociale.
Par exemple, R. Rousseau (1980) a montré que la recherche-
action appliquée au champ de l'intervention de réseau permet
«de faire de l'intervenant un observateur autant du réseau
observé que de sa propre intervention. Cette façon de faire
représente un défi car nul n'ignore les difficultés que comporte
le projet de faire d'un praticien un chercheur» (1980, 323). Le
principe de la recherche-action reconnaît aux intervenants, tout
comme aux autres participants, la capacité d'analyser leurs
actions et d'en tirer une connaissance adéquate. Le même
auteur souligne également qu'il faut toujours se référer au vécu
des praticiens avant de théoriser, et, pour ce faire, il faut
s'assurer de leur participation à chaque étape de la réflexion.
Soit, mais comment faire?

R. Rousseau propose un processus de recherche-action
basé sur quatre étapes intimement liées les unes aux autres: le
vécu, le vécu décrit, le vécu réfléchi et finalement le vécu
conceptualisé. Cela devrait constituer, «un tout cohérent qui
permet l'émergence d'une connaissance des réseaux primaires
la plus conforme possible au réel vécu» (1980, 325). Dans ce
processus, on retrouve trois niveaux d'acteurs. Il y a d'abord
le réseau lui-même «appelé à se dire à travers son vécu».
L'auteur estime que le réseau peut avoir à la fois la connaissance
de lui-même et la capacité «de l'exprimer et de l'analyser» (1980,

324). En second lieu, il y a l'intervenant, «qui accueille l'information fournie par le réseau et, en même temps, produit de l'information et l'analyse de son action». Finalement, il y a les chercheurs «qui tentent, avec le matériel recueilli, de produire une analyse des données colligées, provenant autant de la pratique du réseau que de l'intervenant» (1980, 324). Selon l'auteur, ce schéma permet d'élaborer un savoir à partir de la pratique tout en le rendant scientifiquement probant.

La rédaction et la diffusion du rapport de recherche

Le problème, dont nous avons déjà parlé, de l'écriture en recherche-action commence à peine à faire l'objet d'une réflexion plus systématique dans la littérature spécialisée. Examinons les principaux éléments de cette réflexion.

Les participants à un séminaire sur la recherche-action en santé ont insisté sur la nécessité de diffuser les résultats d'une recherche-action et de faire des recommandations aux praticiens et au public (Inserm, 1985). De même, dans l'optique de Gauthier et Baribeau (1984, 318), les échecs et les victoires font partie intégrante du processus de recherche-action et ils doivent devenir source d'apprentissage, ce qui demande que l'expérience soit analysée et diffusée publiquement. Or, il est de plus en plus reconnu qu'on ne rend pas compte aisément d'une expérience de recherche-action: ne réclame-t-elle pas un mode d'écriture différent du rapport de recherche habituel, où on tenterait de faire coïncider discours théorique et narration événementielle? Selon D. Lambelet (1984, 120), la recherche-action est une entreprise collective à laquelle tous les partenaires collaborent. Le chercheur apporte ses connaissances, le groupe offre son expérience, sa volonté d'action et la pratique, et en principe les deux pôles doivent s'influencer mutuellement; bref, c'est la théorie par l'action et l'action par la théorie. Or, le processus de recherche-action est rarement décrit comme tel, sinon *ex post facto.*

Selon U. Himmelstrand, un rapport de recherche-action est «un compte rendu analytique du processus discursif, de l'action, de ses contraintes et de ses conséquences et des erreurs faites et découvertes au cours du processus, toutes données qui sont ensuite récupérées pour aider à mieux comprendre la situation et aller de l'avant. Il n'y a jamais d'estimations statistiques de 'variables dépendantes'. Le but est de permettre aux gens de faire entendre leur propre voix... plutôt que de mesurer et de décrire une opération réussie de manipulation expérimentale sur le terrain» (1981, 253). Ainsi, l'objectif du compte rendu de la recherche est généralement moins d'entreprendre un retour sur soi (individuel ou collectif) narcissique, ou un processus d'autocritique, mais bien plutôt d'amorcer une réflexion sur ce que l'on pourrait appeler les conditions sociales de la production et de la réalisation d'une recherche-action. Comme l'ont signalé A. Borzeix et Maruani: «La restitution du produit d'une recherche aux acteurs sociaux concernés constitue toujours un temps fort, voire un temps conflictuel. À la manière d'un miroir qui vous renvoie une image de vous-même — une image socialement située à la façon d'une loupe qui décèle les ambivalences en les forçant à apparaître pour ce qu'elles sont; un peu comme un rétroviseur qui vous oblige à une rétrospective sur le cheminement d'un projet, son histoire, sur le non-dit d'une démarche» (1984, 39). Mais c'est souvent plus facile à dire qu'à faire car, comme l'a signalé A. Lévy, le processus de communication et de diffusion du cheminement de la recherche «n'est cependant qu'imaginairement dégagé de toute contingence, du contexte effectif et institutionnel où il s'effectue; il se traduit, en effet, par un discours vivant — et comme tel ambigu, traversé de contradictions et d'oublis; les règles de sa présentation, destinées à le rendre accessible, significatif pour des lecteurs indéfinis, entrent en conflit avec le désir de rendre compte aussi fidèlement et complètement que possible des incertitudes, des doutes et des contradictions éprouvés, lors de son élaboration» (1984, 92). En somme, on est presque toujours obligé de réduire et de refouler. Comme on le voit, le processus de diffusion ne va pas sans problèmes.

Il y a d'abord le problème de la dominance possible des universitaires. M. Charlot note que, trop souvent, l'intérêt principal des chercheurs, c'est la publication de leurs travaux: «C'est en publiant que l'on acquiert de la notoriété et que l'on peut espérer gravir les échelons qui rythment la carrière... Pour être publié, il faut, en général, avoir abordé un thème de portée générale et l'avoir traité de façon à paraître un savant authentique aux yeux de ses pairs et de ses maîtres. La condition pour cela est de rédiger un assez long rapport dont la majeure partie consistera dans une relation des objectifs poursuivis et des méthodes empruntées, sans s'étendre sur les problèmes d'implication personnelle et sur les doutes dont on peut être habité» (1983, 48).

Il y a aussi la question du langage. Tout comme F. Gerbaux et P. Muller (1981, 103), C. Offredi (1981) insiste lui aussi sur les difficultés reliées à l'écriture. Il souligne que le chercheur est solidaire d'une communauté scientifique qui juge ses résultats et attribue récompenses et sanctions, d'où son intérêt et sa préférence pour la diffusion écrite. À ce propos, G. Le Boterf rappelle que la recherche-action exige du temps; or, «les chercheurs professionnels et les experts disposent du temps requis, car il s'agit d'une composante de leur situation professionnelle. Les acteurs, eux, doivent prendre habituellement sur leur temps de non-travail le temps qu'ils consacrent à la recherche-action. L'inégalité dans la possession du capital-temps ne va-t-elle pas induire une inégalité dans le pouvoir de conduire et de contrôler le processus de recherche-action?» (1983, 46). La maîtrise de l'écriture est un autre aspect du même problème: «Les recherches-actions donnent lieu, pour le groupe social qui en est l'acteur, à la production d'un certain savoir. Qui rend compte de ce savoir? Qui le fait connaître? Qui rédige rapports et articles sur le processus même de recherche-action? Quels sont les codes utilisés (écriture, langage oral, audio-visuel, etc.) dans ces communications? Bien souvent... les chercheurs professionnels et les codes qu'ils utilisent restent dominants dans le travail de recherche et d'écriture sur la recherche. La recherche-action, dans ce cas, ne reste-t-elle pas aux mains de ceux qui maîtrisent le code de l'écrit...?» (1983, 46).

A. Haramein et P. Perrenoud (1981) ont raison de souligner que la question de l'écriture n'est jamais simple dans une recherche-action. «Les textes, surtout s'ils sont écrits essentiellement par les chercheurs, ne sont pas le seul moyen, ni sans doute le meilleur de rendre compte d'une recherche-action» (1981, 230). De même, pour R. Hess (1983, 53), les divers acteurs doivent participer ou tout au moins assurer un certain contrôle sur le processus d'écriture. Évidemment cela exige une écriture qui s'éloigne de l'écriture «objective» ou de la langue de bois des experts.

C'est peut-être H. Desroche (1984) qui a le mieux résumé la situation. Après avoir participé à un projet québécois de recherche-action sur l'écriture collective, il a évoqué «l'allergie à l'écriture» que l'on retrouve en certains milieux populaires. Cela l'a amené à comparer les raisons pour les uns d'écrire et pour les autres de ne pas écrire. Pour les militants des groupes populaires, «il y a d'abord la déperdition... c'est-à-dire, il y a moins dans l'écriture que dans la parole, moins dans la parole que dans la pensée, moins dans la pensée que dans la vie et dans l'action et peut-être finalement moins dans toutes ces expressions rhétoriques ou opérationnelles que dans les silences... Il y a le secret... c'est-à-dire la défense d'écrire... ou, à tout le moins, l'obligation de réserve pour fonctionnaires ou responsables d'un corps constitué, y compris les corps associatifs... Il y a le sens de l'inanité: à quoi bon écrire? à quoi cela avance? Il y a aussi le sens de l'inactualité: c'est trop tôt ou c'est trop tard pour écrire. Il y a la crainte de l'ankylose: le temps donné à des rédactions n'est-il pas un temps dérobé à l'action? Et qui plus est, l'attrait pour la rédaction ne risque-t-il pas de générer un rejet de l'implication en transformant le militant en plumitif ou polygraphe? Il y a l'impasse de l'inhibition, c'est-à-dire le trou noir devant le paragraphe» (1984, 161). Nombreuses sont donc les raisons de résister à l'écriture. Il arrive en outre fréquemment que, dans le compte rendu de la démarche de recherche-action, l'écriture soit «tellement aseptisée, incolore, inodore et sans saveur que le seul recours est de retourner au discours parlé et à son enregistrement sur bande magnétique» (*idem*). Voilà ce que nous avons souvent dû faire nous-mêmes.

L'évaluation

Nous avons déjà fait état des difficultés que nous avons rencontrées dans le processus d'évaluation des expériences auxquelles nous avons participé. Afin d'illustrer concrètement ce problème, nous allons d'abord tenter d'évaluer l'expérience du

GRARSPI pour ensuite examiner le témoignage d'autres cher-cheurs.

Les participants du GRARSPI s'entendaient sur le fait que la démarche devait produire des résultats concrets tant pour les institutions que pour les individus participants. En cours de route, l'équipe a amorcé un certain processus d'auto-évaluation, qui s'est révélé en pratique une démarche préliminaire plutôt qu'une véritable opération de recherche évaluative.

Le rythme de travail et de production a été beaucoup plus lent que prévu. À l'unanimité, on a insisté sur la difficulté rencontrée par le groupe à dépasser le stade descriptif et explo-ratoire des projets, pour aborder l'étape de l'analyse plus systé-matique et plus structurée du contenu recueilli. Les interventions demeurant libres et spontanées, on revenait sur les mêmes aspects et souvent, on s'en est tenu à des lieux communs. On n'a pas bien réussi à dégager une grille conceptuelle et à focaliser la réflexion sur une thématique commune.

Les exigences de la recherche-action ont fait qu'on s'est retrouvé souvent devant deux logiques différentes: les cher-cheurs étaient davantage préoccupés par l'étude minutieuse de divers éléments que par l'utilité immédiate et pratique des résultats; les praticiens insistaient eux sur la recherche de nou-veaux modèles d'intervention, de nouvelles techniques pratiques et concrètes, dont on peut se servir dans l'immédiat. Quant aux gestionnaires, ils étaient surtout retenus par des aspects adminis-tratifs.

Le GRARSPI n'a donc pas échappé aux difficultés de conci-lier une logique de recherche et une logique d'action. La pré-sence de ces deux logiques à l'intérieur du processus de re-cherche a fait que certaines attentes n'ont pu être satisfaites. Par exemple, puisque les résultats des réflexions du groupe ont tardé à se concrétiser, certains des organismes qui avaient permis jusque-là à leur personnel de faire partie du GRARSPI ont montré, vers la fin, une certaine hésitation à laisser leurs représentants participer plus longtemps au groupe de recherche. Pourtant, les acquis sont nombreux, comme l'a montré le cha-pitre précédent.

Tout cela illustre la nécessité absolue du processus d'éva-luation dans toute recherche-action. Notre propre expérience d'évaluation s'est révélée très élémentaire, et plusieurs améliorations sont susceptibles d'y être apportées. D'où l'intérêt d'examiner d'autres expériences.

Un des «dix commandements» de la recherche-action proposé par L. Chambaud et G. Richard s'énonce comme suit: «Une évaluation permanente, par différents moyens tu chercheras.» Les auteurs précisent: «Cette évaluation devrait être réalisée de façon conjointe par les groupes de population participants, les experts scientifiques, le commanditaire et le pourvoyeur de fonds» (1984, 48). Mais cette étape est souvent vécue avec un certain «stress» puisqu'elle peut paraître menaçante pour ceux qui, engagés dans l'action, peuvent avoir l'impression que c'est leur «personnalité», leurs interventions, leurs activités, qui sont jugées. La situation est donc délicate, et l'hésitation fort compréhensible. Comme le souligne N. Zay, «il est souvent difficile pour un chercheur d'accepter le fait que certaines de ses hypothèses sont infirmées. On ne peut donc s'étonner que le praticien se sente menacé lorsqu'on veut remettre en question les activités auxquelles il a été préparé et à l'efficacité desquelles il croit profondément» (1976, 170). Notre propre pratique nous a appris que la démarche est délicate et que les remarques des chercheurs se doivent d'être à la fois «concrètes» et «positives».

Pour leur part, F. Gauthier et C. Baribeau proposent un instrument d'évaluation de la recherche-action qui se veut «précis, rapide et compréhensible» (1984, 308). Ils distinguent quatre phases principales dans la recherche-action, à savoir la phase délimitative, la phase descriptive, la phase délibérative et finalement la phase opérationnelle. Et ils suggèrent d'analyser chacune de ces phases en fonction de quatre critères principaux: «Deux concernent davantage le processus dans ses aspects constitutifs: la validité interne et la pertinence. Les deux autres critères, la crédibilité et la transférabilité, nous permettent de considérer le processus en portant davantage attention à son insertion sociale» (1984, 308). Ils soulignent en outre que «plusieurs de ceux qui poursuivent des recherches-actions intègrent à des activités combinées de recherche et de formation un souci pratique qui ne peut être assujetti aux règles académiques: il leur faut répondre pertinemment aux enjeux majeurs de la collectivité où se déroule la recherche» (1984, 287). Ces chercheurs doivent expliquer minutieusement leur méthodologie,

particulièrement «lorsqu'ils caractérisent l'ensemble de leurs activités comme intégrables à une démarche scientifique et lorsqu'ils
refusent de qualifier ces activités de simples tâtonnements ou
même encore d'essais circonstanciels accomplis par des praticiens réfléchis» (1984, 287). En effet, même si le débat méthodologique ne surgit pas «du terrain même où se déroule le processus de recherche-action, il n'en demeure pas moins important
pour les chercheurs qui ont à faire reconnaître, par leurs collègues ou d'autres professionnels suspicieux, le caractère scientifique d'une étude menée sans aucun des contrôles propres aux
méthodes expérimentales ou quasi expérimentales» (1984, 288).

Pour sa part, C. Mercier soulève la question de l'évaluation
des ressources alternatives en santé par exemple: «Une telle
évaluation doit prendre pleinement en considération les caractéristiques particulières des ressources alternatives... Elle ne peut
être approchée dans un esprit et avec des procédures exactement semblables à celles qui s'appliqueraient à un service officiel. La volonté de respecter leur originalité peut être un stimulant au développement de méthodes 'alternatives' d'évaluation,
plus souples, plus compréhensives en même temps que valides»
(1985, 42). À cet égard, même si les expériences des ressources
alternatives sont progressivement documentées dans la littérature, il n'en reste pas moins que «l'expérience directe alliée à
la réflexion et aux échanges d'information représentent la source
principale des connaissances sur les expériences québécoises
alternatives en santé mentale» (1985, 46). C'est de cette manière
d'ailleurs que nous avons nous-mêmes procédé pour notre évaluation. Parmi divers modèles d'évaluation qui s'opposent tout
en se complétant (modèle systémique, l'évaluation de l'implantation, l'évaluation formative, etc.), C. Mercier conclut que c'est
peut-être l'approche formative qui convient le mieux à l'évaluation des ressources alternatives «lesquelles sont vécues comme
projet et comme processus». Cette dernière exige une collaboration étroite entre les chercheurs et les responsables de l'action.
La procédure d'évaluation y est développée moins en référence
aux normes de la recherche traditionnelle, qu'à partir des caractéristiques du programme. Voilà qui est encore en accord avec
notre cheminement et notre conception en matière d'évaluation.

Pour sa part, F. Lavoie (1981) a montré que les recherches
évaluatives sur les groupes d'entraide ont porté sur trois aspects

principaux: l'analyse des clientèles, l'étude d'impact et l'analyse des processus interactifs. Mais cet effort ne semble pas avoir apporté les effets escomptés: «En résumé, l'analyse des clientèles, même si elle permet de vérifier la capacité de rejoindre la clientèle visée, ne s'arrête pas du tout aux objectifs principaux des groupes d'entraide. L'étude d'impact s'est révélée en général peu respectueuse du fonctionnement même des groupes d'entraide et elle a aussi négligé l'étude des objectifs des groupes. L'analyse des processus a été utilisée dans le but de développer les connaissances et ne semble pas avoir servi à la rétroaction aux groupes concernés» (1981, 142). Elle souligne certaines caractéristiques des groupes d'entraide dont on doit tenir compte dans un processus évaluatif. D'abord, il faut respecter la nature de ces groupes «en ne privilégiant pas la seule étude des changements individuels». Ensuite, il faut s'inspirer de la philosophie même de ces groupes d'entraide, «c'est-à-dire la remise en question du rôle d'expert, la participation des membres à la définition des problèmes et des priorités, le partage du pouvoir, la centration sur les processus plutôt que sur les résultats...». Il est aussi essentiel de clarifier la finalité de l'évaluation en tenant compte du contexte social et institutionnel dans lequel se développent ces groupes. Finalement, elle conclut que la recherche-action semble fournir le cadre d'évaluation le plus approprié parce qu'elle permet de tenir compte de l'ensemble de ces caractéristiques (1981, 143). Cette idée sera reprise dans les réflexions ultérieures de l'auteure (F. Lavoie, 1982, 1983).

Toutes ces précisions et mises en garde pour évaluer la recherche-action peuvent donner l'impression qu'il s'agit d'un processus difficile. Néanmoins, nous disent F. Gauthier et C. Baribeau, c'est souvent moins compliqué qu'on ne le pense, il suffit de systématiser ce que l'on fait déjà: «Il y a déjà des moments où les chercheurs engagés dans des recherches-actions racontent leurs expériences à des collègues qui travaillent dans des conditions analogues. Ils font alors assez spontanément état des éléments de finalité qu'ils ont utilisés comme référence dans un choix d'action; ils indiquent ce qu'ils feraient si c'était à recommencer, et sur quelle finalité ce choix s'appuierait. Ces éléments sont déjà des amorces de critères d'appréciation même s'ils ne sont pas toujours explicités» (1984, 293). Ce à quoi, par contre, il faut être très attentif, c'est que à trop vouloir structurer l'évaluation, on risque d'étouffer la recherche.

Prenant appui sur les résultats d'une enquête effectuée auprès de praticiens de la recherche-action et portant sur les critères à retenir pour évaluer cette dernière, Gauthier et Baribeau en proposent un instrument d'évaluation basé sur quatre critères principaux: la validité interne du processus, la pertinence, la crédibilité, et finalement la transférabilité.

La validité interne du processus de recherche-action «se définit comme un lien entre les valeurs privilégiées, les données colligées, les analyses effectuées et les actions posées» (1984, 309). Cette exigence de validité interne doit caractériser toutes les étapes du processus de recherche-action.

En ce qui concerne la pertinence, elle «ne nécessite pas l'adhésion totale aux valeurs privilégiées par l'ensemble du groupe de recherche, mais il apparaît nécessaire que l'ensemble du processus soit reconnu comme pertinent et valable. Les partenaires, dans cet esprit, peuvent attester que la recherche-action leur a permis de résoudre certaines situations problématiques ou de réaliser un projet collectif...» (1984, 309).

Selon Gauthier et Baribeau, la recherche-action doit être crédible et reconnue comme valable par des agents extérieurs au processus (personnes concernées, collègues de travail, gestionnaires, organismes subventionnaires, membres de la communauté). Ces agents doivent «attester qu'à l'ensemble des éléments envisagés comme problématiques, des actions ont été entreprises et menées à terme qui modifient et améliorent la situation initiale» (1984, 310).

Pour la majorité des partenaires de la recherche, enfin, «il est important que les résultats qu'ils obtiennent, que les problèmes qu'ils vivent et tentent de comprendre, que les actions qu'ils posent soient connus du groupe social dans lequel ils s'insèrent... Ils souhaitent que des moyens soient pris pour que l'information colligée circule et soit diffusée et que ceux qui en auraient besoin l'obtiennent à temps.» De son côté, le chercheur doit également sentir «que les compétences qu'il acquiert, les habiletés, les savoir-faire qu'il est amené à développer, lui seront utiles dans d'autres situations. Cette exigence rejoint un souci de formation souvent mis en évidence par des chercheurs en

recherche-action» (1984, 310). En somme, «l'évaluation doit produire des informations descriptives conformes aux exigences
scientifiques usuelles. Cependant, ce type d'étude doit aussi
produire en même temps des renseignements utiles à ceux qui
reçoivent ces informations» (1984, 291).

Par ailleurs, le «vécu» de la recherche-action, comme l'a
bien souligné M. Eckenschwiller, est le plus souvent très riche,
mais il ne se laisse pas facilement analyser: «Étudier le vécu
d'un groupe consiste à analyser ce qui se passe dans les faits
(ce qui se voit, s'entend, se dit, se réalise), des sentiments et
de la relation faits/sentiments. Nous aurons, par conséquent, à
faire émerger trois sortes de réalités: la réalité consciente exprimée, qui se situe au plan de la connaissance lucide, la réalité
consciente non exprimée, que l'on garde pour soi ou que l'on
refoule... la réalité inconsciente... qui existe réellement, mais
dont on ne se rend pas compte» (1979, 78). À l'évidence, le
matériel dont nous disposions ne nous a pas permis d'accéder
à ces divers degrés de réalités.

Le retour à l'action

Les personnes engagées dans une discipline d'intervention
éprouvent habituellement beaucoup de plaisir et de satisfaction
dans un travail actif, relationnel et concret. Or, la recherche
traditionnelle comporte beaucoup d'aspects réflexifs, conceptuels
et analytiques qui sont moins attrayants pour le «praticien». La
recherche-action, qui tire sa raison d'être de l'intervention, offre
une possibilité de combiner ces deux types d'activités et représente donc, par ce fait, un compromis acceptable pour le
«mordu» d'action, en même temps qu'un gage de développement
personnel dans le sens d'un professionnalisme plus équilibré (D.
Bernier, 1978). Mais souvent dans les projets de recherche-
action, la dimension associée à l'intervention est dominante.
On se demande habituellement quelle est la part de la recherche:
une justification ou un alibi pour aller chercher des fonds de
recherche? Dans le cas de la recherche effectuée par le
GRARSPI, on doit reconnaître que la dimension «action» est
difficile à cerner. Certes, la majorité des participants s'entendent
pour dire que cette réflexion a bien eu son utilité, pour eux,

pour leur milieu professionnel et organisationnel, mais jusqu'à maintenant, cette action n'a pas été structurée et mesurée. Elle s'est plutôt réalisée d'une façon individuelle pour chacun des membres et a eu un impact différent dans chaque projet. De plus, on pourrait penser que les textes produits par le groupe auraient pu être écrits par quelqu'un de l'extérieur, avec, bien sûr, une grande économie de temps et d'argent. Toutefois, dans le GRARSPI, le retour à l'action s'est situé à un deuxième niveau, celui de l'élaboration d'un modèle de pratique de prise en charge par le milieu. Toute cette démarche a produit des effets, dont nous avons parlé dans le chapitre précédent, tant sur les individus, qu'ils soient intervenants ou chercheurs, que sur les institutions participantes. Il nous reste maintenant à évoquer très brièvement l'opinion des autres chercheurs sur cette étape.

La majorité des auteurs reconnaissent que le processus de recherche-action est intimement lié au but poursuivi: la solution d'un problème donné. Comme l'a fait remarquer H. Dionne, un participant au colloque de Chicoutimi: «La recherche-action doit se faire à partir de l'action en vue de l'action» (En collaboration, 1981, 200). Ainsi, D. Bernier (1983) a identifié une phase de retour à l'action. Souvent les chercheurs et les intervenants s'interrogent: la réflexion a-t-elle mené à des pistes valides? les concepts sont-ils opérationnels? les hypothèses de travail sont-elles réalisables? Le retour au terrain apporte une certaine «validation» à l'étape précédente. C'est le moment d'une confirmation des premières intuitions de l'analyse, de l'utilité d'un premier schéma conceptuel, de sa valeur opérationnelle, ou alors il s'agit du contraire, l'expérience de la pratique mène à une bifurcation importante de l'orientation ou de la méthodologie. Cette expérimentation (au sens large du terme) et ses données nouvelles permettent un renouveau conceptuel. Dans le cas du GRARSPI c'est l'étape où l'équipe a senti le besoin de «tester» son modèle de PCM auprès d'autres intervenants des ressources dites alternatives. Finalement, on arrive à une phase de stabilisation de l'expérience toute dans ses composantes de recherche et d'action: c'est la phase de l'alternance instaurée avec la mise en application du modèle d'intervention. L'interaction de ces deux composantes se fait dans une certaine continuité. Le mouvement de passage d'une à l'autre pourra connaître des variations de rythme et de durée, mais les deux sont dorénavant présentes pour s'influencer mutuellement, caractéristique essentielle de la recherche-action.

De même, Gauthier et Baribeau insistent sur la phase opérationnelle où l'équipe des chercheurs sélectionne un type d'intervention à privilégier. Les chercheurs s'entendent donc sur une visée ou un objectif commun, ils apprécient les obstacles qui peuvent en bloquer l'atteinte et ils réalisent un plan qui leur permet de contourner les obstacles identifiés (1984, 312).

P.Y. Troutot (1980) souligne lui aussi l'importance d'évaluer les résultats de la recherche-action et d'assurer un processus de retour à l'action. Pour ce faire, il s'agit de bien identifier les acquis théoriques et méthodologiques (expérimentés) qui doivent encore être systématisés ultérieurement. Par ailleurs, on doit s'assurer d'un processus de retour à l'action avec des effets concrets pour le groupe en cause (sur sa situation et sa pratique sociale concrètes et sur la problématique générale en vue de sa transformation) et on doit préciser les apprentissages relatifs à la connaissance théorique et méthodologique de la recherche-action.

Limites, difficultés et critiques de la recherche-action

Les diverses contributions au colloque de l'Inserm (1985) ont mis en lumière les problèmes et les difficultés de la recherche-action. Les auteurs ont souligné que les mouvements de va-et-vient entre la théorie et la pratique constituent certes une des richesses de la recherche-action. Mais, en pratique, les exigences de rigueur de toute démarche scientifique se heurtent aux caractéristiques souvent imprévisibles du terrain, aux difficultés liées à l'introduction d'un changement dans la pratique professionnelle des équipes de terrain, aux difficultés d'être reconnue comme aussi rigoureuse que la recherche fondamentale et aux difficultés dues à des problèmes d'objectivité. Face aux problèmes du terrain, ni le chercheur ni les acteurs ne sont neutres. Le chercheur a sa propre idéologie qui ne coïncide pas forcément avec celle des «acteurs». De plus, les intérêts des chercheurs et ceux des acteurs ne sont pas non plus toujours convergents. Il semble dès lors que la condition pour dépasser ces difficultés réside avant tout dans l'adoption et le respect d'une méthodologie rigoureuse mais souple (Inserm, 1985, 32).

Cette attitude critique mérite d'être soulignée. En effet, devant l'optimisme conquérant ou naïf qui anime une grande partie de la littérature, les rares auteurs à pratiquer le questionnement, la critique, le doute font un peu figure de rabat-joie (D. Lambelet, 1984). Certains, comme B. Jobert (1981), sont catégoriques et déclarent sans ambages que la recherche-action est un mythe. D'autres plaident plutôt pour la reconnaissance des limites et des difficultés de la pratique de la recherche-action. Par exemple, P.Y. Troutot estime qu'il ne faut jamais perdre de vue les limites de la recherche-action qui ne constitue «qu'un moment du processus de transformation sociale et ne doit pas être confondue avec l'action politique qui est le fait d'organisations agissant au niveau macro-social» (1980, 194). Pour sa part, P. Dominicé (1981, 51) insiste sur la lenteur des négociations avec des personnes et groupes impliqués, sur la mouvance de l'objet d'investigation, sur l'instabilité des données d'analyse, sur le fait que tout cela implique de la part des chercheurs des tâches d'animation et de formation à la recherche auprès de ceux qui participent à la recherche, et finalement sur le fait qu'il y a les difficultés financières, car souvent cela prend du temps et cela coûte cher.

Pour sa part, A. Bouvette a insisté sur «la faible crédibilité dont jouit cette forme de recherche dans les milieux scientifiques, le peu de ressources disponibles en termes de subventions et de support technique ou académique et enfin, la faiblesse de la formation des chercheurs dans ce genre de recherche» (1984, 37). Selon lui, la recherche-action se doit de se mettre au service de la population en général, au service des prétendus bénéficiaires de la science, et offrir une expertise directement utilisable pour l'action. Mais pour ce faire, la recherche-action «aura besoin du support et de la reconnaissance de la communauté scientifique, ainsi qu'une compétence sur les plans méthodologique et technique» (1984, 38).

B. Gauthier (1984, 466) a aussi relevé un certain nombre de critiques ou de questions que l'on adresse souvent à la recherche-action. Il y a d'abord le fait que, malgré un certain discours critique, la recherche-action peut, en fait, jouer parfois un rôle de récupération, en obscurcissant les enjeux par une confrontation des diverses rationalités, notamment celle du chercheur universitaire et celle de l'acteur social. D'autres insistent sur les contraintes institutionnelles qui pèsent sur la démarche de recherche-action, certains allant même jusqu'à parler d'incompatibilité entre emploi institutionnel et recherche-action. La question de la généralisation du savoir pose aussi problème dans la mesure où on est en présence d'un dilemme «entre le savoir proche et de l'individu et de l'action, et la connaissance généralisable (donc à plus grande portée) mais moins compréhensible et moins proche des acteurs sociaux» (1984, 467). D'autres problèmes se réfèrent à la transparence et à la dimension démocratique de la démarche; mais le consensus est-il toujours possible et toujours nécessaire? Finalement, estime B. Gauthier (1984, 467), il faut éviter «d'idéaliser la recherche-action». Avec cela, nous ne pouvons qu'être d'accord.

Comparaison entre la recherche sociale traditionnelle et la recherche-action

Processus	Recherche traditionnelle	Recherche-action
Formation requise	— connaissance approfondie des techniques d'analyse (i.e. statistique) et de diverses méthodologies de recherche — connaissance des théories explicatives dans le domaine de recherche particulier	— expérience de travail dans le milieu — entraînement limité en statistique et en méthodes de recherche — volonté d'aller au-delà de l'intuition et du sens commun, et de procéder à une analyse critique et systématique de sa pratique
Position et rôle du chercheur	— hors de l'action — analyste ou consultant	— dans l'action — collaborateur
Buts de la recherche	— le savoir pour le savoir — explication et évaluation d'une situation générale — obtenir des connaissances généralisables à des grands ensembles de population — développer ou démontrer des théories	— le savoir pour le savoir-faire — connaissance pratique de la dynamique de l'action et du changement — obtenir des connaissances applicables à des cas concrets, pour améliorer une situation insatisfaisante
Choix du problème de recherche	— identifié à partir de préoccupations diverses — intérêts personnels du chercheur — consultation avec d'autres chercheurs et «experts» — littérature et recherches antérieures — demandes provenant de commanditaires qui subventionnent la recherche	— identifié dans le cadre même du milieu — situation-problème identifiée à partir d'une réflexion critique sur sa pratique

Processus	Recherche traditionnelle	Recherche-action
Formulation de la problématique et analyse du problème	— hypothèses définies au départ et déduites de la théorie — référence à une revue de la littérature pour donner au chercheur une connaissance approfondie du problème et pour que la recherche se situe dans la suite logique des connaissances déjà accumulées sur le sujet	— questions conjecturales i.e. définies en cours de route et induites de la pratique — l'analyse de la littérature est utile, mais centrée sur la pratique — importance de l'observation et de l'autocritique
Hypothèses de recherche et variable(s)	— les hypothèses de recherche sont hautement spécifiques et opérationnelles — elles doivent être vérifiées par l'expérimentation — variables peu nombreuses provenant du laboratoire ou de la théorie et soumises à un contrôle maximal	— les hypothèses devraient être le plus spécifiques possible, mais en pratique la définition du problème et les objectifs de l'action suffisent à orienter la recherche — variables nombreuses venant «du terrain» et soumises à un contrôle minimal
Échantillonnage	— échantillonnage aléatoire, et représentatif de l'ensemble de la population	— le collectif de la recherche-action (chercheurs, intervenants, population) compose lui-même l'échantillon de la recherche
Planification de la recherche	— planification détaillée avant d'entreprendre la recherche — plusieurs procédures de contrôle pour éviter les risques d'erreurs et les biais — recours à des instruments de mesure scientifiques (validation, fidélité)	— planification générale, mais le chercheur sait qu'il ne peut pas tout contrôler

Processus	Recherche traditionnelle	Recherche-action
Traitement et analyse	— valorisation de l'analyse statistique plus ou moins complexe sauf dans quelques cas (i.e. analyse qualitative) — résultat réintégré dans la théorie d'abord, puis éventuellement dans la pratique	— lorsque les résultats s'y prêtent, des analyses statistiques simples peuvent être faites — mais l'analyse qualitative est souvent plus appropriée pour déterminer la valeur des résultats — résultat réintégré d'abord dans la pratique, ensuite dans la théorie
Conclusion et utilité des résultats	— augmentation des connaissances dans un domaine donné de recherche — résultats généralisables — sur le plan pratique, faible application dans le milieu — généralisation théorique	— application directe dans le milieu où les résultats contribuent à des améliorations sociales — l'expérience acquise est faiblement généralisable — utilisation pratique
Diffusion	— diffusion générale et surtout écrite	— diffusion, information et formation — diffusion dirigée et processus de rétroaction — diffusion écrite et autre (audio-visuelle)

NOTE. En prenant appui sur divers tableaux comparatifs (Susman et Evered, 1978, 600; De Bruyne *et al.*, 1984, 226; Goyette et Lessard, 1985, 194, etc.), nous présentons certaines étapes et caractéristiques de la recherche-action. Bien entendu, il s'agit ici d'un schéma qui présente des tendances générales et ce, à des fins pédagogiques et non normatives.

BIBLIOGRAPHIE

Alary, J. et F. Lesemann (1975), *Étude des dimensions sociale et communautaire* (rapport de l'Opération Bilan), Québec, ministère des Affaires sociales.

Allport, G. (1955), *Becoming*, New Haven, Yale University Press.

Ampleman, G., G. Doré, L. Gaudreau, C. Larose, L. Lebœuf et D. Ventelou (1983), *Pratiques de conscientisation, expériences d'éducation populaire au Québec*, Montréal, Nouvelle Optique.

(Anonyme) (1983), «Pour un mouvement alternatif au Québec», *Idées et pratiques alternatives*, automne, 18.

Ardoino, J. (1983), «Conditions et limites de la recherche-action», *Pour*, 90, 22-26.

Association canadienne pour la santé mentale (filiale de Montréal) (1985), *Dossier sur les ressources alternatives en santé mentale du Montréal métropolitain*, Montréal.

Autès, M. (1982), «Dans une action-recherche», *Informations sociales*, 6, 50-55.

— (1984), «Théorie et pratique : une question, un enjeu», *Service social dans le monde*, 43, 3, 16-21.

Baker, B. et M. Karel (1983), «Self-Help, Wolf or Lamb?», D.L. Pancoast *et al.*, *Rediscovering Self-Help, Its Role in Social Care*, Beverley Hills, Sage, 159-181.

Baker, H. (1978), «Let's Try More Prevention», *Canadian Medical Association Journal*, 118, 1034-1036.

Basaglia, A. (1966), «Communauté thérapeutique, base d'un service psychiatrique», *Information psychiatrique*, Turin, L'Istituzione negata, Einaudi.

Batten, M. et T. Batten (1967), *Non-Directive Approach in Group and Community Work*, New York, Oxford University Press.

Beausoleil, J. (1986), *Des ressources alternatives en santé mentale de la région de la Montérégie : un projet de recherche-*

action-formation, Montréal, École de service social de l'Université de Montréal.

Béland, F. (1982), *Les principaux résultats de l'analyse des désirs d'hébergement de trois échantillons de personnes âgées du Québec*, Québec, ministère des Affaires Sociales.

Bellemare, D. et L. Poulin-Simon (1983), *Le plein emploi, pourquoi?*, Sillery, Presses de l'Université du Québec.

Bender, E.I. (1971), «Le citoyen activiste émotif : une évaluation des groupes d'entraide en Amérique du Nord», *Hygiène mentale au Canada*, XIX, 2.

Bergeron, D. et L. Cantin (dir.) (1984), *Les alternatives en santé mentale*, Montréal, Québec-Amérique.

Berne, E. (1961), *Transactional Analysis in Psychotherapy*, New York, Grove Press.

— (1966), *Principles of Group Treatment*, New York, Oxford.

— (1970), *Transactional Analysis in Psychotherapy*, Palo Alto (California), Science and Behavior Books.

Bernier, D. (1978), «La recherche-action : aspects historiques et applications aux pratiques du service social», *Intervention*, 5, 9-15.

— (1983), «L'intervention anti-stress. Une approche pertinente pour la formation des intervenants sociaux», *Revue canadienne de service social*, 215-227.

Bernier, D. et R. Mayer (1984), *La recherche-action: seul ou avec d'autres*, document polycopié, Montréal, Université de Montréal.

Biegel, D.E. et A.J. Naparstek (dir.) (1982), *Community Support Systems and Mental Health*, New York, Springer.

Blanchet, L., R. Mayer *et al.* (1984), «L'intervention en réseau comme processus de recherche-action», *Revue canadienne de service social*, 97-127.

Bleandonu, G. (1970), *Les communautés thérapeutiques*, Paris, Éditions du Scarabée.

Blythe, B.J. (1983), «Social Support Network in Health Care and Health Promotion», J.K. Whittaker et J. Garbarino (dir.), *Social Support Networks: Informal Helping in the Human Services*, New York, Aldine, 107-131.

Borman, L.D., L.E. Borck, R. Hess et F.L. Pasquale (dir.) (1982), *Helping People to Help Themselves, Self-Help and Prevention*, New York, Haworth.

Borzeix, A., M. Maruani (1984), «Le miroir, la loupe et le rétroviseur», *Connexions*, 43, 39-55.

Bouchard, M. (1982), «La réforme scolaire et l'expérience de la participation», *Le Devoir*, 3 novembre, 9.

Bourdet, Y. et A. Guillerm (1975), *Clefs pour l'autogestion*, Paris, Seghers.

Bourque, D. (1985), *La recherche-action en CLSC : une pratique à développer*, document polycopié.

Bouvette, A. (1984), «Hold-up à Mirabel. Un anthropologue s'est compromis», *Anthropologie et sociétés*, 8, 29-43.

Bozzini, L. et R. Tessier (1983), *Support social et santé*, document polycopié, Montréal, Université du Québec à Montréal.

Brodeur, C. et R. Rousseau (dir.) (1984), *L'intervention de réseaux, une pratique nouvelle*, Montréal, France-Amérique.

Broskopp, G.W. et D. Lester (1973), *Crisis Intervention and Councelling by Telephone*, Springfield (Illinois). Charles C. Thomas.

Cassel, J. (1976), «The Social Environment as a Factor in Host Resistance», *American Journal of Epidemiology*, 104.

Centraide (1981), *Les priorités de Centraide pour les années 80*, Montréal, Centraide.

— (1982), *Le rapport annuel 1981-1982*, Montréal, Centraide.

Chambauld, L. et G. Richard (1984), *Le projet santé agricole : éléments d'analyse et de réflexion ou les difficultés de l'approche recherche-action dans le réseau de la santé communautaire*, Saint-Jean-sur-Richelieu (Québec), Département de santé communautaire de l'hôpital du Haut-Richelieu.

Chamberlin, J. (1979), *On Our Own: Patient-Controlled Alternatives to the Mental Health System*, New York, McGraw-Hill.

Champagne, M. (1981), «L'enseignement par des pairs : principales formes et guide pratique de mise en œuvre», *L'enseignement systématique : théorie et pratique*, Service de pédagogie universitaire, Université Laval, 183-195.

Chapman, N.J., C. Froland, P.J. Kimbolo et D.L. Pancoast (1981), *Helping Networks in Human Services*, Beverly Hills, Sage.

Charbonneau, P. (1987), «Vers une définition de la recherche-action», *Les méthodes de la recherche qualitative*, J.P. Deslauriers (dir.), Presses de l'Université du Québec, 81-91.

Charlot, M. (1983), «La recherche fondamentale loin du terrain», *Pour*, 190, 47-49.

Clarke, R. (1982), *Our Own Resources : Cooperatives and Community Economic Development in Rural Canada*, Langholm (Scotland), Arkleton Trust.

Cloward, R.A. et F.F. Piven (1982), *The New Class War, Reagan's Attack on the Welfare State and its Consequences*, New York, Pantheon Books.

(Collectif) (1981), *Actes du colloque recherche-action*, Chicoutimi, Université du Québec à Chicoutimi.

Collins, A.H. et D.L. Pancoast (1976), *Natural Helping Networks, A Strategy for Prevention*, Washington, National Association of Social Workers.

Comité consultatif en santé mentale communautaire de l'association des directeurs de DSC (1983), *Éléments pour une approche préventive en santé mentale communautaire*, Montréal, document polycopié.

Commission d'étude sur les universités du Québec (1979), *Rapport du comité de coordination*, Québec, Éditeur officiel du Québec.

Conseil des affaires sociales et de la famille (1976), *Promotion de la participation des groupes populaires à la gestion des services publics et au développement des communautés*, Québec.

— (1978), *La question de la promotion des initiatives volontaires dans le domaine des affaires sociales au Québec*, Québec.

Cook, K.S. (1977), «Exchange and Power in Networks of Interorganizational Relations», *The Sociological Quarterly*, 18, 62-82.

D'Aragon, P., D.V. Nightingale et G. Tarrab (1980), *La participation dans les entreprises*, Sillery, Presses de l'Université du Québec.

Davies, M. (1977), *Support Systems in Social Work*, Boston, Routledge and Kegan.

De Bruyne, P., J. Herman et M. Deschoutheete (1984), *Dynamique de la recherche en sciences sociales*, Paris, PUF.

Demerin, G. (1975), *Communautés pour le socialisme*, Paris, François Maspero.

Desmarais, D. *et al.* (1980), «Un modèle bio-psycho-social d'intervention de réseaux», *Service social*, 29, 366-379.

Desmarais, D. et R. Mayer (1980), «Réflexion sur la recherche-action : l'expérience de l'équipe d'intervention de réseau de l'hôpital Douglas à Montréal», *Service social*, 29, 380-403.

Desnoyers, L. et D. Mergler (1979), «Formation et recherche en santé et sécurité au travail», *Revue internationale d'action communautaire*, 2/42, 11-20.

Desroche, H. (1976), *Le projet coopératif*, Paris, Éditions Ouvrières.

— (1982), «Les auteurs et les acteurs : la recherche coopérative comme recherche-action», *Archives de sciences sociales de la coopération et du développement*, 59, 39-64.

— (1984), «Soliloque sur un colloque», Groupes d'éducation populaire, André Morin (dir.), *L'écriture collective. Un modèle de recherche-action*, Chicoutimi, Gaétan Morin, 59-168.

Dewar, T. (1976), «Professionalized Clients as Self-Helpers», *Self-Help and Health, a Report*, New York, Queen College, New Human Service Institute.

Dind, D., A. Sauvin et M. Vuille (1981), «Recherche-action et travail social», *Revue internationale d'action communautaire*, 5/45, 58-74.

Dionne, H. (1981), «Table ronde», *Actes du colloque sur la recherche-action*, Université du Québec à Chicoutimi, 199-202.

Dominicé, P. (1981), «L'ambiguïté des universitaires face à la recherche-action», *Revue internationale d'action communautaire*, Montréal, 5/45, 51-58.

Dubost, J. (1983), «Les critères de la recherche-action», *Pour*, 90, 17-21.

— (1984), «Une analyse comparative des pratiques dites de recherche-action», *Connexions*, 43, 8-28.

Dumas, M.-C. et D. Monette (1982), «Faut-il supprimer le bénévolat?», *Chatelaine*, octobre, 142-154.

Eckenschwiller, M. (1979), «Recherche-action sur une recherche-action à partir d'un groupe de Haute-Alsace», *Archives de sciences sociales de la coopération et du développement*, 48, 78-83.

Edmunson, E.P., J.R. Bedell et R.E. Gordon (1984), «The Community Network Development Project, Bridging the Gap Between Professional after Care and Self-Help», A. Gartner et

F. Riessman (dir.), *The Self-Help Revolution*, New York, Human Science Press, 195-203.

Fasteau, M.F. (1980), *Le robot mâle*, Paris, Denoël/Gonthier.

Ferguson, M. (1981), *Les enfants du Verseau*, Paris, Calman-Lévy.

Finlayson, A. (1983), «Supplementing Traditional Support Network», D.L. Pancoast *et al.*, *Rediscovering Self-Help, its Role in Social Care*, Beverley Hills, Sage, 89-102.

Franck, R. (1981), «Recherche-action, ou connaissance pour l'action?», *Revue internationale d'action communautaire*, 5/45, 160-165.

Freire, P. (1971), *L'éducation, pratique de la liberté*, Paris, Éditions du Cerf.

— (1974), *Pédagogie des opprimés*, Paris, François Maspero.

Friedlander, W.A. (dir.) (1976), *Concepts and Methods of Social Work*, Prentice-Hall, Englewood Cliffs.

Friedman, M. (1962), *Capitalism and Freedom*, Chicago, University of Chicago Press.

Froland, C., D. Pancoast, N. Chapman et P. Kimboko (1981), *Helping Networks and Human Services*, Beverley Hills, Sage.

Fromm, E. (1956), *Société aliénée et société saine; du capitalisme au socialisme humaniste, psychanalyse de la société contemporaine*, Paris, Le Courrier du Livre.

— (1977), *La crise de la psychanalyse : essai sur Freud, Marx et la psychologie sociale*, Paris, Anthropos.

Gartner, A. et F. Riessman (1977), *Self-Help in the Human Services*, San Francisco, Jossey-Bass.

— (1984), *The Self-Help Revolution*, New York, Human Sciences Press.

Gauthier, B. (1984), «La recherche-action», *Recherche sociale, de la problématique à la collecte des données*, Québec, Presses de l'Université du Québec, 455-468.

Gauthier, F. et A. Bouvette (1981), «Conditions d'exercice d'une recherche-action; la mobilisation des agriculteurs expropriés», *Revue internationale d'action communautaire*, 5/45. 28-33.

Gauthier, F. et C. Baribeau (1984), «Traitement de la qualité d'un plan de recherche-action», *Des pratiques évaluatives*, C. Paquette (dir.), Victoriaville, NHP, 286-322.

Gendreau, C. (1984), «Ressources alternatives vs ressources institutionnelles : de la pensée magique à la concertation de services», *Administration hospitalière et sociale*, novembre-décembre, 9-16.

Gerbaux, F. et P. Müeller (1987), «Le comité d'études pour le développement des activités paysannes», *Revue internationale d'action communautaire*, 5/45, 99-105.

Gilder, G. (1981), *Wealth & Poverty*, New York, Bantam Books.

Glasscote, R.M., J.B. Raybin, C.B. Reifler et A.W. Kane (1975), *The Alternate Services. Their Role in Mental Health*, Washington. Joint information Service of the American Psychiatric Association and the National Association for Mental Health.

Godbout, J.T. (1983), *La participation contre la démocratie*, Montréal, Éditions St-Martin.

— (1987), *La démocratie des usagers*, Montréal, Boréal.

Gottlieb, B.H. et J.C. McGuire (1979), «Social Support Groups Among New Parents: An Experimental Study in Primary Prevention», *Journal of Clinical Child Psychology*, 8 (2), 111-116.

Gottlieb, B.H. (1982), «Mutual-Help Groups: Members' Views of their Benefits and of Roles for Professionals», L.D. Borman *et al.*, *Helping People to Help Themselves, Self-Help and Preventions*, New York, Haworth, 55-67.

Goupil, G. (1983), *La tour de Babel. Psychothérapies, attention!*, Québec, Québec Science.

Goyette, G. et M. Lessard-Hébert (1985), *La recherche-action: ses fonctions, ses fondements et son instrumentation*, Québec, Conseil québécois de la recherche sociale.

GRARSPI (1985), J. Alary (dir.), *Rapport des travaux du Groupe de recherche-action sur les réseaux de soutien et les pratiques institutionnelles*, Montréal, École de service social de l'Université de Montréal.

— Tome I: Mayer, R., *Les pratiques de prise en charge par le milieu : une expérience de recherche-action.*

— Tome II: Larivière, C., *Les pratiques de prise en charge par le milieu: fondements théoriques.*

— Tome III: Boucher, N., *Les pratiques de prise en charge par le milieu: analyse critique.*

Guay, J. (1981), «Le réseau social de l'ex-patient psychiatrique», *Revue québécoise de psychologie*, 2 (3).

— (1983), *L'intervenant professionnel face à l'aide naturelle*, Chicoutimi, Gaétan Morin.

Hanratty, J. (1981), *The New Dawn Story: An Experiment in Economically-Based Community Development*, Ottawa, Health & Welfare Canada.

Hansell, N. (1976), *The Person-in-Distress. On the Biosocial Dynamics of Adaptation*, New York, Human Sciences Press.

Haramein, A. et P. Perrenoud (1981), «Rhapsodie : une recherche-action : du projet à l'acteur collectif», *Revue européenne des sciences sociales*, 59, 175-231.

Harrington, M. (1980), *Decade of Decision, the Crisis of the American System*, New York, Touchtone Book.

Harris, T.A. (1968), *I'm O.K. — You're O.K.. A Practical Guide to Transactional Analysis*, New York, Harper & Ron.

Hess, R. (1981), *La sociologie d'intervention*, Paris, PUF.

— (1983), «Histoire et typologie de la recherche-action», *Pour*, 90, 9-16.

Hétu, R. (1979), «Quelques pas vers une déprofessionnalisation de la santé au travail», *Revue internationale d'action communautaire*, 2/42, 21-26.

Hill, R.B. (1978), «The Illusion of Black Progress», *Social Policy*, 9 (3), 14-25.

Hillery, G.A. (1955), «Definitions of Community, Areas of Agreement», *Rural Sociology*, 20 (2), 11-123.

Himmelstrand, U. (1981), «Processus d'innovation et changement social», *Revue internationale des sciences sociales*, 33 (2), 248-268.

Holtzman, N.A. (1979), «Prevention: Rhetoric and Reality», *International Journal of Health Services*, 9 (118), 25-39.

Huot, F. (1983), «Administrateurs d'organismes à but non lucratif, désintéressés mais pas irresponsables», *Justice*, octobre.

Illich, I. (1971), *Une société sans école*, Paris, Seuil.

— (1973), *La convivialité*, Paris, Seuil.

— (1975), *Némésis médicale*, Paris, Seuil.

— (1980), *Le travail fantôme*, Paris, Seuil.

Institut national de la santé et de la recherche médicale (1985), *La recherche-action en santé*, Paris, La documentation française.

Jacob, A. (1984), *Guide méthodologique pour la recherche et l'action sociale*, Montréal, Nouvelles frontières.

Jobert, B. (1981), «Priorité à l'étude de l'adversaire», *Revue internationale d'action communautaire*, 5/45, 79-82.

Johnson, N. (1982), *Voluntary Social Services*, Oxford, Blackwell and Robertson.

Jones, M. (1953), *The Therapeutic Community: A New Treatment Method in Psychiatry*, New York, Basic Books.

— (1956), *Beyond the Therapeutic Community*, Yale University Press.

— (1968), *Social Psychiatry in Practice*, Harmondsworth, Penguin Books.

— (1976), *The Maturation of the Therapeutic Community*, New York, Human Science.

Katz, A.H. (1979), *A Discussion of Self-Help Groups: Heaven in a Professional World?*, Paper presented at the mediating structures project conference on professionalization.

— (1986), «Fellowship, Helping and Healing: the Re-Emergence of Self-Help Groups», *Journal of Voluntary Action Research*, 15 (2), 3-13.

Katz, A.H. et E.I. Bender (dir.) (1976), *The Strength in Us: Self-Help Group in the Modern World. New Viewpoints*, New York, Franklin Watts.

Kleiber, N.et L. Light (1978), *Self-Help in Health Care: the Service Component*, Vancouver, School of Nursing, University of British Columbia.

Kristol, I. (1978), *Two Cheers for Capitalism*, New York, Basic Books.

Kuhn, T. (1972), *La structure des révolutions scientifiques*, Paris, Flammarion.

Lacroix, B. (1981), *L'utopie communautaire*, Paris, PUF.

Lagassé, J. (1968), «A Review of Community Development Experience in the World», *International Review of Community Development*, 17.

Lambert, D. (1984), «Notes de lecture», *Connexions*, 43, 117-121.

Lamoureux, H., R. Mayer et J. Panet-Raymond (1984), *L'intervention communautaire*, Montréal, Éditions St-Martin.

Langlois, R. (1981), «Coupe-circuit : une alternative à la psychiatrie», *Santé mentale au Québec*, 6, 119-125.

— (1984), «Alternatives et institutions en santé mentale, prisonnières du même paradoxe», D. Bergeron et L. Cantin (dir.), *Les alternatives en santé mentale*, Québec-Amérique, 173-183.

Lapassade, G. (1970), *Groupes, organisations, institutions*, Paris, Gauthier-Villars.

— (1971), *L'analyseur et l'analyste*, Paris, Gauthier-Villars.

— (1975), *Socioanalyse et potentiel humain*, Paris, Gauthier-Villars.

Larivière, C. (1982), «Crises, classes sociales et changement social», *Intervention*, 65-66, 34-38.

Lavoie, F. (1981), «Modes d'évaluation des groupes d'entraide», *Revue québécoise de psychologie*, 2 (3), 102-117.

— (1983), «Citizen Participation in Health Care», D.L. Pancoast *et al.*, *Rediscovering Self-Help, its Role in Social Care*, Beverley Hills, Sage, 225-238.

— (1984), «Action Research, a New Model of Interaction Between the Professional and Self-Help Groups», A. Gartner et F. Riessman (dir.), *The Self-Help Revolution*, New York, Human Sciences Press, 173-182.

LeBoterf, G. (1981), *L'enquête participation en question*, Paris, Ligue de l'enseignement et de l'éducation permanente.

— (1983), «La recherche-action : une nouvelle relation entre les experts et les acteurs sociaux», *Pour*, 90, 39-46.

Leduc, M. (1983), «Un appel à ceux qui peuvent rendre la crise moins pénible», *Le Devoir*, 21 janvier.

Lefebvre-Girouard, A. et N. Gauthier (1977), *L'appauvrissement des petits salariés*, Montréal, Centre des services sociaux du Montréal métropolitain.

Le Gall, D. et C. Martin (1983), «Une recherche qui se cherche», *Pour*, 90, 67-83.

— (1984), «Recherche versus travail social», *Service social dans le monde*, 43 (3), 8-15.

Leonard, P. (1975), «Towards a Paradigm for Radical Practice», R. Bailex et M. Brake (dir.), *Radical Social Work*, Arnold, 46-61.

Lerbet, G. (1979), «Recherche-action, animation heuristique et facilitation pédagogique», *Archives de sciences sociales de la coopération*, 48, 52-63.

— (1980), «Essai sur un complexe d'Athéna. De la recherche-action comme révélateur des blocages heuristiques», *Archives de sciences sociales de la coopération*, 51, 25-37.

Lévesque, B. (dir.) (1978), *Animation sociale, entreprises communautaires et coopératives*, Montréal, Éditions coopératives Albert Saint-Martin.

Lévy, A. (1984), «La recherche-action et l'utilité sociale», *Connexions*, 43, 81-95.

Lieberman, M.A. et L.D. Borman (dir.) (1977), *Self-Help Groups for Coping with Crisis*, San Francisco, Jossey-Bass.

Limoges, J. (1982), *S'entraider*, Montréal, Éditions de l'Homme/CIM.

— (1983), *Chômage: mode d'emploi*, Montréal, Éditions de l'Homme.

Lourau, R. (1971a), *L'analyse institutionnelle*, Paris, Minuit.

— (1971b), *Analyse institutionnelle et pédagogie*, Paris, Épi.

— (1977), *Le gai savoir des sociologues*, Paris, UGE, 10/18.

— (1978), *L'État inconscient*, Paris, Minuit.

Marcou, L. (1976), *S'occuper des autres*, Paris, Fayard.

Martin, C. (1984), «Recherches ou chercheurs appliqués dans/sur le travail social», *Service social dans le monde*, 43 (3), 40-47.

Mayer, R. et D. Desmarais (1980), «Réflexions sur la recherche-action : l'expérience de l'équipe d'intervention de réseau de l'hôpital Douglas à Montréal», *Service social*, 29 (3), juillet-décembre.

Mayer, R. (1985), *Les pratiques de prise en charge par le milieu : une expérience de recherche-action*, Montréal, Groupe de recherche-action sur les réseaux de soutien et les pratiques institutionnelles, École de service social, Université de Montréal.

McRobie, G. (1981), *Small is Possible*, New York, Harper.

Meister, A. (1957), *Associations coopératives et groupes de loisirs en milieu rural*, Paris, Minuit.

— (1958), *Les communautés de travail*, Paris, Entente communautaire.

Mellor, H.W. (1985), *The Role of Voluntary Organization in Social Welfare*, Dover (New Hampshire) Croom Helm.

Mercier, C. (1985), «L'évaluation des ressources alternatives à la recherche de modèles alternatifs en évaluation», *Revue canadienne de santé mentale communautaire*, 4 (2), 57-71.

Milgram, G. (1975), *Réflexion sur le bénévolat d'aide psychologique*, Lyon, Thèse de doctorat de médecine, Université Claude-Bernard.

Minvielle, Y. et F. Mornet (1983), «Confrontation au réel et développement du travail théorique. Une autre manière de parler de la recherche-action», *Pour*, 90, 61-66.

Mongeau, J.C. (1981), Le projet de famille et la dynamique de la demande d'aide, Montréal, document polycopié, 7.

Moreau, M. (1983), «L'approche structurelle familiale en service social : le résultat d'un itinéraire critique», *Revue internationale d'action communautaire*, 7/47, 159-171.

Morin, A. (1981), «Quelques orientations de la recherche-action en éducation en Amérique du Nord», *Revue de l'Institut de sociologie*, 3, 529-538.

— (1984), «Les modes de communication auteurs-acteurs», *L'écriture collective : un modèle de recherche-action*, Chicoutimi, Gaétan Morin, 445-453.

Morrice, J.K.W., R.D. Himshelwook et N. Manning (dir.) (1980), «Basic Concepts: a Critical Review», *Therapeutic Communities: Reflections and Progress*, Routledge and Kegan Paul.

Moynihan, D.P. (1967), «The Negro Family: The Case for National Action», L. Rainwater et W.L. Yancy (dir.), *The Moynihan Report and the Politics of Controversy*, Cambridge, MIT Press.

Navarro, V. (1981), «L'industrialisation du fétichisme : une critique d'Ivan Illich», *Médecine et société : les années '80*, Éditions coopératives Albert Saint-Martin, 445-479.

Offredi, C. (1981), «La recherche-action : l'intellectuel et son rapport à l'action», *Revue internationale d'action communautaire*, 5/45, 82-89.

Orth, M.H. et H.M. Voth (1973), *Psychotherapy and the Role of the Environment*, New York, Behavioral Publications.

Ouellet, J.-P., R. Poupart et J.-J. Simard (1986), *La création d'une culture organisationnelle : le cas des CLSC, FCLSCQ*, Montréal, Fédération des CLSC du Québec.

Pancoast, D.L., P. Parker et C. Froland (1983), *Rediscovering Self-Help, Its Role in Social Care*, Beverley Hills, Sage.

Payette, M., F. Vaillancourt (1983), «Les bénévoles québécois : que font-ils?», *Carrefour des affaires sociales*, automne, 27.

Pines, M. (1982), «Recession is Linked to Far-Reaching Psychological Harm», *New York Times*, 6 avril.

Plamondon, M. (1983), «Les alternatives en santé : enjeux et perspectives», *Santé mentale au Québec*, 8 (1), 100-106.

Raiff, N.R. et B.K. Shore (1984), «Interfacing Mutual-Help and Mental Health Delivery Systems: Implications for Policy and Administration Curricula», F.S. Schwartz (dir.), *Voluntarism and Social Work Practice, a Growing Collaboration*, New York, University Press of America.

Rapoport, R.N. (1960), *Community as Doctor*, London, Tavistock Publications.

Reich, W. (1968), *La révolution sexuelle*, Paris, UGE.

Rhéaume, J. (1982), «La recherche-action : un nouveau mode de savoir», *Sociologie et sociétés*, 14 (1), 43-52.

Rinder, I.D. et R.P. Scheurell (1973), «Social Networks and Deviance: A Study of Lower Class Incest, Wife Beating, and Nonsupport Offenders», *The Wisconsin Sociologist*, 10 (2-3), 56-73.

Robinson, D. et S. Henry (1977), *Self-Help and Health, Mutual Aid for Modern Problems*, London, Robertson.

Robinson, D. (1979), *Talking out on Alcoholism, The Self-Help Process of Alcoholics Anonymous*, London, Croom Helm.

Rogers, C. (1951), «Remarks on the Future of Client-Centered Therapy», L. North Rice et D.A. Wexler (dir.), *Innovations in Client-Centered Therapy*, Boston, Houghton Mifflin.

— (1957), «The Necessary and Sufficient Conditions of Therapeutic Personality Change», *Journal of Consulting Psychology*, 21, 95-103.

— (1958), «A Process Conception of Psychotherapy», *American Psychologist*, 13, 142-149.

— (1959), «A Theory of Therapy, Personality and Interpersonal Relations as Developed in the Client-Centered Framework», S. Koch (dir.), *Psychology: a Study of a Science*, New York, McGraw-Hill.

— (1971), *La relation d'aide et la psychothérapie*, Paris, Éditions E.S.F.

Romeder, J.-M. (1982), *Les groupes d'entraide au Canada*, Ottawa, Santé et Bien-être social Canada.

Rondeau, R. (1981), *Les groupes en crise?*, Montréal, Mardaga et Fides.

Rosanvallon, P. (1976), *L'âge de l'autogestion*, Paris, Seuil.

— (1981), *La crise de l'État-providence*, Paris, Seuil.

Rousseau, R. (1980), «Recherche-action et intervention de réseaux», *Service social*, 29 (3), 322-332.

Roy, M. (1977), *Les pratiques sociales novatrices et les centres locaux de services communautaires*, document polycopié, Anjou, Fédération des CLSC du Québec.

Sansfaçon, J.-R. (1982), «On ne porte plus le monde sur nos épaules», *Le temps fou*, juin-août, 30-35.

Sartre, J.-P. (1946), *L'existentialisme est un humanisme*, Paris, Nagel.

— (1969), *Les communistes ont peur de la révolution*, Paris, John Didier.

Scherdin, K.R., R.P. Scheurell (1972), «Social Work Analysis: a Salient approach for Social Work», *The Wisconsin Sociologist*, 9 (2-3), 43-66.

Schumacher, E.F. (1973), *Small is Beautiful*, London, Abacus.

Schwartz, F.S. (1984), *Voluntarism and Social Work Practice, a Growing Collaboration*, New York, University Press of America.

Servan-Schreiber, J.-J. (1980), *Le défi mondial*, Montréal, Select.

Sévigny, R. (1977), «Intervention psycho-sociologique : réflexion critique», *Sociologie et sociétés*, 9 (2), 7-33

Silverman, P.H. (1982a), «People Helping People: Beyond the Professional Model», H.C. Schulberg et M. Killilea (dir.), *The Modern Practice of Community Mental Health*, Jossey-Bass, 611-632.

— (1982b), «The Mental Health Consultant as a Linking Agent», D.E. Biegel et A.J. Naparstek (dir.), *Community Support Systems and Mental Health*, New York, Springer, 238-249.

Specht, H. (1986), «Social Support, Social Network, Social Exchange and Social Work Practice», *Social Service Review*, 60 (2), 218-240.

Steffen, M. (1981), «Interrogations à partir d'un problème de santé en milieu industriel», *Revue internationale d'action communautaire*, 5/45, 89-99.

Stinson, A. (1983), «Community Economic Development», *Perception*, 35.

Stone, D. (1982), «Les oncles d'Amérique», *Autrement*, 43, 107-129.

Susman, G. et R. Evered (1978), «An Assessment of the Scientific Merits of Action Research», *Administrative Science Quarterly*, 23 (4), 582-603.

Transitions (1983), *Ressources alternatives au Québec*, Paris.

Tremblay, O. (1983), «Le bénévolat dans les établissements de santé», *Carrefour des affaires sociales*, automne, 32.

Troutot, P.-Y. (1980), «Sociologie d'intervention et recherche-action socio-politique», *Revue suisse de sociologie*, 6, 191-206.

Uttley, S. (1983), «Bridging the Divide. A Maori Initiative in Linking Formal and Informal Care», D.L. Pancoast *et al.*, *Rediscovering Self-Help, its Role in Social Care*, Beverley Hills, Sage, 261-277.

Vaillancourt, J.-G. (1982), *Écosociologie*, Montréal, Éditions coopératives Albert Saint-Martin.

Viens, C. (1987), *Des ressources alternatives en santé mentale de la région de la Montérégie : description et analyse des maisons*, Montréal, École de service social, Université de Montréal.

Warren, D.I. (1981), *Helping Networks*, Notre-Dame (Indiana), University of Notre-Dame Press.

Whittaker, J.K. et J. Garbarino (dir.) (1983), *Social Support Networks: Informal Helping in the Human Services*, New York, Aldine.

Wolfenden Committee (1978), *The Future of Voluntary Organizations*, London, Croom Helm.

Wollert, R. et N. Barron (1983), «Avenues of Collaboration», D.L. Pancoast *et al.*, *Rediscovering Self-Help, its Role in Social Care*, Beverley Hills, Sage, 105-123.

Wollert, R., B. Knight et L.H. Levy (1984), «Make Today Count, a Collaborative Model for Professionals and Self-Help Groups», A. Gartner et F. Riessman (dir.), *The Self-Help Revolution*, New York, Human Sciences Press, 129-137.

Wowrer, O.H. (1984), «The Mental Health Professions and Mutual Help Programs, Co-Optation or Collaboration?», A. Gartner et F. Riessman (dir.), *The Self-Help Revolution*, New York, Human Sciences Press, 139-154.

Zay, N. (1976), «Le rapport Prévost et la recherche», *Service social*, 20 (2-3), 150-174.

LES AUTEURS

JACQUES ALARY détient un doctorat en service social; il est professeur-chercheur à l'École de service social de l'Université de Montréal.

JACQUES BEAUSOLEIL détient une maîtrise en psychologie; il est consultant en formation de cadres et en développement organisationnel.

MARIE-CHANTAL GUÉDON détient un doctorat en psychologie; auparavant professeur et chercheur à l'Université de Montréal, elle est présentement chercheur autonome.

CLAUDE LARIVIÈRE détient une maîtrise en service social et a fait aussi des études en sociologie et en administration publique; il travaille en CLSC où il occupe un poste de coordonnateur de programme.

ROBERT MAYER détient un doctorat en sociologie; il est professeur-chercheur à l'École de service social de l'Université de Montréal.

TABLE DES MATIÈRES

Composition et mise en page:
Helvetigraf, Québec

Achevé d'imprimer en février 1988
aux Ateliers graphiques Marc Veilleux,
à Cap-Saint-Ignace, Québec